〈情報的世界観〉の哲学

量子コンピュータ・メタヴァース・生成AI

大黒岳彦
DAIKOKU TAKEHIKO

青土社

〈情報的世界観〉の哲学

目次

第四章 量子力学・情報科学・社会システム論——量子情報科学の思想的地平 151

第五章　メタヴァースとヴァーチャル社会　193

〈情報的世界観〉の哲学

——量子コンピュータ・メタヴァース・生成ＡＩ

本書を手に取ることを待ち焦がれつつ逝った母、大黒文子に捧げる。

0　序論——〈情報的世界観〉とは何か？

「序論」は一般的に——とりわけ、哲学においては伝統的に——本編の完成後に物するのが慣わしとなっていることもあって、例えばカントの『純粋理性批判』やヘーゲルの『精神現象学』の「序論（フォアレーデ）」（Vorrede）を読めば納得されるとおり、本編よりも難しい。これは序論を執筆している段階の——つまり本編脱稿直後の——哲学者たちの頭には本編の全内容がその隅々に至るまで鮮明に刻み込まれており、改めて執筆の意図や方法論が——本編で展開された内容は最早自明のものとして——極めて抽象的な形で述べられるからである。だが、まだ本編を一行たりとも読んでいない読者にしてみればそれを開巻冒頭から読まされるのは堪ったものではない。

この序論では、そうした哲学における旧弊——ただし勿論、この序論は本編脱稿後に執筆しているのだが——を他山の石として回避しつつ、しかし本書執筆の意図と方法については、本編繙読に際してどうしても必要となる予備知識を過不足なく、そして前著二作を未見の読者に対しても前以って、提供できるよう心懸けたい。

さて、本書はそのタイトルからも察せられるように、形式的には二〇一六年に上梓した『情報社会の〈哲学〉——グーグル・ビッグデータ・人工知能』、その二年後に刊行した『ヴァーチャル社会の〈哲学〉——ビットコイン・VR・ポストトゥルース』の続編にあたる。したがって本書を含めた三冊は、情報社会の、主としてテクノロジー分野における最新状況を哲学的に分析した一続きのシリーズを構成する。本書を手に取った読者の多くもまた、前作、前々作同様、最新テクノロジーを列挙したサブタイトルに目が留まったはずで、その〝三題噺〟的な——主として人文科学的アングルからの——解説を期待しているものと忖度する。そうした読者の期待を裏切ることにはならないと信じるが、しかし他方、著者としては先立つ二作とは聊か異なる胸算用を本書については抱懐している。その魂胆を「序論」の場を借りて以下で吐露してみたい。

0-1 情報社会の現況

二〇一六年に公刊した最初の本は、同書のサブタイトル「グーグル・ビッグデータ・人工知能」の文言が明らかにしているように、〈ネット-ワーク〉(このタームについては0-4-1で説明する)としての情報社会の社会基盤(インフラストラクチャー)をなす基幹的テクノロジーやサーヴィス群——すなわち、検索技術、ビッグデータ、人工知能、ロボット、SNS——を分析している。最終章で情報倫理を扱ってはいるが、これは寧ろ続編の先取りないしその布石である。同書は帯のキャッチコピーにもあるとおり、二〇一〇年代前半までに現れたメディア・テクノロジー群に照準している。現時点から後知恵的に総括するならば、この時期に出現したテクノロジー群・サーヴィス群は孰れも「情報社会」=〈ネット-ワーク〉パラダイムの〈存在＝認識〉原理に係わっている。つまり同書での分析は、マスメディアに象徴されるそれまでのヒエラルキカルな〈放－送（ブロード・カースト）〉体制の〈存在〉観や〈認識〉観が、最新のメディア・テクノロジーによって、或いは骨抜きにされ、或いは駆逐され、或いは換骨奪胎されながら、徐々に新たな〈存在＝認識〉観にリプレイスされてゆく理路を著者としては示したつもりである。

　続く『ヴァーチャル社会の〈哲学〉――ビットコイン・VR・ポストトゥルース』は二〇一八年の刊行であるが、これは二〇一〇年代後半から目に見えて顕著になってきた〈価値〉の工学的実装の企てを分析対象の中心に据えて一書を編んだものである。伝統的な哲学の言い方を借りれば、情報社会における〈真・善・美〉および経済的〈価値〉構成のメカニズムを著者なりに解き明かそうとしたのが同書である。同書『ヴァーチャル社会の〈哲学〉』も、そして本書もまた、決して最初からその体裁は勿論のこと出版そのものですら予定されていたものでは全くなく（本書成立の経緯については「あとがき」を参照）、全ては成り行きと廻り合わせの産物なのだが、今改めて振り返ってみれば、『ヴァーチャル社会の〈哲学〉』上梓の時点で、本書成立への――少なくともロジカルな――道筋は付けられていたように思う。

　同書のタイトル決定に際しては、同書「あとがき」に記したように編集部との間で相当揉めた経緯がある。最終的に現行のものに落ち着きはしたが、妥協の末に苦肉の策として捻り出した〈ヴァーチャル社会〉という語の据わりの悪さが著者としては気になって仕方がなかった。だが、暫くするうちに〈Virtuality（ヴァーチャリティ）〉＝〈潜在性〉こそが、情報社会の再基底にある原理であり、しかも著者のライフワークである〈メディア〉の原理的・哲学的分析とも通底することがわかってきた。結論を先に言うと、〈ヴァーチャル社会〉という情報社会の規定は、情報社会のトータルな〈世界観〉的支柱である〈Virtuality〉＝〈潜在性〉＝〈メディア〉の〝三位一体〟を一語に要約的に表現したものである。著者としては、この〝三位一体〟に支えられた「情報社会」＝〈ヴァーチャル社会〉に固有の世界観を〈情報的世界観〉(Informationsweltanschauung) と呼びたい。本書は、この〈情報的世界観〉の輪郭を様々な論材を用いつつ、多角的なアングルから描き出そうとする試みである。

　こういう事情で、本書は先の二作に比して、最先端テクノロジーの技術哲学的・メディア論的分析という従来の〝取り柄〟が後退しているとの印象を読者に抱かせるかもしれない。また、旧作にも増して〝哲学史色〟或いは〝思想史色〟が目立つかもしれない。だが、冒頭の二つの章を除けば、情報社会の最先端テクノロジーを〝露頭〟とみなして、その深層にある思想的岩盤を掘り起こす、という方針に変更はないし、〝哲学史色〟〝思想史色〟が顕著になったといっても、それはペダントリーの故ではなく、飽く迄も〈情報的世界観〉の解明・記述に必要な限りで援用されるに過ぎない。著者としては、『情報社会の〈哲学〉』で行った〈存在＝認識〉分析、『ヴァーチャル社会の〈哲学〉』で行った〈価値〉分析を、情報社会の〈世界観〉の水準で統合することを只々目指したつもりである。

0―2 〈情報的世界観〉について

　実は〈情報的世界観〉の語は、著者が西垣通の〈基礎情報学〉を評価する基準として初めて導入したという経緯がある。[1] だが本書でこの語を使用するに際しては廣松渉の〈事的世界観〉を尠なからず意識してもいる。[2] 本書では第三章以下で〈情報的世界観〉の語が出現し始め、終章においてはそのタイトルにも登場することになるが、その場合、著者は同概念を明確に術語(テクニカルターム)として使用している。術語として使用する以上、その語の哲学的正当化(レッヒトフェルティグンク)(Rechtfertigung)=基礎付け(フンディールンク)(Fundierung)の手続きが先立たれなければならない。終章で一節(6-5)を費やして同概念の具体的規定を行うことになるが、ここではそれに先立って、より一般的・形式的なかたちでの規定を前以って与えておくことにする。

0-2-1 〈世界観〉とは何か?

まず問題となるのが、〈世界観(ヴェルトアンシャウウンク)〉(Weltanschauung)の概念である。この語は〈世界(ヴェルト)〉(Welt)と〈直観(アンシャウウンク)〉(Anschauung)からの合成語であるが、それは単に〈世界〉を〈観る〉ことではない。この〈直観〉はカント的な〈直観/悟性〉(Anschauen/Verstehen)の区別の一項と考えるべきであって、「全体が直接に(つまり悟性による分析に媒介されることなく、無媒介に)与えられる」ことが含意されている。したがって〈世界観〉とは〈世界〉総体の直接的〈現前=把握〉の謂である。

1 拙稿「情報的世界観と基礎情報学」、西垣通編著『基礎情報学のヴァイアビリティ――ネオ・サイバネティクスによる開放系と閉鎖系の架橋』(東京大学出版会、二〇一四年)第五章。但し、「情報的世界観」の語については正村俊之氏が著者に先んじて使用している事実を確認しておきたい。勿論、著者の語用との間には大幅なコノテーションの隔たりがある。正村俊之『グローバル社会と情報的世界観――現代社会の構造変容』(東京大学出版会、二〇〇八年)。

2 廣松渉『事的世界観への前哨――物象化論の認識論的=存在論的位相』(筑摩書房)。

次に問題となるのは「世界像」（Weltbild）との区別である。[3]「世界像」と〈世界観〉とは混同されてはならない。「世界像」が主観から切り離されて客体化された存立物というニュアンスを持つのに対して、〈世界観〉は主観性と客観性の双方を巻き込む。そればかりではない。前者は静的な成果物であるのに対して、後者は働きつつある〈生成〉の活動である。〈世界観〉の活動による成果として「世界像」が産まれる、そう解してもよい。

だが、ここに一つの問題が生じる。〈世界観〉が巻き込んだ主観性の契機と客観性の契機とが相克を起こすのである。〈世界観〉を巡る思想史上・哲学史上の対立はこの相克が源となっている。謂うところの相克ないし問題とはこうである。〈世界観〉が客観的なものである以上、それは唯一であり統一的なものでなければならない。だが他方それは主観的なものでもある以上、心理的（個人的）で相対的なものでもなければならない。こうして〈世界観〉における「客観の統一」と「諸自我の実存」との間に抜き差しならぬジレンマが出来することとなる。

〈世界観〉についての思索には様々なタイプが認められるが、大きく分けると主観性の契機を重く見るタイプと、逆に客観性の契機を重視するタイプの二系統に大別可能である。後者から見てゆこう。〈世界観〉の概念を哲学的術語として最初に彫琢したのは誰あらぬカントである。[4]彼は、主観性を〈経験的個別主観〉と〈超越論的一般主観〉とに二重化し、〈世界観〉を後者に属せしめることで、先の相克の解決を図る。つまり〈世界観〉を主観性共々超越論化するのである。この措置によって〈世界観〉の普遍妥当性（＝客観性）が確保されると同時に主観性（ただし超越論的なそれ）もまた救われる。〈世界観〉を超越論的な概念装置として捉えるこうした発想は、〈世界観〉を以って「世界を構成する非人称的能作」と解するに等しい。同じ発想は「世界構成における言語の媒介」を強調するフンボルトのような変奏を伴いつつもヘーゲルに至るまでのドイツ観念論を貫いている。[5]

ところが十九世紀に或る転回が生じる。〈世界観〉の超越論性と対応していた超越論的主観性がマルクスによって実践的主体性と読み換えられるのである。[6] このとき、上部構造の一斑として捉え返された〈世界観〉は変革的主体によって挿げ替え可能な〈イデオロギー〉と化す。ここに〈世界観＝虚偽意識（イデオロギー）〉は、再び相対的な地位に舞い戻ったことになる。こうした〈世界観〉理解はK・マンハイムの知識社会学にまで引き継がれる。[7]

主観性の契機を重んじる系統に眼を転じてみよう。この系統には〈世界観〉を、個人の人生に影響を及ぼす教育との関係で論ずるシュライエルマッハーや、それを個人の生命的表現とみるゲーテ、心

3　ハイデッガーが彼固有の意味を〈世界像〉の語に与えているが、これについては今の文脈では考慮の外とする。Heidegger, M.,'Die Zeit des Weltbildes', in *Holzwege* (1950). 邦訳『世界像の時代』（桑木務訳、ハイデッガー選集13、理想社）。

4　Kant, I., *Kritik der Urteilskraft* (1790), § 26 Von der Größenschätzung der Naturdinge, die zur Idee des Erhabenen erforderlich ist. 邦訳『判断力批判』（篠田英雄訳、岩波書店）。

5　Humboldt, W.von: *Über Denken und Sprechen* (1795/96). Hegel, G.W.F., *Ästhetik*, Einl. IV: Eintheil. (1842). 邦訳『美学』（竹内敏雄訳、岩波書店）。

6　Marx, K., « Thesen über Feuerbach » (1845). 邦訳「フォイエルバッハに関するテーゼ」（村松一人訳『フォイエルバッハ論』岩波書店）。

7　Mannheim, K., « Beiträge zur Theorie der Weltanschauungs-Interpretation », *Jahrbuch für Kunstgeschichte*, vol. 1, 1921-1922. 邦訳「世界観解釈の理論への寄与」（森良文訳『マンハイム全集』第一巻、潮書房）。

理的表象が共有化されたものとみるヴント父子やヤスパースなど様々な立場が岐れるが、[8] そこに共通してみられるのは、〈世界観〉における人格形成（ビルドゥンク）(Bildung) と綯（な）い交（ま）ぜになった個人的信条の強調、およびその結果としての〈世界観〉の複数性と相対性である。われわれが〈世界観〉を屢々（しばしば）〈人生観（レーベンスアンシャウウンク）〉(Lebensanschauung) の同義語として理解するのは、この系統の〈世界観〉理解に同調・依拠しているからである。だが、こうした〈世界観〉理解を採るとき〈世界観〉はインフレーションを起こし通俗化する。例えば、ナチスはこうした意味における「世界観」の語をそのイデオロギー戦、宣伝戦（プロパガンダ）において多用したが、[9] その場合「世界観」の複数性とそれらの拮抗・対立が前提された上で、生存闘争において最終的にナチスの「世界観」が勝利するという構図が予想されている。

だが、この系統においても先の系統と同じく、二十世紀初頭に転回が生じている。ディルタイはその「世界観学（ヴェルトアンシャウウンクスレーレ）」(Weltanschauungslehre) の企図において、〈世界観〉の複数性を考察の出発点として受け容れつつも、諸〈世界観〉の類型化と比較作業のなかでそれら全ての〈世界観〉の地盤としての〈生〉(Leben) を発見するに至っている。[10] ディルタイにおいては、種々の〈世界観〉を支える共通の普遍的構造として〈生〉が位置付けられており、カントとはまた別の意味で〈世界観〉の超越論化が図られているとみてよい。

0-2-2 〈ネットワーク〉と〈世界観〉

〈情報的世界観〉もまた、カントそしてディルタイによる定式化の例に漏れずやはり超越論的な性格を有する。それは〈社会〉構成の超越論的能作である。ただし、その構成はディルタイが主張するが如き〈生〉の解釈によって遂行されるのでないのは勿論のこと、カントが説くが如き超越論的な〈主観〉によってなされるのでもない。つまり〈情報的世界観〉は第一義的には人間によって創られたり抱かれたりするものではない。

では〈情報的世界観〉という〈社会〉構成の能作の〝主体〟は何か？〈ネットーワーク〉である。つまり〈情報的世界観〉とは〈ネットーワーク〉の非人称的な〈演算（オペラツィオーン）＝作用〉（Operation）の連鎖的接続の能作に他ならない。〈ネットーワーク〉が「情報社会」という歴史的な〈社会〉成体の駆動原理である以上、したがって、〈情報的世界観〉もまた歴史的に相対的であり、環境被拘束的である。そして、その限りでそれは或る種の〝イデオロギー〟性を払拭し得ない。だが、その〝イデオロギー〟性とは虚偽意識のことではない。なぜなら、繰り返すが〈情報的世界観〉は意識に担われることによって存立するのではなく、〈質料＝メディア〉の運動によって担われるものだからである。

〈情報的世界観〉について、これ以上の規定に踏み込むことは「序論」に許された矩を踰えること

8　Schleiermacher, F., *Zur Pädagogik*（1813）. 邦訳『教育学講義』（長井和雄・西村皓訳、玉川大学出版部）。Steiner, R., *Goethes Weltanschauung*（1918）. 邦訳『ゲーテの世界観』（森章吾訳、イザラ書房）。Wundt, W., *System der Philosophie*（1889）. Wundt, M., *Griechische Weltanschauung*（1917）. 邦訳『希臘人の世界観』（出隆・葉山照澄訳、理想社出版部）。Jaspers, K., *Psychologie der Weltanschauungen*（1919）. 邦訳『世界観の心理学』１・２（上村忠雄ほか訳、理想社）。

9　Rosenberg, A., *Der Kampf um die Weltanschauung*, 1936. *Weltanschauung und Wissenschaft*, 1937.

10　Dilthey, W., Die Typen der Weltanschauung und ihre Ausbildung in den metaphysischen Systemen（1911）, in *Wilhelm Dilthey Gesammelte Schriften VIII: Weltanschauungslehre*. 邦訳「世界観の諸類型と形而上学的諸体系におけるそれらの類型の形成」『ディルタイ全集』第四巻（法政大学出版局）所収。

になるので、続きは6－5を参看戴くことにして、ここでは、論証抜きで〈情報的世界観〉の特性を断言的、天下り式に三点に纏める。

〈情報的世界観〉とは〈質料〉性が〈社会〉構成においてこれまでにない重要性を演じる思想的パラダイムであって、まず、それは（1）これまで〈形相〉無しには無意味であるとされてきた〈質料〉固有の〝意味〟――もちろん非言語的な――を闡明する。次に、それは（2）これまでは〈形相〉にのみ認められてきた主宰的地位、つまり〈自立＝自律〉性ないし〝主体〟性を〈質料〉にも認めるパラダイムである。最後にそれは（3）これまで不活性な物質ないし単なる材料と同一視されてきた〈質料〉が、自発的変容をその本質とするものであることを明らかにする。われわれは、（1）固有の〝意味〟を有し、（2）〈自立＝自律〉的であると同時に、（3）自発的変容をその本質とするような〈質料〉を〈メディア〉(Medium) と呼びたい。「情報社会」＝〈ネット－ワーク〉においては、或いは同じことだが、〈情報的世界観〉の下では、〈質料＝メディア〉なのである。

0－3　本書の結構

本書は本「序論」と「あとがき」を除いて、「第一章」から「終章」までの全六章から成るが、全体は大きく三つのパートに分かれる。最初の二つの章は二人の社会学者が構築した〈社会〉についてのグランドセオリーの構造分析とその現代的意義の〈検証＝顕彰〉作業である。この二章は社会学的パートを構成する。第三章と第四章は自然科学を主題としたパートである。表面的には第三章が「巨大数」、第四章が「量子コンピュータ」という初出稿執筆当時の技術トレンドを扱う建て前になっているが、深層の主題は、自然科学による〈情報的世界観〉の先導、ないし同じことだが、〈情報的世界観〉の下での自然科学の変容の兆しの論定にある。最後の二つの章は、「メタヴァース」と「生成AI」という最新テクノロジーの社会哲学的・メディア論的な分析であり、特に終章は本「序論」を引き継いだ〈情報的世界観〉の考察を含む。

著者による解題を、しかも開巻冒頭に載せるという愚を犯すことにはなるが、繙読に際しての一つのガイドとして各章のねらいを以下に示す。

第一章は、彼の死後一〇〇周年を機に執筆したウェーバー論である。ウェーバーは方法論的個人主義の創始者であるとともにその代表格としての評価が確立しているが、その評価に敢えて異を立て、ルーマンに先立つ社会システム論の先覚者として論じる。こうした評価の方向がウェーバーを現在の情報社会に活かす一つの途だと著者は信じるからである。また、ウェーバーの〈社会〉理論〝体系〟を検覈することで、〈社会〉を理論化する、という営為が如何に逆説的な企てであるか、その次第が、一つの具体例として鮮明にわれわれの前に示されるだろう。

第二章は、その死の翌年に執筆されたラトゥールの謂わば追悼論文である。ラトゥールに関してもまたウェーバー同様、〈社会〉の存立を否定した論者であるかのごとく扱う言説が広く流通しているが、そうした言説が彼の理論の上澄みしか掬っていないことを本章で示したい。ウェーバーが社会システム論の先駆者であるとするならば、ラトゥールはその発展的後継者であると著者としては考えたい。ルーマンが理論化し残した〈システム〉の、更にその下位層に〝在る〟非言語的で〈自立＝自律〉的な運動としての〈ネット‐ワーク〉を彼は発見し、それを何とか言語的に定式化しようと試みたからである。

第三章は「巨大数」の時ならぬブームに乗じて書かれた数学史もどきの論攷であるが、著者の見立てでは「巨大数」ブームは、なんら「時ならぬ」ものではない。寧ろそれは極めて時宜に適ったものであることを、数学史を援用しながら論じる。「巨大数」の現代性とは、一言でいえば、動（やや）もすれば「数」を〈形相〉的でイデア的な〈実在〉として捉えがちな正統派数学とは違って、「巨大数」が「数」を〈質料〉的な、著者が謂う意味での〈メディア〉として把握する姿勢を示しているからである。その意味で「巨大数」は〈情報的世界観〉に棹差すものと言える。

第四章は二〇一九年秋にグーグルが宣言した「量子超越性」実現の報を狼煙として、テクノロジー界が俄に開発の鎬を削り始めた「量子コンピュータ」界隈の盛況を機縁に成立をみた論攷であるが、著者の関心は量子コンピュータが切り拓くテクノロジーの〝未来像〟とやらよりも、寧ろ量子コンピュータ実用化の最前線で取り組まれている「新素子」開発の方にあった。量子的な性格を有する新素子は、従来の「物質」ないし〈質料〉の概念に根本的な再考を迫るからである。すなわち、それは著者が考える〈質料＝メディア〉の体現物なのである。こうした意味で「量子情報科学」もまた〈情報的世界観〉の先触れと見ることができる。

第五章は二〇二一年に「メタ」へと社名を変更した「フェイスブック」が震源となって社会現象と評してよい一大ブームを巻き起こした「メタヴァース」についての論攷である。本編でも繰り返すことになるが、「メタヴァース」は、単なる願望や期待が実体化された〝アドバルーン〟に過ぎない。

だが、それでも最新のメディア・テクノロジーがハイデッガー謂う所の〈世界性（ヴェルトリヒカイト）〉（Weltlichkeit）を射程に収める地点にまで到達しつつあることをメタヴァース・ブームは示唆している。と同時にブームの急速な終熄は「メタヴァース」が「唯一の世界」＝〈世界社会〉という〈世界性〉の限界を超えられないことをもまたわれわれに教えてくれる。

終章は、メディア・テクノロジーの最新トレンドである「生成ＡＩ」が情報社会にとって有する意義を論じる。生成ＡＩの従来のＡＩに比べた時の顕著な特異性は、それが人間を素子として組み込んだ〈社会性ＡＩ〉（≒Web3）の最新版である点、および従来の情報科学にとっての〝鬼門〟であった筈の〈意味〉の問題に真正面から取り組んでいる点にある。本章では、生成ＡＩのこうした二つの特性を、〈社会〉の〈機械〉化——それは、「労働」と「創造」の変容をも同時に含意する——の問題、そして〈世界観〉変容——〈情報的世界観〉！——の問題にまで一般化して考察する。

０−４　繙読に先立っての注記

本節では、本編で頻出する本書独自の語用を簡単に解説する。孰れも前二著において既出の術語であり、それなりのボリュームの解説をそこで与えてあるのだが、前二著を未見の読者のために、また前著の読者にあっても旧著参照の労を省くべく、本書独自のアングルから用語解説風の語釈を本序論の最後に付す。[11]

0―4―1　〈放―送／ネット―ワーク〉

〈放―送〉（broad-cast）も〈ネット―ワーク〉（net-work）も情報頒布・情報流通がとる、歴史的に相対的な体制である。前者の体制が有効であったのは、十九世紀後半から二十世紀いっぱいにかけて、すなわちマスメディアが主導的メディアであった時期と重なり、後者の体制は二十一世紀が始まって以降現在まで、すなわちインターネットが主導的メディアである時期とオーヴァーラップする。〈放―送〉は以下三つの特徴を有する。第一にそれは単一の情報の発信元を有し、その発信元を円錐の頂点としつつ円錐の底面に位置する大衆へ向けて情報を一斉同報送信する。この情報送信は一方的であって、大衆から発信元へ向けての送信は基本的に行われない。第二に、情報送信の一方向性によって「情報」は稀少財となり大衆によって購われ消費される「商品」となる。すなわちマスメディアは「情報産業」として一つの市場を形成する。第三に、頒布される「情報」の同一性とそれを受け取る「大衆」の膨大な数によって「大衆」は或る均質で集合的な社会層を形成する。観方を変えれば、既存の「大衆」が同一の「情報」を受け取るのではなく、逆に同一「情報」の受容が「大衆」を生み出すとも言える。したがって、発信元が「大衆」に向けて発出する「情報」（＝世論）によって体制コントロールは容易に実現可能である。

他方、〈ネット―ワーク〉は以下の三つの特性によって特徴づけられる。第一に、それは個々のメディア・ユーザであるノードを結節点とするネットワークを形成し、ノード間での情報授受は原則的に双方向的である。このネットワークは二次元的に無制限に延伸可能であって、〈放―送〉体制のような三次元的に閉じたヒエラルキーを構成しない。第二に、情報送信における双方向性によって「情報」は稀少性を喪失し、基本的には無償の贈与財の性格を持つ。したがって、ここでは、「情報」それ自体が市場を形成することはなく、寧ろ「情報」授受に際してのノード間のマッチングを保証するノード群の囲い込みがビジネスモデルとなる。第三に、〈ネット－ワーク〉内で授受される「情報」の不均質性と情報発出の随時性とによって〈ネット－ワーク〉は時々刻々変容を遂げ、その結果として〈ネット－ワーク〉の全体を把握することは不可能であり、その把握には恒に不確定性が伴う。

本書においては〈放－送〉はほとんど主題化されず、専ら〈ネット－ワーク〉の存在が立論に際しての自明の前提とされるが、読者の注意を喚起しておきたいのは、〈ネット－ワーク〉の語に、単なる情報頒布・情報流通という意味〈以上(エトヴァス・メア)・以外(エトヴァス・アンデレス)〉(etwas Mehr, etwas Anderes)の含意が、本編の叙述を通じて次第に発見・付加されてゆくことである。

0－4－2 〈für es / für uns〉

〈für es(フュア・エス)〉〈für uns(フュア・ウンス)〉ともに、本書の叙述の方法論に係わると同時に、著者と読者との関係をコントロールするメタ概念である。本来はヘーゲルの『精神現象学』に由来する概念装置であるが、著者の

11 更に詳しい解説をお求めの向きは、〈放－送／ネット－ワーク〉に関しては、『「情報社会」とは何か？――〈メディア〉論への前哨』(ＮＴＴ出版)第三章、『情報社会の〈哲学〉』(勁草書房)序章、『ヴァーチャル社会の〈哲学〉』(青土社)０－４、〈für es / für uns〉については、『ヴァーチャル社会の〈哲学〉』０－５をそれぞれ参照されたい。

当該概念の使用は直接には廣松渉のそれを受け継いでいる。
〈für es〉はドイツ語を直訳すれば「それにとって」となるが、この場合「それ」(es)とは、〈世人（ダス・マン）〉(das Man)が対象に係わる際の日常的態度を意味する。最も卑俗な言い方をすれば、「当事者の立場に立ってみる」という操作である。対して〈für uns〉は、「われわれにとって」という意味だが、この場合の「われわれ（ウンス）」(uns)とは「反省的観察者」の意であって、先の、対象との日常的な接触態度を抜け出し、一段〝高い〟見地から（先の日常的な態度を採っていた自らも含めて）事態を観察する態度を意味する。

屢々引き合いに出す例なので若干気が引けるが、一番分かり易い例でもあるので構わず使用すると、われわれは地動説が科学的〝真理〟であることを識っており、したがって、いくら太陽が東から昇って天空を移動して西に沈むのを目撃しても、実際に動いているのは太陽なのではなく地球であることを〝識って〟いる。この事例において「太陽が東から昇って天空を移動し西に沈む」ことの目撃的知覚（＝体験）が〈für es〉の水準に該当する。それに対して「実際に動いているのは太陽なのではなく地球である」という観察（＝反省）の水準が〈für uns〉である。したがって〈für uns〉は、〈für es〉が実は虚偽意識であることを露呈させるための道具立てでもある。

二点注意しておく。第一。〈für uns〉と〈für es〉はペアになっており、片方だけでは機能しない。別の言い方をすれば、〈für uns〉の水準を設定することによってのみ遡及的に〈für es〉の水準もまた初めて出現する。更に言い直せば、両者は離在させてはならず、恒に〈für uns〉⇄〈für es〉という往還において使用されなければならない。「識即是空」が「空即是色」でもまたあるのと同じ道理である。第二。本書の繙読に関して言えば、〈für uns〉における〈uns = Wir（われわれ）〉とは〈著者 = 読者〉のことである。〈著者〉と〈読者〉とは、それぞれに固有の環境において、固有の生を営んでいる〈当事者〉でありつつ、本書の〈執筆 - 繙読〉に際しては〈われわれ〉の境位において共に〈真理〉——勿論この〈真理〉は歴史的相対性を免れない——を探求する反省的観察者として融合を遂げることになる。その意味で〈für es / für uns〉は、その都度の〈真理〉を開示する、〈終着点 = 目的地（テロス）〉（τέλος）の無い〝無限〟——厳密には「無際限」——の〝階段〟であると言うこともできよう。

第一章　ウェーバー社会理論の深層構造と社会の〈自己記述（アウトロギー）〉

1-0 はじめに――ウェーバー社会理論に対する本章のスタンス

著者は、ハーバマス批判との絡みで、現代の情報社会を理論的に把握するためには、ウェーバー社会学の代名詞ともなっている「方法論的個人主義」では太刀打ちできないことを折に触れて主張してきた。だが他方、（著者のアカデミック・キャリアに係わる個人的な事情に話が亘ることに対して読者の海容を予め請いつつ言うのだが）大学に入学したばかりの著者が全学共通ゼミナールで折原浩先生の指導の下精読した所謂『プロ・倫』が、初めて接した本格的な社会科学書であったこと、またその後進学した科学史・科学哲学教室において廣松渉の下で書いた卒業論文――カント『純粋理性批判』演繹論の論証構造分析――に続いて、修士論文で扱ったテーマが、新カント派、それもウェーバーがその影響下にあった西南学派の価値哲学であったこともあり、ウェーバーに対しては個人的な思い入れが大きい。読者の失笑を買うことを承知で言えば、カント派の学統に連なるウェーバーは著者にとっては時と所を隔ててはいるが、同じくカントに私淑した〝兄弟子〟であるとの思いもある。実際、今回ウェーバーを纏まった形で読み返してみて、その用語系に或る種の懐かしさを覚えると同時に、ウェーバーが思想の最も基本的な構えにおいてカント哲学の徒であることを改めて確認できた。こうした事情もあり、本章ではその外部からウェーバー社会学を批評するスタイルを採ることはせず、可能な限りウェーバーのロジックに寄り添い、其処に内在しながら分析を進め、内側からその本質と限界を見定めていきたい。

さて、ウェーバー社会学の本邦での研究は、日本のウェーバー受容史に関する外国人による研究書が出る程、その層は厚く、その方向性は多様である。著者が駒場で『プロ・倫』を読んでいた一九八〇年代前半、ウェーバー社会学の理論像は大きく分けると、方向性が異なる二つの〈関心〉に基づいて、その〈理念型〉が構築されていた。一つは、マルクスとの対比において、唯物史観と対決する、と言うよりは、それを補完する方向での解釈。この方向を代表したのは、海外ではK・レーヴィット[1]、日本においては大塚久雄[2]であった。いま一つは、社会理解における有機体論の代表格デュルケームに対して、「方法論的個人主義」を採るウェーバーを対置させる方向である。この方向においてもまた両者は対立関係に置かれるというよりは、それぞれの特性を対比的に強調しながら取り柄を強化する形で解釈された。この方向での海外における代表格がT・パーソンズ[3]およびJ・ハーバマス[4]であり、わが邦では廣松渉[5]であった。

1　Löwith, K., 'Max Weber und Karl Marx', in *Archiv für Sozialwissenschaft und Sozialpolitik*, Bd 67, 1932. 柴田治三郎・脇圭平・安藤英治訳『ウェーバーとマルクス』(未來社、一九六六年)。
2　大塚久雄『社会科学の方法――ウェーバーとマルクス』(岩波新書、一九六六年)。
3　Parsons, T., *The Structure of Social Action*, 1937. 稲上毅・厚東洋輔訳『社会的行為の構造』全五分冊（木鐸社、一九七六―一九八九年)。
4　Habermas, J., *Theorie des kommunikativen Handelns*, Suhrkamp, 1981. 河上倫逸他訳『コミュニケイション的行為の理論』上・中・下（未來社、一九八五―一九八七年)。
5　廣松渉「デュルケーム倫理学説の批判的継承」『世界の共同主観的存在構造』(岩波文庫、二〇一七年）所収。同『存在と意味――事的世界観の定礎　第二巻』(岩波書店、一九九三年)。

右の二つの方向で構成されたウェーバー理論の〈理念型〉は現在も無効ではないが、古色蒼然、とまでいわないにしても、旧套たる印象は免れない。近年では、カール・シュミットと対比させながら、〈責任倫理／心情倫理〉の区別、および〈(議会主義による)合法的支配／カリスマ的支配〉の区別を手懸かりに、所謂〈決断主義〉の先駆をウェーバーに読み込んでいく形での〈理念型〉構成や[6]、〈理念型〉構成にまで歩を進められてはいないが、ハイデッガー技術論の線でウェーバーの所謂〈目的合理性〉を解釈していく途が現れている[7]。

だが、本章では以上の孰れの途をも採らない。それは本章が、ウェーバー社会理論がウェーバーという〝人格〟に固有のパースペクティヴ、あるいは〈観察者〉(Beobachter) としてのウェーバー、更には彼の行動原理、と切り離すことができず、双方が合することで初めてその理論の本質は見えてくると考えるからである。よくある「人と思想」式の偉人伝や〝知行合一〟説風の処世訓の社会学版を読者にイメージされても困るので、ウェーバーの用語系を使って言い直せば、ウェーバーの立論の〈動機〉(Motiv) とその成果との乖離にこそ、ウェーバー社会学の〝真実〟は現れると本章が考えるからである。

こうした観点からウェーバーの〈動機〉に即しつつその理論を顧みるとき、ウェーバーがマルクスを意識し、また高く評価していることは疑いない事実だとしてもウェーバーの方でマルクスと切り結ぶ特別な論点の用意があったとは思えない。デュルケームもまたウェーバーの同時代人ではあるが、有機体論者としてウェーバーが意識していたのはドイツ歴史学派の面々であってデュルケームではない。ウェーバーの後続世代であるシュミットやハイデッガーに至っては、彼らがウェーバーの眼中にあったとは想像することすらできない。既存の解釈のように、謂わば〝後知恵〟によって〈理念型〉を構成するのではなく、ウェーバーの内在的〈動機〉に即しつつ〈理念型〉を構成しようとするならば、参照枠として機能し得るのは、ウェーバーもその依拠を公言するカント派を措いて他ない。

右の方針に基づいて以下では、まずウェーバー社会理論の内在的再構成の作業を遂行していきたいのだが、再構成がなった暁には、ウェーバー理論の表層的構造の奥に、いま一つの不可視の深層構造が浮かび上がってくるはずである。

1-1 「方法論的個人主義」とは何か？

冒頭で述べた通り、「方法論的個人主義」はウェーバー社会学の方法論の代名詞となっているが、ウェーバー本人がこの言葉を使ったことはない。ドイツ語の「methodischer Individualismus」[8]も、英語の「Methodological Individualism」[9]もウェーバーの弟子筋に当たるJ・シュンペーターによる造語

6 Kalyvas, Andreas, *Democracy and the Politics of the Extraordinary : Max Weber, Carl Schmitt, and Hannah Arendt*, Cambridge University Press, 2010.
7 徳永恂「ウェーバーとハイデガー」『思想』（岩波書店）二〇一九年十二月号。この方向での解釈は、「思想史的文脈に限って」という限定付きで著者も有望だと感じる。本章でも後にこの論点に触れる。
8 Schumpeter, J., *Das Wesen und der Hauptinhalt der theoretischen Nationalökonomie*, 1908. 大野忠男・木村健康・安井琢磨訳『理論経済学の本質と主要内容』上・下（岩波文庫、一九八三―一九八四年）。
9 Schumpeter, J., 'On the Concept of Social Value', in *Quarterly Journal of Economics*, Sep., 1909.

である。こう言ったからといって、当該概念が、ウェーバー理論にその対応物を欠く、実体のない単なる〝レッテル〟に過ぎない、ということではない。『経済と社会』の冒頭「方法の基礎」において、「方法論的個人主義」と呼んでよい思想内容が慥かに開陳されているし、[10]死の直前に弟子のロバート・リーフマンに宛てた手紙においても、ウェーバーは同内容の主張を繰り返しており、最晩年まで「方法論的個人主義」を彼が堅持していたことが分かる。その手紙の一節にはこうある。

> あなたの〈社会学〉（Soziologie）との闘いを私は理解しているつもりです。だが、私はこう言いたい。もし私が今なお社会学者であるとするなら（私の雇用証明書にはそう書いてある！）、私の使命は基本的には、依然として亡霊のように彷徨っている〈集合概念〉（Kollektivbegriff）に止めを刺すことにあるのです。言い換えると、社会学もまた、その出発点を一人あるいは数人ないし多数の〈個人〉（Einzelner）の〈行為〉（Handeln）に据え、厳密に〈個人主義的〉（individualistisch）な方法を採ることによってのみ機能できます。[11]

上の引用からは、ウェーバーが〝社会〟（Gesellschaft）を〈存立〉（bestehen）するという意味で〝在る〟と言えはするが、実際に〈実在〉（existieren）するわけではない、その意味で〝亡霊の如き〟（spukend）〈可能性〉（Chancen）次元での存立体に過ぎないと捉えていることがはっきり読み取れる。実際に〈実在〉（existieren）するのは〈個人〉（Einzelner）の〈行為〉（Handeln）のみであって、〝社会〟はそうした〈個人〉の行為の集合に付された単なる〝名前〟を、実体と見間違えている〈集合概念〉

に他ならない、そう彼は主張する。ウェーバーの立場が屢々「社会的唯名論」（social nominalism）と名指される所以である。

だが、しかしウェーバーの「方法論的個人主義」を、一九八〇年代に「所謂社会なるものはない（There is no such thing as society.）」と平然と言ってのけた鉄の女マーガレット・サッチャーの新自由主義的な〝社会〟観や、最近で言えば、「社会は存在しない」と無邪気に放言できてしまうセカイ系アニメファンのＳＦ的（〝厨房〟的）〝社会〟観と同次元で捉えてはならない。すなわち、「方法論的個人主義」は、〈社会〉の存在を完全に否定し去り、〈個人〉（の行為）の代数和ないし離合集散にそれを解消してしまう、所謂「還元主義」（reductionism）とは違う。例えば、ウェーバーは〈集合概念〉の例として「国家」（Staat）を挙げている（註11を参照）が、サッチャーや社会学〝厨〟もよもや「国家な

---

10 Weber, M., *Wirtschaft und Gesellschaft: Grundriß der verstehenden Soziologie*, Zweiter auflage, 1925, Erster Teil: Die Wirtschaft und die gesellschaftlichen Ordnungen und Mächte, Kapitel I. Soziologische Grundbegriffe §1. I. Methodische Grundlagen. 清水幾太郎訳『社会学の根本概念』（岩波文庫、一九七二年）。

11 Weber, M., Brief zu Robert Liefmann, 9. März 1920, in *Max Weber Gesamtausgabe*, Abteilung II: Briefe, Band 10. 本文に訳出した部分には次の文面が続く。「例えば、〈国家〉（Staat）という言葉は、今なお旧態依然たる仕方で語られています。社会学的な意味における〈国家〉とは、特定の個人の、或る特定の種類の行為が生じる〈可能性〉（Chance）以外の何物でもありません。それ以上のことは何もない。何年も前から私はそう言い、そう書いてきました。〈主観性〉（Das »Subjektive«）とは、こうした行為が、或る特定の表象（Vorstellung）に導かれているということであり、〈客観性〉（Das »Objektive«）とは、観察者（Beobachter）としてのわれわれ（wir）研究者が下す判断なのです。表象に導かれたこうした行為が起こる可能性はたしかに〈あり〉（bestehen）ます。それが無くなれば、〈国家〉もまた雲散霧消します。」

ど存在しない」とは主張しないだろう。

ウェーバーの「方法論的個人主義」の理解に当たっては以下の三点が留意されなければならない。第一に〝社会〟は一般には（すなわち、für es には）〈実在〉すると〈思＝私〉念（*meinen*）されていること。この事実をウェーバーもまた認めている。したがって、〈個人〉（の行為）のみを〈実在〉すると断じる一方で、〝社会〟的存立体のほうは屠り去ってしまう還元主義とウェーバーの「方法論的個人主義」を同日に語ることはできない。

だが第二に、一般に自明視されている〝社会〟の〈実在〉性は、〈観察者〉（＝社会学者）の観点からすると（すなわち、für uns には）、思い誤られた〝実在〟性に過ぎず、〈個人〉の行為が物象化的に錯認された結果でしかない。社会学者の使命は、真に〈実在〉する〈個人〉の行為が如何なるメカニズムで〝社会〟という〈集合概念〉をわれわれに（しかも不可避的に）抱かせるに至るのか、その理路を解明することでなければならない。したがって「方法論的個人主義」にとって、「〝社会〟の本体は実は〈実在〉する〈個人〉の行為である」というテーゼは、社会学者が遂行する作業の結論ではなく、その出発点なのである。その意味で「方法論的個人主義」とは還元主義などではなく、語の最も厳密な意味における〈構成主義〉（Konstruktivismus）である。

にもかかわらず（あるいは、それゆえに）第三に、〈社会〉は還元主義においてのように否定し去られるのではなく、〈構成〉作業の冒頭に於いて〈前提〉され、そして作業の果てに〈止揚〉される存在であること。だが〈構成〉作業の果てに止揚されることで〈社会〉が消えてなくなるわけではない。相変わらずそれは日常的意識に於いて（für es には）〝実在〟し続ける。社会学者――学知としての〈われわれ〉（Wir）＝〈観察者〉（Beobachter）――が〈構成〉作業によって示すべきは、〈社会〉の不在ではない、〈存立〉（bestehen）するに過ぎない〈社会〉が〈実在〉（existieren）すると思い做される機制の解明なのである。そして、その証拠に〈存立〉する社会は〈構成〉作業の間中、社会学者によって一貫して想定され続けている。

そのとき問題になるのが、社会学者（＝観察者）によって想定され続けている〈社会〉の内実である。ウェーバーはそれを集団や組織体――テンニースの謂うゲマインシャフトとゲゼルシャフト、具体的には、企業（Betrieb）、結社（Verein）、任意団体（Gemeinde）、強制団体（Anstalt）など――の集合体としてイメージしている。[12] そして、その頂点をなすのがアンシュタルトとしての「国家」（Staat）である。ウェーバーが〝社会〟という〈集合概念〉の〝総元締め〟としてイメージし、あるいは〝社会〟とダブらせて表象しているのが「国家」であることは、『経済と社会』第四版に収められたウェーバー本人によるオリジナル・プランにおいて「国家社会学」[13] がその掉尾を飾っていることから考えても疑いを容れない。

12　その点で、下に示したN・ルーマンのウェーバー論がウェーバーの社会理論を一種の組織論として捉えていることは、ルーマンの炯眼を端なくも示している。Luhmann, N., Zweck-Herrschaft-System : GrundBegriffe und Prämissen Max Webers, *Der Staat*, Vol. 3, No. 2 (1964). 邦訳「目的・支配・システム――マックス・ウェーバーの基本概念と前提」（『現代思想』特集　マックス・ウェーバー：没後一〇〇、二〇二〇年十二月号所収）。

13　Weber, M., *Wirtschaft und Gesellschaft*, Vierte Auflage, 1955. 住谷一彦「マックス・ウェーバー『経済と社会』のオリヂナルプランについて――ウェーバー社会学の体系理解のための覚え書」『社会学評論』一九五七年第八巻第一号所収。Weber, M., *Staatssoziologie*, Duncker & Humblot, 1956. 石尾芳久訳『国家社会学』（法律文化社、一九九二年）。

1―2　ウェーバーによる〈社会構成〉プログラム①――所与的素材の〝構成〟

1―2―1　〈端緒（アルケー）〉の二重性

さて、ではウェーバーによる〈社会構成〉の作業は具体的にどのような段取りを踏んで遂行されるのか？　この〈構成〉プログラムの構案において発揮されるのが、ウェーバーのカント派としての本領である。手本にさるべきはカント『純粋理性批判』の結構である。

カントが『純粋理性批判』において、議論の出発点として据える大前提は「数学」と「力学」に代表される自然科学が現に存在しているという所謂〈学の事実（ファクトゥーム・デア・ヴィッセンシャフト）〉(Faktum der Wissenschaft) である。『実践理性批判』においては所謂〈道徳律〉の〝現前（プレザンス）〟という明証的事実、すなわち〈理性の事実（ファクトゥーム・デア・フェアヌンフト）〉(Faktum der Vernunft) が立論の大前提とされる。孰れの場合に於いてもカントは、こうした〈事実〉(Faktum) を自明の理として前提した上で、その〈可能性の条件（ベディングンク・デア・メークリヒカイト）〉(Bedingungen der Möglichkeit) を下降的に探ってゆくという手法を採用する。作業の結果、〈可能性の条件〉が余す所無く詳らかになったとき、当初前提した〈事実〉は改めて〈正当化（レッヒトフェルティゲン）〉(rechtfertigen) され、〈基礎付け（グルントレーゲン）〉(grundlegen) られたことになる。ウェーバーの場合には、「社会学」という学問領域が「数学」や「力学」ほど確固たる地歩を占めておらず、その存在を自明視できないため、〈事実〉として前提されるのは〈学（ヴィッセンシャフト）〉(Wissenschaft) ではなく、〈思＝私〉念（マイネン）(*meinen*) された〝社会〟の存在、すなわち〈社会の事実（ファクトゥーム・デア・ゲゼルシャフト）〉(Faktum der Gesellschaft) である。

カントに戻ろう。『純粋理性批判』においては、数学的対象や力学的対象、すなわち一般に精密自然科学の対象が、学知＝〈観察者〉＝カント、による für uns（フュア・ウンス）からの〈構成〉作業によって、その〈客観的〉妥当性が基礎付けられてゆく。その〈構成〉にあたっての出発点となるのが、所与としての〈感覚的多様〉（ズィンリッヒェ・マンニヒファルティヒカイト）(sinnliche Mannigfaltigkeit) である。このとき注意すべきは、〈学の事実〉という立論全体の〈前提〉(Prämisse od. Voraussetzung) と、〈感覚的多様〉という立論の〈出立点〉(Anfang od. Ausgang) とを混同しないことである。双方ともに立論の〈端緒〉（アルケー）(αρχη) であることは間違いないのだが、〈学の事実〉が「われわれにとって先なるもの」（プロテロン・プロス・ヘーマース）(πρότερον πρὸς ἡμᾶς) すなわち「認識根拠」（ラツィオ・コグノスケンディ）(ratio cognoscendi) であるのに対して、〈感覚的多様〉の方は「端的に先なるもの」（プロテロン・ハプルース）(πρότερον ἁπλοῦς) ないし「事柄において先なるもの」（プロテロン・テイ・ピュセイ）(πρότερον τει φύσει) すなわち「存在根拠」（ラツィオ・エッセンディ）(ratio essendi) である。〈学の事実〉は〈構成〉作業を起動させる謂わば〈目的因〉であるのに対し、〈感覚的多様〉は、それを材料＝素材とすることで初めて〈構成〉作業に取り掛かることができる謂わば〈質料因〉である、そう言ってもよい。

ウェーバーの場合、立論の〈前提〉が〈社会の事実〉、すなわち日常的意識にとって〈社会〉が〝実在〟している、という〈事実〉であることはすでに述べた。では、ウェーバーにとっての〈出立点〉ないし原的所与、つまりカントの〈感覚的多様〉に相当するものは何か？

それが他ならぬ〈個人の行為〉（アインツェルネ・ハンドルンク）(einzelne Handlung) である。

1-2-2 行為の〈動機〉と〈合理性〉

ところが、同じ〈構成〉のための素材であっても〈感覚的多様〉と〈個人の行為〉との間には見過ごすことのできない相違がある。それは、前者が〈構成〉者にとって基本的にその振る舞いが透明な、直接的素材であるのに対して、後者は〈他我〉（アルター・エゴ）(alter Ego)の意志的振る舞いであって、そうであるがゆえに原理的に予測が不可能で不透明な〝素材〟である点である。言い換えれば、〝素材〟としての行為は、他者の「〈思=私〉（マイネン）念された〈意味〉（ジン）」に媒介されることによって、〈構成〉者にとっての直接的所与ではあり得ず、間接的な所与にしかなり得ない。

だがウェーバーは、その原理的な不透明性を超えて、他我の〈個人的行為〉を、コントロール可能な〈構成〉のための所与的素材に仕立て直す。他我の〈個人的行為〉の〈所与〉的〈素材〉化は、ウェーバーが編み出した独自の方法によって成就される。その方法は、二つの要素からなる。一つは、〈理解〉（フェアシュテーエン）(Verstehen)の対象としての〈動機〉（モティーフ）(Motiv)であり、いま一つの要素は〈合理性〉（ラツィオナリテート）(Rationalität)である。

杣人（そまびと）の「木を切る」という行為を例にとって考えよう。〈観察者〉であるわれわれが杣山（そまやま）で樵（きこり）が木を切っているのを目撃するとき、われわれは端的にそれを〈伐採〉行為として〈理解〉(verstehen)する。この〈理解〉は直接的かつ脱人称化された〈意味〉(Sinn)水準での〈理解〉である。また、それは、行為の背景から特定の行為のみを孤立的に切り出した上で〈意味〉付与を行う〈理解〉でもある。ウェーバーはこうした水準の〈理解〉を〈現実的〉（アクトゥエル）(akutuell)理解として特徴付ける。それに対して、

「木を切る」という行為を行っている、その当の人物に即するかたちで――彼の〝内面〟に、類推や感情移入の手法で〝入り込む〟かどうかは別として――〈理解〉が行われるとき（例えば、生活の糧を得るために杣人は木を切っているのだ、あるいは、出掛けに妻と喧嘩をしてムシャクシャし、自棄糞になって斧を振り回しているのだ、など）には、問題になっている当の行為のみならず、行為が行われている背景や、当の行為に先立ってなされた（他者のものも含めた）諸行為、当の行為の後になされることが予想される（他者のものも含めた）行為、が諸共に〈理解〉の対象となる。ウェーバーはこうした社会関係のフリンジを引き摺った行為〈理解〉の水準を〈説明的〉（erklärend）として特徴付けると同時に、〈説明的理解〉の対象となる行為の〈意味〉を〈動機〉（Motiv）として捉え返す。[14]

　分析哲学に泥んだ読者のために「言語行為論」の枠組みに移し替えて言えば、〈現実的理解〉の対象は、オースティンの枠組みにおける「発語行為」（locutionary act）に、〈説明的理解〉の対象は「発語内行為」（illocutionary act）および「発語媒介的行為」（perlocutionary act）にそれぞれほぼ相当する。

　さて、〈観察者〉によるこうした〈理解〉によって、果たして本当に〈構成〉の素材としての妥当性は〈行為〉に保証されるのだろうか。〈現実的理解〉の対象となっている〈行為〉は脱人称化されているため、実は〈個人〉の行為とは言えない。したがって、ここでの検討からは除外できる。問題は〈説明的理解〉の対象としての〈動機〉に、〈構成〉の素材としての資格が果たしてあるか否かで

14　Weber, M., *Wirtschaft und Gesellschaft*, Zweiter auflage, Kapitel I. Soziologische Grundbegriffe.

ある。ウェーバーはこの問題に対して、〈合理性〉（Rationalität）の概念を盾に肯定的に応答する。[15] ウェーバーの謂うところを要約すれば、行為における「〈思＝私〉念（meinen）された〈意味〉」の主観性――すなわち〈意味〉内容がその都度〈私＝行為者〉のものであるというハイデッガーに所謂〈各私性〉（Jemeinigkeit）――が、問題になっている行為を、その背景や前後の〈行為〉に埋め込んで、整合的に把握する〈説明的理解〉の手続きよって払拭され、そのことで〈動機〉は単なる主観的な〝思い做し〟から脱却し、〝客観的〟な対象〈構成〉のための素材としての資格を獲得するに至る。実は第三者的に見るとき、右の手続きは「不当仮定の虚偽」（ὕστερον πρότερον）の疑いが濃厚なのだが、この文脈では差し当たりウェーバーに順っておこう。

孰れにせよウェーバーは、右の如き行為連鎖における、単なる主観性を超えた〝客観的〟整合性を行為の〈合理性〉（Rationalität）として捉え返し、先の行為連鎖の〈説明的理解〉の結果としての〈動機〉とペアリングさせることで、まずは、〈個人〉の行為を〈構成〉作業の素材として権利付ける。

1―2―3　ウェーバーにとって〈合理性〉とは何か？――「〈社会的行為〉における四類型」の問題点

ウェーバーは以上の手続きを通じて〈構成〉の素材としての権利付けを終えた〈個人の行為〉を、改めて〈社会的行為〉（soziales Handeln）として措定する。[16] その上で、この〈社会的行為〉を、〈合理性〉の観点から有名な四つの類型に分類する。すなわち、（1）〈目的合理的〉（zweckrational）行為、（2）〈価値合理的〉（wertrational）行為、（3）〈感情的〉（affektuell）行為、（4）〈伝統的〉（traditionell）行為、がそれである。

このとき見過ごせないのは、〈目的合理的〉行為と〈価値合理的〉行為のみに、〈合理的〉(rational)の限定辞が付され、残りの二つには付されていないことである。この事実を以って、ウェーバーが〈感情的〉行為と〈伝統的〉行為を〈非合理的〉(irrational)な行為とみなしていると判断するならば、それは短慮というものである。例えば、ウェーバーは「〈目的合理性〉の観点からするとき、〈価値合理的〉行為は〈非合理的〉である」旨をはっきり述べているし、[17]『宗教社会学論集』の「序言」においてはより一般的に〈合理性〉を規定しつつ、「一つの観点から見て〈合理的〉であることがらが、他の観点からみれば〈非合理的〉であることも十分有り得る」事実を明言しているのである。[18]

暫くウェーバーを離れて、事柄そのものに即して考えてみよう。例えば、未開社会における〈伝統的〉行為である「ポトラッチ」は、われわれの常識的な生活慣行からすると明らかに〈非合理的〉な行為であるが、しかし文化人類学が明らかにした贈与経済という枠組み内に於いては、それは極めて〈合理的〉な行為である。あるいは「集団ヒステリー」のような〈感情的〉行為は一般には〈非合理的〉とされるが、特定の〈個人〉に即するとき、周囲の他者の〈感情〉的行為への随順が、他者からの攻撃や排除の矛先がその〈個人〉に向かって来ることを防遏している可能性もあるのであって、だ

15 *Ibid.*
16 *Ibid.* II. Begriff des sozialen Handelns, § 2. Bestimmungsgründe sozialen Handelns.
17 *Ibid.* II. Begriff des sozialen Handelns, 4.
18 Weber, M., *Gesammelte Aufsätze zur Religionssoziologie*, 1922. Vorbemerkung.「宗教社会学論集　序言」大塚久雄・生松敬三訳『宗教社会学論選』(みすず書房、一九七二年) 所収。

とすればこれも十分〈合理的〉行為と言える。更に言えば、ウェーバーが〈非合理的〉行為の典型として挙げる〝狂気〟ですら、今日の家族療法的な観点から見れば、家族システムの構造変動に伴う、個人の新たな環境への適応として優れて〈合理的〉な行為とみなし得る。

このように見てくると、行為の〈合理性〉とは、その基準が、行為がその都度置かれる環境によって変容する極めて相対的で曖昧なものだということが分かる。しかし、だとすれば〈合理性〉概念とは、どんな場合にも mutatis mutandis（必要な変更を加えることで）鵺（ぬえ）の如くその中味が転変し、融通無碍に使用可能な〝機械仕掛けの神（デウス・エクス・マーキナ）〟(deus ex machina) ないし〝マジックワード〟に類するものなのではないか？

だがウェーバーは、〈合理性〉の概念を、自らの〝体系〟構制全体を睨みつつ、慎重に組み上げ、また巧妙にその取り回しを行っている。先の社会的行為の四類型にしても、ウェーバー固有の〝下位分類癖（カズイスティーク）〟(Kasuistik) に眩惑されるとその構造が隠蔽されてしまうが、四類型の内、焦点化されているのは間違いなく、〈目的合理性〉と〈価値合理性〉であって、両者の対立が徹頭徹尾ウェーバー理論全体を貫いている。もっと言えば、ウェーバーが〈合理性〉という術語で恒に念頭に置いているのは〈目的合理性〉のみであって、あとの三つは思い切って言ってしまえば単なる〝帳尻合わせ〟に過ぎない。

〈目的合理性〉(Zweckrationalität) とは、〈目的〉が既定であるとき、その〈目的〉達成のための効率的〈手段〉の選択、の謂である。であるとするなら〈目的合理性〉とは、〈目的〉というよりもむしろ〈手段〉選択の〈合理性〉でなければならない。それに対して〈価値合理性〉(Wertrationalität) においてはむしろ〈目的〉の至上性が〈手段〉の選択性を凌ぐのであって、その命名に相違して主題化されているのは〈目的〉である。その意味で〈目的合理性〉vs.〈価値合理性〉の対立は〈手段〉vs.〈目的〉の対立を行為論的に定式化し直したものに他ならない。

思想史的なアングルから意味付与し直すならば、〈目的合理性〉が行為の〈手段－目的〉の連鎖において、機械論的に解された自然をモデルにしつつ、所謂〈最小作用の原理〉(principle of least action)に則った無駄のない効率的な〈手段〉(＝経路)選択を目指す戦略を表しているのに対して、〈価値合理性〉のほうは、一七世紀以来の精密自然科学の発展によって自然界を超えて文化的・歴史的世界にまで滲透・蔓延してきた機械論的原理(≒〈目的合理性〉)に抗して、文化的・歴史的世界に、自然界から追放された〈目的論〉(Teleologie)を導入することで、同世界が自然的世界とは質を異にする独自の領域であることを行為論の立場から根拠付けるための概念装置である。

周知のようにカントは『判断力批判』において〈目的論〉を自然界に有機体的原理として取り戻そうとし、また「崇高」と「美」という自然界と文化的・歴史的世界との境界領域にも〈目的論〉の適用範囲を拡張しようとしているが、カントの場合〈目的論〉は、〈超越論的〉(transzendental)ではあるものの、それは飽くまでも主観的な〈統制的〉(regulativ)原理であり、結局のところ、カント哲学の構図中に――宗教的・道徳的分野を除けば――文化的・歴史的世界が理論構制上、占める位置はない[19]。カント哲学のこうした欠落を、『実践理性批判』における〈当為〉(Sollen)の概念と『判断力

19　もちろん『人間学』を初めとするエッセイの類いは存在するが、それらは文化的・歴史的世界の原理的な考察を欠いており、体系としてのカント哲学の一角を占めるわけではない。

批判』における〈目的〉(Zweck)の概念を手懸かりに、また、両概念を〈価値〉(Wert)概念において結び付けつつ、文化・歴史領域全体に拡張的に適用することで埋めようとしたのが、新カント学派、とりわけW・ウィンデルバント、H・リッケルト、E・ラスクらが属した西南(バーデン)学派であり、ウェーバーもまた彼らと連携・共闘しつつ、カント哲学の枠組みを拡張する線で文化的・歴史的世界の理論化を〈社会学〉の営みとして遂行していった。本小節で取り上げた〈合理性〉概念は、次節以降で考察する、所与的素材としての〈社会的行為〉から〝社会〟を〈観察者〉としての社会学者(=ウェーバー)が〈構成〉するに際しての導きの糸としての役割を果たすことになる。

1-3 ウェーバーによる〈社会構成〉プログラム②——歴史的・文化的〝時・空間〟

1-3-1 リッケルトの〈価値〉哲学

〈個人〉の行為を素材として、ウェーバーが社会学の対象を〈構成〉してゆく次なる段取りを跡付けてゆきたいのだが、その作業に先立って、〈構成〉されるべき社会学的対象の特性を素描しておこう。

ウェーバーは一八九八年、重度の神経衰弱を患い、ハイデルベルク大学を休職して五年に亘る静養生活を余儀なくされるが、その間に、幼馴染みの哲学者で当時フライブルク大学に奉職していたリッケルトの大著『自然科学的概念構成の限界』[20]を手にする。その書が彼の伎癢を刺激することで、研究の再開と、自らの学問観および方法論の形成を促す重要な契機となったことを妻マリアンネが報告している。[21]だが、当該書は一体ウェーバーに如何なるインスピレーションをもたらしたのか？

「歴史科学への論理的序章」の副題を有するこの書は、新カント派西南学派の鼻祖である哲学者ウィンデルバント——彼は、ウェーバーと同じハイデルベルク大学に、高名な哲学史家であるクーノ・フィッシャーの後任として赴任していた——が、前任地のシュトラスブルク大学の総長就任演説で上げた、歴史科学の哲学的基礎付け作業始動の狼煙に呼応し、しかもその企図を完成させた記念碑的著作である。ウィンデルバントは、従来のように対象の差によって学問を分類するのではなく、方法の違いによってそれを分け、〈法則定立的（ノモテーティッシュ）〉(nomothetisch) な方法論を採用する自然科学から、〈特性記述的（イディオグラーフィッシュ）〉(idiographisch) な方法を採る歴史科学を区別することになる、有名な哲学的分類を提唱した。[22]リッケルトは、ウィンデルバントのこの区別を、方向性としては諒としつつも、単なる一回的出来事の特性記述によっては歴史科学の固有性は際立たせられないと考え、ウィンデルバントの区別に替えて、〈一般化的（ゲネラリズィーレント）／個性化的（インディヴィドゥアリズィーレント）〉(generalisierend/individualisierend) の区別を立てる。[23]この区別

20　Rickert, H., *Die Grenzen der naturwissenschaftlichen Begriffsbildung : Eine logische Einleitung in die historischen Wissenschaften*, Zweite Hälfte, 1903. 本章の記述に当たっては、実際にウェーバーが読んだと思われる初版のみならず、第二版（1913）も援用する。

21　Weber, Marianne., *Max Weber : Ein Lebensbild*, 1926. Achtes Kapitel-VI. 大久保和郎訳『マックス・ウェーバー』（みすず書房、一九八七年）。

22　Windelband, W., 'Geschichte und Naturwissenschaft', 1894 in *Präludien*.「歴史と自然科学」河東涓・篠田英雄訳『プレルーディエン』（岩波書店、一九二六年）所収。

23　Rickert, *op. cit.*, Zweite neu bearbeitete Auflage, Einleitung.

は、対象の区別ではなく、方法論の区別である点でウィンデルバントのものと同工異曲であるように見えるが、実はその内容に於いては両者の間には無視できない相違がある。ウェーバーの所論と係わってくることもあり、ここでは若干の廻り道になることも厭わず、その理論的基礎を一定の深度と精度において掘り下げて確認しておこう。[24]

リッケルトは、われわれの体験世界の〝万物流転（パンタ・レイ）〟（*πάντα ῥεῖ*）相、日常生活の転変常無きあり方を、〈異質的連続（ヘテロゲネス・コンティヌウム）〉（heterogenes Kontinuum）[25]として特徴付ける。すなわち、そこでは多様で異質（ヘテロゲニテート）なもの（Heterogenität）が、飛躍の無い連続的（コンティヌイテート）な推移（Kontinuität）を見せている。学問は、体験世界をその儘摸写したり、余すところなく記述したりする営みではない。そんなことをしても学問的に無意味であるし、そもそもそんなことは不可能である。学問がその名を冠する以上、それは体験世界の素材的所与から〈選択〉を行い、体験世界を〈単純化〉しなければならない。リッケルトは、そうした単純化に二つの異なる方向性を認める。その一つが、所与的素材から特殊で個別的な契機を捨象して普遍的なもののみを共通に取り出し、それを原理・法則として定式化する〈一般化的〉な方向での単純化であり、この方法を採るのが自然科学（数学・物理学・心理学）である。いま一つは、所与的素材をその重要度によって選別する方向である。すなわち、取るに足らぬものを捨て、意味あるものを残すことで体験の単純化を図る途である。この方向においては、先の〈一般化的〉方法とは逆に、孰れの素材にも共通なものは〝在り来たり〟のものとして捨象され、掛け替えのない唯一的な独自性を有する素材のみが選択される。であるがゆえにリッケルトはこの方向を〈個性化的〉方法と名付ける。この方向を往くのが〈文化科学（クルトゥーアヴィッセンシャフト）〉（Kulturwissenschaft）[26]（歴史学・国民経済学・国家学・社会学）である。

リッケルトの〈個性化的〉方法に関しては、以下三点の留意が必要である。

まず第一に、ウィンデルバントの〈特性記述的〉方法との違いである。ウィンデルバントは素材的出来事の一回性を強調するが、生起や出現の頻度（あるいは、プロセスの単なる非エルゴード性）は、文化的事象の重要性とは一致しない。例えば、恐竜を絶滅させた中生代末の地球への小惑星衝突、あるいは「ビッグ・バン」は一回的な出来事であるが、それは基本的に自然科学的素材であって、文化科学の素材となることは（皆無ではないが）ほとんど無い。つまり、一回的であることがその儘〈個性化的〉方法の対象であることの指標であるわけではない。一方、シーザーの暗殺や盧舎那仏の建立という一回的出来事が、人体構造の解明や金属の相変化を示す素材といった自然科学的探求の対象となることが（ほぼ）なく、専ら文化科学の素材とみなされるのは、それらの出来事や人物が、他の出来事や人物との対比において抜きん出ている、ないし、それらを個体において代表・象徴しているからである。つまり、文化的事象の〈個性（インディヴィドゥアリテート）〉(Individualität) とは、その個体に封じ込められた、それ

24　但し、西南学派、それもリッケルトの歴史・文化哲学関連の所説解説に記述を限定する。前史とその後の展開を含めた新カント派総体の概略とその思想史的意義については、些か旧稿に属し、また今では稀覯書の仲間入りをして閲読が困難になってはいるが、廣松渉と著者との対談「新カント派の遺したもの」（『理想』六四三号所収）を参観されたい。

25　Rickert, *op. cit.*, Erstes Kapitel. Die begriffliche Erkenntnis der Körperwelt. 1. Die Mannigfaltigkeit der Körperwelt und ihre Vereinfachung durch die allgemeine Wortbedeutung.

26　リッケルトはヘーゲルを連想させる〈精神科学〉(Geisteswissenscaft) の語を嫌って〈文化科学〉の語を使用するが、次第に両者を混用するに至る。内容的な違いは無い。

自体で存立可能な規定性ではなく、特定の文脈の中でのみ〈意味〉＝〈意義〉を有する対他的な規定性なのである。

　第二に、〈個性化〉の作業に際して行われる、重要性の有無に照らした素材選別には、選別のための〈規準〉が必然的に要請される。この〈規準〉をリッケルトは〈目的＝価値〉（Zweck/Wert）と呼ぶ[27]。謂うところの〈価値〉にはヤヌス神の如き二面性があり、超越的なそれ自体としての存在の側面――これをリッケルトは〈超越的価値〉（transzendenter Wert）と称ぶが、これは〈物〉的存在や〈心〉的存在が持つ〈存在〉（Sein）とは異なる、格別な〝存在〟形式としての〈不現実的〉（*un*wirklich）な〈妥当〉（Gelten）を持つ――と、われわれが〈目的〉として指向する内在的な側面――これがわれわれにとっての〈当為〉（Sollen）として現れる――を有する。すなわち、〈個性化〉の手続きには〈存在〉の地平のみならず、〈価値〉というもう一つの地平が係わっており、両地平が交差する領域で〈個性化的〉方法は有効に働き始める。

　第三に、〈規準〉となる〈目的＝価値〉の設定は、対象の〈構成〉者が抱く〈関心〉（Interesse）の相関物であって、その〈関心〉の所在に応じて、選択〈規準〉は変異し、したがって、その〈規準〉によって選別・選択される所与的素材も異なってくる。その意味で――〈価値〉それ自体は超越的で絶対的ではあっても――〈価値〉選択には相対性が不可避的に伴う。ウェーバーの場合には、その〈関心〉は〈（目的）合理性〉の帰趨にあり、素材選択や素材構成に際しても、〈合理性〉が〈規準〉として恒に機能している。そして、ここにウェーバー理論における或る種の〈循環〉を指摘できるのだが、この論点は、ここでは素通りし[28]、先へ進もう。

1－3－2　歴史的〝時間〟と文化的〝空間〟

ここでウェーバーの立論の参照枠としての『純粋理性批判』を再度参照しよう。

カントは、所与的素材である〈感覚的多様〉がわれわれの認識の対象となるためには、それは須く直観形式としての「時間」と「空間」の内部に現れなければならないと説いた。そのことによって、対象がわれわれの経験の内部的存在であることが保証されると同時に、形而上学的存在やオカルト的存在を〈構成〉の対象から排除することもできる。

ウェーバーの〈構成〉作業においてもまた、〈個人〉の行為は、或る〝時間〟と〝空間〟の内部に現れることが〈構成〉の所与的素材たるための必須の要件をなす。但し、その〝時間〟はカントが考えたような力学的なニュートンの時間ではないし、〝空間〟もまた数学的なユークリッド空間ではない。それは一言でいうなら〈価値〉的な〝時・空間〟なのだが、そう言っただけでは単なるメタファーやレトリックの域を出ないので、もう少し詳細に規定しよう。

われわれは前小節で、リッケルトの〈個性化的〉方法についての注記の第一項で〈個性〉の可能性の条件としての〈観点〉(Gesichtspunkt) ないし〈文脈〉(Kontext) という論点に言及したが、ウェー

27　リッケルトは当初、この〈規準〉を〈目的〉と呼んでいたが、後には〈価値〉に語用が収斂してゆくため、本章でも以後は原則的に〈価値〉に語用を統一する。それでも、リッケルトにおいて〈価値〉＝〈目的〉であるという事実が忘却されてはならない。

28　1－4－4において、詳論する。

バーの場合における〝時・空間〟とは、〈個性〉が埋め込まれ、〈個性〉を取り巻く〈環境〉(Umwelt)との関係が、其処に於いて取り結ばれる、可能的〈文脈〉(möglicher Kontext)のことである。すなわち、通時的(diachronique)な〈文脈〉としての〈歴史的〉(historisch)〝時間〟、共時的(synchronique)な〈文脈〉としての〈文化的〉(kulturell)〝空間〟がそれである。そして、或る〈個人の行為〉が「有意味である（ズィンフォル）」(sinvoll)ないし「意義を有する（ベドイトザーム）(=重要である)」(bedeutsam)ためには、それが、こうした〈歴史的〉〝時間〟や〈文化的〉〝空間〟の〝ネットワーク〟内部に、固有の位置を持たなければならない。言い換えれば、〈個人の行為〉が〈個性化〉されるとは、それが〈文化〉的・〈歴史〉的な〝時・空間ネットワーク〟内部に位置付けられることに他ならない。またしたがって、行為の〈価値〉とは、この〝時・空間ネットワーク〟において占める個々の行為の〈位置価（オルツヴェーアト）〉(Ortswert)に他ならず、対象〈構成〉の〈目的〉とは、個々の行為および行為からの〈構成〉物を整合的に〝ネットワーク〟に埋め込むことで統一的〈歴史〉像や〈文化〉体系を構築することに他ならない。

こうして、文化科学の対象は〈価値〉の〝化体〟物となり、対象〈構成〉の素材的所与は、〈価値〉実現の質料的〝支持体（シュポール）〟(support)となる。リッケルトは、〈超越的価値〉が〈妥当〉する〝第一帝国〟——これは哲学の支配領域——、〈物〉的・〈心〉的〈存在〉の〝第二帝国〟——これは自然科学の支配領域——とは異なる、〈物〉的・〈心〉的〈存在〉を質料的〝支持体〟とし、〈価値〉がそこに於いて具現（マテリアリズィーレン）(materialisieren)・現実化（フェアヴィルクリッヒェン）(verwirklichen)する、中間的な〈第三帝国（ドリッテス・ライヒ）〉(drittes Reich)を〈歴史的・文化的〉世界として、精神科学の支配領域に割り当てる。[29] 社会学に対してもまた、この〈歴史的・文化的〉〝時・空間〟がその活動領域として指定されることになる。こういうわけで、歴史的〝時間〟と文化的〝空間〟は、〈価値〉が具体物に於いて実現された〈意味〉(Sinn)と〈意義(ベドイトゥンク)〉(Bedeutung)の領域的枠組みとなり、したがって、そこで実現された物事は例外なく個体に〈価値〉が編み込まれた〈財(ギューター)〉(Güter)の性格を帯びることとなる。

1−4 ウェーバーによる〈社会構成〉プログラム③──〈理念型〉と〈因果性〉

1−4−1 〈関心〉と〈価値〉の相対性

ところが、ここで一つの問題が持ち上がってくる。1−3−1での論定に拠れば、〈個人の行為〉の、所与的素材としての適合性(=重要度)を測る〈規準〉である〈価値=目的〉は、〈構成〉者=〈観察者〉が抱懐している〈関心〉(Interesse)に最終的には依存している。とすれば、〈価値=目的〉は──その〝存在〟性格の超越的・絶対的性格(=妥当)にもかかわらず──〈価値〉実質の次元での相対性を免れない。このことは、例えば、カントが不可疑の前提としていた、ユークリッド空間をモデルとした空間の唯一性が、ロバチェフスキーやボーヤイ、そして最終的にはリーマンによって、その絶対性と唯一性とを否定され、相対的なものと化した事態と類比的であるようにも思われるが[30]、両者の間には逕庭がある。カントの場合、相対化するのは飽くまでも「空間」という〝客観〟側の対

29 *Ibid.*, Zweites Kapitel. Natur und Geist, III. Naturwissenschaft und Geisteswissenschaft.

象である。もちろん、それと連動して主観的〈直観形式〉もまたその影響を蒙るが、主観の肆意によって「空間」像を勝手気儘に変更できるわけではない。これに対して、〈価値〉の相対性は、〈構成〉者＝〈観察者〉の〈関心〉に淵源する主観的な次元での相対性であって、深刻の度はより著しい。つまり〈構成〉者の〈関心〉の所在如何に応じて、〈価値基準〉は変更可能であり、それに伴って個々の〈個人的行為〉の重要度も変じることになる。ここにおいて、ウェーバーの、〈個人的行為〉を所与的素材とした〈社会構成〉プログラムは、以下の二つの課題を課されることになる。

第一。〈社会〉が〈個人の行為〉の単純な代数和からなっているのであれば問題はないが——もしそうであれば、そもそもウェーバーが〈社会〉を考察の対象として取り上げる必要がない——、実際には（ウェーバーが考える）〈社会〉は、すでに指摘したように、事実上〈組織〉体の集合物であり、それが織り成す〃ネットワーク〃である。であるならば、社会〈構成〉の作業は、まず第一に、〈個人〉的行為を素材とした〈組織〉体——それに付随する〃風土的心性〃や〃動機の傾向〃すなわち〈精神〉（Geist）[31]も含めた——の〈構成〉でなければならない。その際、リッケルトの謂う〈個性化的〉方法が採用され、〈文化〉的・〈歴史〉的な地平において、〈価値〉が実現・具体化された〈個体〉（Individuum）として〈構成〉はなされる必要がある。

第二。だが〈文化〉的・〈歴史〉的な〈個体〉の〈構成〉によって能事了れり、とはならない。本小節の冒頭で確認した通り、〈構成〉された〈価値〉的存立体は主観的相対性に纏われているからである。したがって、それが学問的対象として受け容れられ、流通するためには、何らかの手続きによって〃客観性〃がその存立体に担保されなければならない。

前者の課題に対応するのが、所謂〈理念型〉(Idealtypus) の問題系であり、後の課題に対応するのが、〈因果性〉の問題系である。そして両問題系を〈合理性〉の問題系が貫いている。順に見ていこう。

1－4－2 〈理念型〉の問題系

〈個人の行為〉を所与的素材とした、ウェーバーによる〈社会学〉的対象の〈構成〉作業は、『純粋理性批判』に倣いつつ〈カテゴリー〉(Kategorie) を使用して行われるが、しかしそれはカントの所謂「カテゴリー表」に示されたそれではもちろんない。ウェーバーが採用するのは彼独自の「理解社会学の〈カテゴリー〉」としての〈個体性〉(Individualität) である。そして実際の〈構成〉の手続きはリッケルトの謂う〈個性化的〉方法に則って行われる。

ウェーバーは様々な著作において、個々の「主観的に〈思＝私〉念された行為」から「ゲマインシャフト行為」(Gemeinschaftshandeln) が生じ、それが「諒解的行為」(Einverständnishandeln) を経て「ゲゼルシャフト行為」(Gesellschaftshandeln) に高次化されるに従って〈精神〉〈法〉〈社会的装置〉〈団体〉といった規範や制度そして組織などの、〈個人〉を超えた社会的〈個体〉が結晶化してく

30 実際、カッシーラーは、こうした事態に対処するべく、元来のカントの枠組みをマールブルク学派の観点から拡張的に解釈し直そうとしている。Cassirer, E., 'Kant und die moderne Mathematik', in *Kant-Studien*. Band 12 (1907), S. 1-40. 下村寅太郎訳『哲学論叢 一五 カントと近代の数学』(岩波書店、一九二八年)。

31 Weber, M., *Die Protestantische Ethik und der Geist des Kapitalismus*, (1920) I, Das Problem, 2. Der "Geist" des Kapitalismus. 大塚久雄訳『プロテスタンティズムの倫理と資本主義の精神』(岩波文庫、一九八九年)。

るメカニズムを、〈発生的〉(genetisch) ないし〈系譜学的〉（ゲネアローギッシュ）(genealogisch) に描き出し、それらを再〈構成〉してみせている。ウェーバーが批判を行った歴史学の大家E・マイヤーなどは、社会的〈個体〉をそれ以上還元できぬ端的な文化的・歴史的所与とみなすが、[32] ウェーバーにとってはそれは飽くまでもわれわれ〈学知〉＝〈観察者〉による〈構成〉の所産である。そして、こうした社会的〈個体〉の総体が、取りも直さず、われわれが〈社会〉と思い做し、〈社会〉の語でイメージするものである。ウェーバーは〈社会〉の、この仮現的単位――ウェーバーが考える〝実際の〟単位は〈個人の行為〉――として〈構成〉された社会的〈個体〉を〈理念型〉(Idealtypus) と呼ぶ。問題は、この、今なおその内実を巡って論争が絶えない〈理念型〉の存在性格である。

カントに引き寄せつつ性格付けるならば、まず〈理念型〉の〈構成〉が従う〈個体性〉の〈カテゴリー〉はカントによる十二のカテゴリー中の〈単一性〉(Einheit) と同じものではない。なぜなら〈単一性〉が「量（クヴァンティテート）」(Quantität) のカテゴリーに属するのに対して、〈理念型〉の〈個体性〉は飽くまでも〈掛け替えのなさ〉を規準に据えた質的な単一性だからである。したがってそれはむしろ、カントの枠内で言うなら「質（クヴァリテート）」(Qualität) のカテゴリー群中の〈制限性〉（リミタツィオーン）(Limitation) により近い。〈理念型〉は、取るに足らぬ属性を捨象し、重要な属性のみを残すことで属性を取捨選択的に制限しながら汎通的（ドゥルヒゲンギヒ）(durchgängig) に唯一性を規定してゆくことで〈個体〉を〈構成〉するからである。

また〈理念型〉は、カントの意味における〈図式〉（シェマ）(Schema) とも存在性格を異にする。〈図式〉は、普遍的〈概念〉の下に具体的〈個物〉を包摂する媒介的役割を果たすという機能において〈理念型〉の類比物とみなされやすいが、〈図式〉が〈構想力〉（アインビルドゥンクスクラフト）(Einbildungskraft) ――要はわれわれが現在謂うところの「想像力」――にその座を持つ、心理学的な存在であるのに対して、〈理念型〉は飽くまでもロジカルな〈概念〉的構成物である。実際ウェーバーも〈理念型〉が〈図式〉ではない旨を明言している。[33]だが前項で指摘したように、〈理念型〉はまた理想化的〈個体〉でもある。[34]その意味では『純粋理性批判』「超越論的弁証論」においてカントが神学批判の文脈で持ち出す「純粋理性の〈理想(イデアール)〉(Ideal)」との類似性が当然頭をよぎる。〈理想〉もまた〈神〉という理想化的〈個体〉だからである。だが、これについてもウェーバーはまた明確に否定する。[35]〈理想〉が理論的見地から〈統制的〉(regulativ) 原理として形而上の世界に想定された単なる仮構物であるのに対して、〈理念型〉は理想化されてはいるが、この〈現実世界〉(Wirklichkeitswelt) に座を持つ〈個体〉である。[36]また、〈理

32　Meyer, E., *Zur Theorie und Methodik der Geschichte*, 1902.「歴史の理論と方法」森岡弘道訳『歴史は科学か』(みすず書房、一九六五年) 所収。

33　Weber, M., 'Die "Objektivität" sozialwissenschaftlicher und sozialpolitischer Erkenntnis', in *Archiv für Sozialwissenschaft und Sozialpolitik*, Bd. 19, 1904, S. 48. 富永祐治・立野保男訳『社会科学と社会政策にかかわる認識の「客観性」』(岩波文庫、一九九八年)。

34　〈理念型〉を自然科学的〈モデル〉の機能的等価物とみなす議論を見掛けるが、著者は賛同しない。〈モデル〉はパラメータの確定によって初めて〈個体〉化する抽象物であるのに対して、〈理念型〉は最初から徹頭徹尾〈個体〉として構成されている。〈モデル〉と対応するのはむしろカントの〈図式〉である。〈モデル〉には〈理念型〉が有する歴史性が欠如しているのである。

35　*Ibid.*, S. 51-52.

36　ウェーバーが、〈社会学〉を〈現実科学〉(Wirklichkeitswissenschaft) と位置付け、「その中にわれわれが組み入れられている、われわれを取り巻く生の〈現実〉(Wirklichkeit) を、その独自性に於いて理解する」(*Ibid.*, S. 30) 学問分野として規定していることに注意。

想〉がこの世のものならぬがゆえに、実践的・道徳的な規範的性格を有するのに対して、〈理念型〉は〈価値〉の化体物ではあっても、飽くまでも記述概念であって、規範性からは完全に自由である。

第三者的に見て、〈理念型〉とは〈現実(ザッハリッヒ)〉に根拠を置く(sachlich)〝価値自由(ヴェールトフライ)〟(wertfrei)な〈範型的〉(paradigmatisch)個体である。哲学分野には、アリストテレス＝トマス→スコトゥス→オッカム、さらにはB・ラッセルに至るまでの〈個体性〉の定義に関する論争の系譜があり、その観点から厳密に言えばウェーバーの〈理念型〉が有するとされる〝個体性〟は無視できぬ難点を孕んでいる。[37]だが、その難点には暫く目を瞑り、最大限ウェーバーの意を汲むことにしたい。そうすることによってのみ、ウェーバーが〈理念型〉の〝個体性〟に固執せざるを得ない事情の背後に、社会的〝個体〟としての〈理念型〉がそこに埋め込まれる、より大きな〈文脈〉の存在を浮かび上がらせることができるからである。そして、この〈文脈〉と係わる問題系が〈因果性〉のそれである。

1-4-3 〈因果性〉の問題系

カント『純粋理性批判』の最大の難所は、「超越論的分析論」中の「純粋悟性概念(カテゴリー)の超越論的演繹」(transzendentale Deduktion der reinen Verstandesbegriffe)であるとされる。本来、〈主観〉に起源を有する〈カテゴリー〉が、何故〝客観的〟妥当性を有するのか、という原理的難問をそれが扱うからである。カントは、少なくとも人間的知性に関しては、〈カテゴリー〉が対象〈構成〉の不可避的制約であるから、という所謂〈悟性使用の最高原則〉を以って、この難問を切り抜ける。

実は〈理念型〉もまた、カントが直面したのと同じ難問をウェーバーに突き付ける。〈理念型〉もまた、「〈主観的〉に〈思＝私〉念された〈意味〉」に主導された行為を素材とし、われわれ〈学知〉＝〈観察者〉という〈主観〉によって〈構成〉された、徹頭徹尾〈主観的〉な概念的構成物であるにもかかわらず、それが〈現実〉（Wirklichkeit）において〝客観的〟妥当性を有する、というのがウェーバーの主張だからである。ウェーバーには当然、この〈主観〉出自の〈理念型〉が、如何なる根拠に基づいて〝客観性〟を僭称できるのかを説得的に説明し、それを権利付けるための作業が、理論構築上の責務として、また〈社会的〉対象〈構成〉における必須の手続きとして要請される。[38]しかもその際、カントが採った、対象〈構成〉の不可避的制約として〈理念型〉をみなすことで、その〝客観性〟を権利付ける途は予め塞がれている。なぜなら、〈理念型〉の場合、〈カテゴリー〉とは違って、それを使用する以前の段階で社会的〈現実〉は恒に既に（インマー・ショーン）（immer schon）成立してしまっているからである。

そうした方途に替えてウェーバーが持ち出す道具立てが〈因果性〉（カウザリテート）（Kausalität）に他ならない。ただし、ウェーバーの謂う〈因果性〉は、ヒュームが「恒常的連接」（コンスタント・コンジャンクション）（constant conjunction）の概念に

37　ウェーバーの説明を額面通り受け取れば、〈理念型〉とは〈具体的普遍〉ならぬ、〈個体的普遍〉であって、それ自体が矛盾概念である。なぜなら、それは一方で、普遍的存在たることを免れない〈概念〉的構成物であると同時に、他方では普遍性とは背馳する唯一性をもった〈個体〉でもある、ともされているからである。

38　ウェーバーの著作中、最もカント学派的な発想が顕著に窺えるのは、所謂『客観性』論文である。とりわけ、その掉尾部分を閲読されたい。*Ibid.*, S. 66. また、所謂『批判』論文の下記の箇所も参照。Weber, M., 'Kritische Studien auf dem Gebiet der kulturwissenschaftlichen Logik', in *Gesammelte Aufsätze zur Wissenschaftslehre*, 1967. S. 279. 邦訳「文化科学の論理学の領域における批判的研究」『歴史は科学か』（みすず書房）所収。

よって否定しようとし、カントがそれに抗して「関係」の〈カテゴリー〉の中で基礎付けようとし、ラプラースが「ラプラースの魔」の仮定によって決定論的世界観を打ち立てようとした所謂「自然因果性」(natural causality) とは、その存在性格を本質的に異にする。「自然因果性」が、〈目的〉を介在させない、純粋に機械論的で盲目的な因果性であるのに対し、ウェーバーの謂う〈因果性〉は〈意味〉(Sinn) や〈意義〉(Bedeutung) の次元において成立する〈意味連関〉だからである。

では、その〈因果性〉は、起動因としての〈意志〉と、それによって惹き起こされる〈行為〉との間に成立する所謂「意志による因果性」なのかというと、それも違う。「意志による因果性」を言い立てることが〈心−身〉二元論的枠組み内部においては抑もカテゴリー・ミステイクを犯すことになる点を措くとしても、「意志による因果性」によっては、〈主観的〉構成物の〝客観的〟妥当性の権利付け、というウェーバーの所期の目標を達成することが出来ない。なぜなら「意志による因果性」なるものを認めるとしても、それが〈個人〉の〈意志〉の働きである以上、それは純然たる〈主観性〉以外のものではあり得ないからである。

われわれはウェーバーが〈因果性〉を〈因果的説明〉(Kausal*erklärung*) や〈因果帰属〉(kausale *Zurechnung*) あるいは〈適合的因果関係〉(*adäquate* Verursachung) という語用において使用している場面に屢々出会う。[39] この事実が示しているのは、ウェーバーが〈因果性〉を、〈整合性〉(Richtigkeit) を測る〝理論装置〟として——ルーマンの用語系に仮託するなら〈整合性検査〉(Kohärenzprüfung) の手段として、統計学のジャーゴンで言えば、一種の〈仮説検定〉(hypothesis testing) の手続きとして——自説に導入していることである。すなわち、〈構成〉された〈理念型〉個体は、歴史的な〈文脈〉の中で、他の〈理念型〉諸個体との間に競合や矛盾を起こさず、それらと整合的に共存し得るとき、首尾一貫した〈意味連関〉を構成する点に徴して、その〝客観性〟が認証される。[40]ウェーバーは〝客観性〟認定を目指す〈理念型〉個体の属性の一つないし幾つかを敢えて変えてみることで「不現実的(ウンヴィルクリヒ)」(unwirklich) な因果的意味連関を構成し——所謂〈理念型〉の下位分類における〈整合型(リヒティヒカイツテューブス)〉(Richtigkeitstypus) に対する〈誤謬型(イルトゥームステューブス)〉(Irrtumstypus)[41]——、それが〝客観性〟を認められないことから、逆に当該〈理念型〉の〝客観性〟を導く手法[42]や、壮大な「宗教社会学」の試み——宗教諸派の〈理念型〉個体の〈比較〉によって、プロテスタンティズムに固有なものとして形成される〈資本主義の精神〉という〈理念型〉個体の〝客観的〟妥当性を権利付けようとする企図——に於いて採用した因果的意味連関の〈比較〉という方法論[43]を編み出しているが、こうした発想からもウェーバーが〈因果性〉を一種の〝操作概念〟として駆使していることがわかる。

いうなればウェーバーは、自らの〈関心〉によって設定した〈歴史的〉枠組み(ジグソーパズルの

39 例えば、*Gesammelte Aufsätze zur Wissenschaftslehre*, S. 66, S. 170, S. 290. usw.

40 もちろんその〝客観性〟には限界があり、原理的な相対性を免れない。また、この相対的な〝客観性〟の身分に連動する形で〝価値自由〟の問題系が浮上してくるのだが、この論点については節を改めて論じる。

41 Weber, M., *Über einige Kategorien der verstehenden Soziologie*, II. Verhältnis zur »Psychologie«. 林道義訳『理解社会学のカテゴリー』(岩波文庫、二〇〇二年)。

42 Weber, M., 'Kritische Studien auf dem Gebiet der kulturwissenschaftlichen Logik', in *Gesammelte Aufsätze zur Wissenschaftslehre*, 1967. S. 287.

43 *Gesammelte Aufsätze zur Wissenschaftslehre*, S. 232. を参照。

〝台紙〟）の中に、〈構成〉した個々の〈理念型〉個体（ジグソーパズルの個々の〝ピース〟）を埋め込む作業を〈因果性〉という〝規則（ルール）〟に則って遂行しているのであって、嵌め込みが成功裡に終わったとき、〈理念型〉個体の〝客観性〟は権利付けられたことになる。この時、〈理念型〉が存立する地平としての〈歴史〉という新たな〈文脈〉が視界に開けてくると同時に、〈歴史〉が仮想上のものではなく、われわれがそこで生きている〈現実〉である以上、それを成り立たせている要素的存在である〈理念型〉は須（すべから）く〈個体〉でなければならない。

1－4－4　〈合理性〉の問題系とウェーバー理論における〈循環〉

われわれは、ウェーバーの〈社会〉的対象の〈構成〉作業が――〈因果性〉による〝演繹（デドゥクツィオーン）〟(Deduktion)の手続きも含め――トータルに見て、行為と一体化し、行為と不可分離的に〈行為者＝主観〉に表象された〈目的〉が主導する行為パラダイム――ウェーバー謂うところの〈実質合理性（マテリアーレ・ラツィオナリテート）〉(materiale Rationalität)――から、〈目的〉の内容の如何に係わらず、〈目的〉を効率的に達成する行為の〈手段〉選択に主導された行為パラダイム――ウェーバー謂うところの〈形式合理性（フォルマーレ・ラツィオナリテート）〉(formale Rationalität)――への推転という〈問題意識＝関心〉によって貫かれていることに容易に気付く。ウェーバーのこの理論的〈関心〉は、行為の〈伝統的〉、〈感情的〉、〈価値合理的〉各動機の、〈目的合理的〉動機への収斂、とパラフレーズすることも出来るし、キャッチフレーズ風に、行為の〈脱魔術化（エントツァオベルンク）〉(Entzauberung)ないし〈全面的官僚制化（ウニヴェルセレ・ビュロクラティズィールンク）〉(universelle Bürokratisierung)と表現することも出来る。だが肝心なことは、〈(目的)合理性〉を〈社会〉構成の軸に据えるウェーバーのこうした〈関心〉のあり方が、彼の社会学理論全体をどのように方向付け、またその理論に如何なる翳を落としているのか、ということの闡明である。以下でそれを三点に纏める。

まず第一に、ウェーバー的な〈関心〉の下では、〈目的－手段〉関係が、〈因果性〉すなわち〈原因－結果〉関係と同一視はされないまでも、その典型とみなされていく過程であるかのように〈社会〉の〈歴史〉的進展が〈構成〉される。[44]〈目的－手段〉関係における具体的内容が〝脱肉化〟され、その計算可能な予測性という〈形式〉のみが、〈原因－結果〉関係と重ね合わされることで、〈目的〉と〈手段〉とは、或る時は〈原因〉となりまた或る時は〈結果〉となりながらその位置を交替しつつ〝糾える縄〟の如く〈社会〉の〈手段＝道具〉的〈組織〉化を推進してゆく。これは取りも直さず、様々であり得た〈合理性〉のあり方の〈目的合理性〉への一元化の事態でもある。

その結果として第二に、〈手段〉の自己目的化が生じる。〈目的－手段〉関係においては何処かの時点で〈最終目的〉・〈至上目的〉が設定され、〈目的－手段〉連鎖に終止符が打たれなければならない。しかし、〈目的合理性〉が他の〈合理性〉を併呑しつつ、〈形式〉化を極限にまで押し進めてゆく時、〈目的－手段〉関係は果てしなく延伸され、終(つい)には〈目的－手段〉関係そのものが不動で絶対的な〈目的〉の地位を占めるに至る。ウェーバーが『プロテスタンティズムの倫理と資本主義の〈精神〉』の掉尾で「鋼鉄の檻(シュタールハルテス・ゲホイゼ)」(stahlhartes Gehäuse)「機械的化石化(メハニズィールテ・フェアシュタイネルンク)」(mechanisierte Versteinerung) と形

44　註12に示したルーマン論文「目的・支配・システム――マックス・ウェーバーの基本概念と前提」の第一節を参照せよ。

容した事態である。[45] そしてこれは、ハイデッガーが、ウェーバーとはまた違った〈関心〉とアングルから、〈役に立つ〉(verfügbar od. nützlich zu sein) ことの自己目的化的連鎖として概念化した〈配備＝集立(ゲ・シュテル)〉(Ge-stell) の事態と異なるものではない。

だが第三に、ウェーバーによる右の見立てが正当なものであることの保証如何の問題がある。もちろん、その保証を得るためにウェーバーは〈因果性〉を駆使した〈理念型〉の〝演繹〟作業を敢行したのだったが、――1－2－2小節において既に示唆したように――そもそも〈理念型〉の〈構成〉に先立って、重要性という観点から所与的素材を〈選択〉する段階からウェーバーの〈関心〉は機能しているのであって、例えば、先の社会的行為の〈動機〉の四類型も、〈合理性〉という彼の〈関心〉に従って〈選択〉されている。また、〈構成〉された〈理念型〉が埋め込まれる〈歴史〉的枠組み（ジグソーパズルの〝台紙〟）――すなわち、技術による世界の〈脱魔術化〉から〈目的合理性〉の暴走による〈全面的官僚制化〉へ、という歴史的〈文脈〉――もまたウェーバーの〈関心〉に基づいて設定されている。素材や枠組みの〈選択〉から〈構成〉の指針に至るまで、全てが〈目的合理性〉というウェーバーの〈関心〉に先導され、貫かれているのである。とすれば、ここには、事態認識の当否とは別の次元で、立論における看過しがたい〝出来レース〟的〈循環〉が存在していると言わざるを得ない。そして、その〈循環〉は、ウェーバーの理論構制を丸ごと相対性の淵へ投げ込んでしまう虞(おそれ)無しとはしない。

われわれはウェーバー社会理論の表層的構造を、カント『純粋理性批判』の「超越論的感性論」「超越論的分析論」に仮託しながら跡付け、その結果、理論の構造が孕む看過できぬ〈循環〉を浮かび上がらせるところまで来た。次節では、引き続き「超越論的弁証論」を導きの糸にしながら、ウェーバーによっては明確に言語化されていない、場合によっては彼に自覚すらされていない理論の〝深層構造〟を探っていきたい。

1-5 ウェーバー社会理論の〝深層〟

1-5-1 〈社会〉の〝誤謬推理(パラロギスムス)〟とその批判

ウェーバーは世紀の変わり目の時期、リッケルトの著書に刺激を受けて自説の方法論的基礎を彫琢してゆく作業の傍らで、当代の社会理論が採る様々な方法論の批判にも手を染めている。『ロッシャーとクニース』がその代表例だが、[46] その行論からは「以って他山の石と為す」ウェーバーの思惑が透けて窺える。同著は、そのタイトルから、ウェーバーの出自であるドイツ歴史学派を、その大御所W・ロッシャーとK・クニースを槍玉に挙げることで批判した書のように思われがちだが、一読すればわかるように、むしろ同時代の流行思想が採る方法論の総捲りでの批判がその内容の過半を占める。

45 Weber, M., *Die protestantische Ethik und der "Geist" des Kapitalismus*, II. Die Berufsethik des asketischen Protestantismus. 2. Askese und kapitalistischer Geist.

46 Weber, Max., *Roscher und Knies und die logischen Probleme der historischen Nationalökonomie*, 1903-6. 松井秀親訳『ロッシャーとクニース』(未來社、一九八八年)。

ロッシャーとクニースはヘーゲル流の「社会有機体論」ないし「流出論」として、批判対象の一角を占めるに過ぎない。[47]

歴史学派（ヘーゲル主義）以外に彼が批判の俎上に載せるのは、心理主義（ヴント）、感情主義（リップス）、直観主義（クローチェ）、体験主義（ミュンスターベルク、ゴットル）などであるが、見過ごすことが出来ないのは、ウェーバーによる〈体験〉(Erlebnis) 概念の批判である。謂うところの〈体験〉は当代の流行概念であって、ミュンスターベルクやゴットルのみならず、マッハの現象主義やベルクソンらの〈生の哲学〉もまた、この〈体験〉の立場に属する。[48]〈体験〉の概念をカントの〈経験〉(Erfahrung) と混同してはならない。後者は対象〈構成〉の可能的地平であるのに対し、前者は〈身を以って生きられる〉(erleben) 直観的に明証的 (evident) な地平である。われわれはウェーバーが、この〈体験〉概念を一貫して〈非合理的〉(irrational) なものとみなし、執拗に絡み続けていることに注意しなければならない。それは、〈体験〉が単にミュンスターベルクやゴットルという身近なライバルの論客が採る立場であるという卑俗な事情に因るものとだけは言えない。

歴史学派は〈社会〉（民族共同体や民族国家と同一視された）を、〝民族精神〟なる〈実体〉からの〈流出〉(emanatio) の結実とみなすが、ウェーバーは、こうした社会の独断論的〈実体〉化の廉で歴史学派を批判する。だが、同じように〈体験〉の立場もまた、反証も検証も不可能な直接〈体験〉世界を不動かつ不可疑の〈実体〉として立てた上で、その堅固な地盤の延長物として〈社会〉を導き出そうとする点で、やはり〈社会〉の〈実体〉化に陥っている。歴史学派が上からの〈社会〉の〈実体〉化であるとするなら、〈体験〉の立場は下からの〈社会〉の〈実体〉化だといえるのであって、孰れの立場もウェーバーにとっては〈社会〉の〈実体〉化という〝誤謬推理(パラロギスムス)〟(Paralogismus)を犯している点では同断である。

ウェーバーにとって〈社会〉とは、飽くまでも〈学知〉＝〈観察者〉による記述的〈構成〉の所産であって、その意味でウェーバーの理論的立場は、ヘーゲル的〈流出論〉とも、猖獗を極める〈体験〉の立場とも明確に異なる、カント的〈構成〉主義である。ただし、カントとの違いが二点ある。第一に、〈社会構成〉は飽くまでも〈記述〉の水準で為されるのであって、〈実在〉の水準において為されるものではない点。したがって、マールブルク学派の講壇社会主義者シュタムラーの如く、記述の成果を宛も歴史的〈現実〉中に実在する〝法則〟であるかの如く言い立てるのはウェーバーにとって倒錯の極みでしかない。[49] そして〈社会〉が〈記述〉による〈構成〉物に過ぎないという見解からは、〈社会〉は真実には〈実在(エクシスティーレン)〉(existieren)しないという「社会唯名論」の立場が自動的に導かれても

47　ロッシャー論は兎も角、クニースについての記述は、他派への論及に比して過少と評さざるを得ない。もちろん同書は未完であって、続篇の第四章がクニース批判に充てられるはずだったのであろうが、第二・三章でのクニース批判が生彩を欠く上に、そもそもウェーバーの擱筆、中断の事実自体が、クニース批判の要無し、と彼が判断したとの臆測を招く。

48　ウェーバー社会理論と現象学との関係は、他の諸派との関係ほど単純ではない。現象学が〈体験〉にその地盤を求めつつも、そこから〝超越論的主観〟による、或る種の〝構成〟(Konstitution)を説くからである。ウェーバーは『ロッシャーとクニース』でフッサールに、どちらかと言えば肯定的に言及しているが(*Roscher und Knies*, II, III.)、それは飽くまでも『論理学研究』期の初期フッサールであって、〈体験〉への依拠がより明確になった中期以降のフッサールではない。

来る。

第二にカントの〈経験的主観/超越論的主観〉という〈主観〉の二重性が、〈世人（＝体験者）/学知（＝観察者）〉ないし〈für es/für uns〉という存在の二重性ないしパースペクティヴの二重性に変容していること。〈社会〉は真実には〈実在〉しないにもかかわらず、世人（日常生活を営む研究者も含む）にとっては〈社会〉は現に〝実在〟している。それは、für uns からの〈観察〉による記述的〈構成〉の成果が、für es の次元において日常生活に読み込まれ、〝重ね描か〟れるからに他ならない。ここには、フーコーを先取りするような、日常性における或る種の〈権力性〉の萌芽的かつ分散的構造が看取されてもいる。ウェーバーが潜在的にではあってもこうした日常性における〝権力〟論的二重構造を理論化し得ていた事実をここで確認しておきたい。

1―5―2 〈社会〉観における〝二律背反（アンティノミー）〟とその解決

ウェーバーは一時期、政治家を志しており、学者を〈職業〉（Beruf）として最終的に〈選択〉した後にも、政治に対する興味と〈関心〉を最後まで失ってはいない。ウェーバーの中で学者と政治家が拮抗しつつ同居していたと言ってもよい。そうした事情を彼が晩年に行った二つの有名な講演〈『職業としての学問』/『職業としての政治』[50]〉が象徴的に示している。問題は、この拮抗関係がウェーバーの社会理論にも翳を落としていることである。

ウェーバーは、政治論文『新秩序ドイツの議会と政府』[51]や先の『職業としての政治』において、自らの社会学的分析に於いて得られた知見を踏まえつつ、現行の政府/議会の無為無策に〈目的合理性〉の自己目的化の〝成れの果て〟である〈鋼鉄の檻〉〈機械的化石化〉〈全面的官僚制化〉の体現例を看取する。それは、「支配の社会学」における三分類で言えば〈合法的支配〉(legale Herrschaft)の一現象形態であるが、機能不全に陥っている。ウェーバーがそれに対する現状打開策として提示するのが、大衆民主主義に基礎を置いた〈カリスマ的支配〉(charismatische Herrschaft)の対置である。[52] 誤解してはならないのは、ウェーバーのこうした挙措に彼のショーヴィニスティックと言わないまでもナショナリスティックな傾向を過剰に読み取ったり、また、ヒトラーという〝カリスマ〟出現の予言を嗅ぎ取ったりしてはならないことである。彼の主張は、〈伝統的支配〉(traditionelle Herrschaft)形態をもはや採り得ない近代〈国家＝社会〉において、本来あるべき政治は、〈合法的支配〉と〈カリスマ的支配〉との健全な拮抗的均衡関係の現出と維持にある、というものだったはずである。ウェーバーはその鍵を握るのがマスメディアであることも見抜いており、そうした観点から『職業としての

---

49 Weber, M., 'R. Stammlers »Überwindung« der materialistischen Geschichtsauffassung', in *Archiv für Sozialwissenschaft und Sozialpolitik*, 24. Bd. 1907.「R・シュタムラーの唯物史観の克服」出口勇蔵ほか訳『完訳＝世界の大思想＝1 ウェーバー 社会科学論集』に所収（河出書房新社、一九八二年）。

50 Weber, M., *Wissenschaft als Beruf*, 1919. 尾高邦雄訳『職業としての学問』（岩波文庫、一九八〇年）。Ders., *Politik als Beruf*, 1919. 脇圭平訳『職業としての政治』（岩波文庫、一九八〇年）。

51 Weber, M., *Parlament und Regierung im neugeordneten Deutschland : Zurpolitischen Kritik des Beamtentums und Parteiwesens*, 1918. 中村貞二ほか訳「新秩序ドイツの議会と政府」『政治論集 2』（みすず書房、一九八二年）。

52 〈合法的支配〉と〈カリスマ的支配〉との対置は、〈目的合理性〉vs.〈価値合理性〉との対立関係の延長線上に立てられていることに注意。

政治』においてはジャーナリスト出身政治家の出現を期待し、「第一回ドイツ社会学会・会務報告」[53]においては「マスメディア」を主題とする社会学的研究の必要性を訴えてもいるのである。

問題はむしろ、〝価値自由〟(Wertfreiheit)を標榜するウェーバーの学問的態度[54]と、右に見られるような彼の政治的位置取りとの矛盾・相克的な関係にある。〝価値自由〟は極めて問題的な概念であり、今尚その意味や妥当性を巡って議論が絶えない。建て前から言えば、〝価値自由〟は、〈価値判断(ベウアタイルンク)〉(Beurteilung)ないし〈態度決定(アインシュテルンクスエントシャイドゥンク)〉(Einstellungsentscheidung)と、〈価値関係(ヴェールトベツィーウンク)〉(Wertbeziehung)とのリッケルトによる区別に由来する。〈価値関係〉は、〝客観〟の側に〈妥当〉している〈認識の対象〉であるのに対し、〈価値判断〉は、その〈価値関係〉に対する〝主観〟の――〈然り!(ヤー)〉(Ja!)という〈承認(アンエアケンヌンク)〉(Anerkennung)、あるいは〈否!(ナイン)〉(Nein!)という〈拒斥(フェアナイヌンク)〉(Verneinung)孰れかの――〈態度決定〉である。ウェーバーが〝価値自由〟の概念によって主張しようとしたのは、社会学が携わるのはどこまでも、対象が取り結び構成している〈位置価〉のネットワークである〈価値関係〉の、事柄そのものに即した(ザッハリッヒ)(sachlich)確定作業に限られるのであって、そこに〈価値判断〉や〈態度決定〉という〝主観〟的能作を持ち込んではならない、という一種の〝職業倫理〟〝プロ意識〟だったはずである。だが、〝客観〟の側での〈価値関係〉に基礎を置いた対象〈構成〉の作業そのものが〈観察者〉=〈学知〉が抱く〈関心〉のバイアスと一種の〝恣意性〟によって相対的たることを免れない事情は、前節(1-4-4小節)でみた通りである。〝価値自由〟概念の真の問題性はしたがって、〈観察者〉の〈関心〉の如何によって、――ウェーバーに於いてまさにそうであったように――政治的次元で相対立する態度が学問の次元に持ち込まれ、そこにおいて理論的対象として同位同格的・共存的に成立してしまう結果、抜き差しならぬ〝二律背反〟（Antinomie）状況――今の場合で言えば、〈合法的支配〉vs.〈カリスマ的支配〉――を惹起してしまう点にこそある。

ウェーバーはこの〝二律背反〟を陳述的（constative）次元で解消できているわけではない。だが、彼はその〝人格〟によって、ないし、その〝身の処し方〟を通して、行為遂行的（performative）次元で問題を事実上解決している。解決は、〈学問〉の分野を、他の分野――〈政治〉はもちろん、〈経済〉や〈教育〉分野も含め――に対して徹底的に閉じることで、各分野に対する〈学問〉分野の相対性は、これを認めた上で、〈学問〉分野の〈自立＝自律〉性と内部における世界〈観察〉の普遍性を確保すること――ルーマンの用語系を援用すれば、〈社会〉における〈機能的分化〉の承認と、〈学問システム〉内部での〈真／偽〉コード以外のコード使用の峻拒――によって成就される。『職業としての学問』と題した講演の結論部にみられる、学問を志す聴衆に対しておそらくは冷水を浴びせたであろう彼の発言――（その趣旨のみをパラフレーズして記せば）学問システムのコードのみを使用した味気ない〈コミュニケーション〉連鎖に只管没頭できない者は、学問システムから身を退いて、他システムに去れ！――にはウェーバーの学問システムの〝守護神〟たろうとする決意が端なくも表明されている。[55]

53　Weber, M., 'Geschäftsbericht', *Gesammelte Aufsätze zur Soziologie und Sozialpolitik*, 1924.「ドイツ社会学会の立場と課題」出口勇蔵ほか訳『完訳―世界の大思想＝1　ウェーバー　社会科学論集』に所収（河出書房新社、一九八二年）。

54　Weber, M., 'Der Sinn der "Wertfreiheit" der soziologischen und ökonomischen Wissenschaften' (1913), in *Gesammelte Aufsätze zur Wissenschaftslehre*, 1973. 松代和郎訳『社会学および経済学の「価値自由」の意味』（創文社、一九七六年）。

1-5-3 〝理想(イデアール)〟としての〈社会〉の拒否とその帰結

最後に、トータルな〈社会〉の問題に戻ろう。ウェーバーが〈社会〉を〈実在〉(existieren) するものとしては、その存在を否定し、社会学者としての自らの使命を、〈社会〉という〈集合概念〉に止めを刺すことに見定めた事情は、本章の冒頭で既に確認した。だが、例えば、高名なカント学者であるH・ファイヒンガーの如く「宛も〈社会〉が存在するかのように (*Als ob* es die Gesellschaft gäbe)」〈社会〉を完全な機能的仮構物とみなす途もあるのではないか?[56] すなわち、カントが〈神〉(Der Gott) を理論理性の範囲内でそうみなしたように、〈社会〉を〈統制的〉(regulativ) 機能を果たす、超越論的〈理想〉(Ideal) として遇する方途である。

だがウェーバーには、ファイヒンガーの如く〈社会〉に対するプラグマティックな観方を採ることは出来なかった。他システムとの野合を前提に、学問システムにおける成果を他システムに用立てるべく、その流用を易々と許すには——前小節でわれわれが確認したように——ウェーバーは自らが抱く学問的理念、すなわち〈学問システム〉の〈自立=自律〉性の固持と、その〈真/偽〉コードの厳守——「事柄そのものに即する態度(ザッハリヒカイト)」(Sachlichkeit) と〝価値自由(ヴェールトフライハイト)〟(Wertfreiheit) は、それを信条化したものに他ならない——に余りにも忠実であり過ぎた。その意味で、ウェーバー社会学の代名詞の如くに取り沙汰される「方法論的個人主義」と「社会唯名論」は、彼のその学問的態度からの必然的帰結なのである。

理論戦略の次元においてではなく、事柄に即して考えてみても、ウェーバーの理論枠組みにあっては、〈個人の行為〉の延長線上に、協働行為の複合体として各種の団体・組織が〈理念型〉として〈構成〉されるが、これにしてもウェーバーにとっては結局のところ〈個人〉の諸行為が一定のパターンを繰り返す〈可能性〉（シャーンセン）(Chancen)が〈物象化〉されたものに過ぎないのであって、〈構成〉された諸組織を包括する水準に、更に大規模で複雑な組織である、アンシュタルトとしての〈社会＝国家〉をウェーバーが屋上屋を架す如き〈実在〉としてすんなりと認めるとは到底思われない。

ここで、別の見方をしてみよう。ウェーバーは包括的〈社会〉(Gesellschaft)を、個人(の行為)→協働的行為(≒相互行為)→(協働行為の物象化形態としての)組織という系列の行き着く先にあるものと想定した上で、その実在性を否定している。だが、そのような謂わば〝垂直的〟系列の終端においてではなく、機能的に分化した諸システムを包括する謂わば〝水平的〟な次元におけるシステム境界として〈社会〉は〝実在〟（エス・ギーブト）(Es gibt.)している、と考えれば如何? そして実は、その意味における〈社会〉であれば、前小節で論定した通り、ウェーバーは――理論陳述的にではないにしても――その〝存在〟を行為遂行的には事実上認めてしまっているのである。その真相を最終節で剔抉しておこう。

55 Weber, M., *Wissenschaft als Beruf*, 1919.
56 Vaihinger, H., *Die Philosophie des Als Ob : System der theoretischen, praktischen und religiösen Fiktionen der Menschheit auf Grund eines idealistischen Positivismus*, 1911.

1―6 ウェーバーと社会システム論

われわれにはウェーバーを社会システム論者に仕立て上げてしまおうという趣意はない。だが、ウェーバーが社会の機能的分化が本格化し始めた時代に生きたことは事実であって、学問システムと政治システムとの分化という現実にウェーバーが直面した事情は前節でみた通りであるし、政治システムと経済システムとの分化という現実についても、初期の仕事である『東エルベ・ドイツにおける農業労働者の状態』や『取引所』において早くからウェーバーが指摘していたところである。[57] そして、〈社会〉のそうした機能分化を反映しつつ、学問内部でも分野の分化が生じつつあった時代に、ウェーバーは自らの社会理論構築を行ったのであってみれば、烱眼な彼がその過程で社会の機能的分化の事態を敏感に察知し、無自覚の裡に事態への対応を理論に取り込んでいたとしても、それは何ら不思議な事ではない。そのことは、先に指摘した、ウェーバーによるマスメディアの重要性――マスメディア・システムの機能的分化！――の指摘にもはっきり窺える。第三者的に見たとき、ウェーバーが、社会の機能的分化の事態に逸早く気付けたのは、〈現実〉を〈意味〉(Sinn) 領域における存立物とみる構案をリッケルトから引き継ぎ、それを社会理論に導入したことが大きい。〈意味〉空間としての〈社会〉というこの発想は、シュッツやルーマンにその後引き継がれてゆくことになる。

他方で同時に、ウェーバー理論には時代的制約も当然ある。その一つが、国民国家をモデルとし、組織の延長線上に〈社会〉を表象する、という前節で指摘した旧弊な〈社会〉観である。これは、皇帝ヴィルヘルム一世と鉄血宰相ビスマルクの下で栄華を謳歌した第二帝政下のプロイセン王国を、

〈社会〉の〈理念型〉として、〈社会〉概念にオーバーラップしつつウェーバーが〈社会〉を表象している以上、致し方ないとも言える。

だがいま一つの制約は、ウェーバー理論を現代社会に生かそうとする際には大きな障礙となる。その制約は、〈社会〉の構成要素をウェーバーが〈行為〉とみなしていることである。この措置が社会理論全体に及ぼす影響は深刻である。それは〈目的〉概念を個人の〈行為〉内部に封じ込めるのみならず、更に〈因果性〉概念の内部に〈目的〉を繋ぎ止めることで、〈社会〉を結局は組織の延長線上に成立するはずの存在としてしかみなせなくしてしまう。

ここで更に高次の観点からウェーバー自身の理論〈行為〉を〈観察〉してみよう。ウェーバーは「方法論的個人主義」の立場から、〃垂直的〃〈社会〉を個々の〈行為〉へと還元し、因って以って〈社会〉の実在を否定したのだった。だが、ウェーバーによる「〈社会〉の実在の否定」というこの陳述的(コンスタティヴ)言語〈行為〉それ自体が、遂行的(パフォーマティヴ)次元で〈コミュニケーション〉の連鎖的接続に組み込まれることで、機能的分化という〃水平的〃水準に於いて、システムとしての〈社会〉の〃実在〃をその都度証明してしまっていることをわれわれは既に(1－5－2小節)確認した。つまり、ウェーバーによる〈記述〉(Beschreibung)行為の水準で〈社会〉の実在が否定されても、システムとしての〈社会〉は、その実在を否定するウェーバーの〈行為〉そのものを、非人称的〈作用＝演算〉＝〈コミュニ

57 Weber, M., *Die Verhältnisse der Landarbeiter im ostelbischen Deutschland*, 1892. 肥前栄一訳『東エルベ・ドイツにおける農業労働者の状態』(未來社、二〇〇四年)。*Die Börse*, 1896. 中村貞二・柴田三千雄訳『取引所』(未來社、一九六八年)。

ケーション〉に組み込むことで、その〝実在〟を自己言及的な〈自己記述（アウトロギー）〉（Autologie）によって、恒に既に（インマー・ショーン）（immer schon）実証してしまっているのである。〈社会〉とは〝主観〟によって〈記述〉される〈対象〉ではなく、〈自己記述〉する〈主体〉であり、また〈コミュニケーション〉という〈自己記述〉の〈作用＝演算〉の次元においてのみ〝実在（エス・ギープト）〟する。

社会理論は、〈社会〉の構成要素を人称的〈行為〉から非人称的〈コミュニケーション〉に置き換えるとき初めて、〈目的〉概念を〈個人〉の軛を超えて〈社会〉にまで拡張でき、また〈因果性〉に替えて〈自己組織化〉更には〈自己言及性〉を、〈社会〉存立・維持の基軸メカニズムとして導入することも可能となる。そのとき漸く現行〈情報社会〉に見合った理論構築の準備が整う。[58]

58 ルーマンは、〈行為〉概念を維持したままで〈目的〉概念を〈システム〉の機能として早くから抽象化している。Luhmann, N., *Zweckbegriff und Systemrationalität : Über die Funktion von Zwecken in sozialen Systemen*, 1968. 馬場靖雄・上村隆宏訳『目的概念とシステム合理性――社会システムにおける目的の機能について』（勁草書房、一九九〇年）。また、ルーマン以前に、サイバネティックスが一九四〇年代にすでにこうした試みに着手している。

第二章　ラトゥールの〈形而上学〉

――アクターネットワーク理論と社会システム論

2-0 はじめに――ラトゥール思想に対する視角の設定

本章でラトゥールを論じるにあたっての著者の狙いは、ラトゥール思想の社会システム論との関係の究明である。このテーマ設定は、ラトゥール思想のトータルな意義を闡明するという目的にとってのみならず、ルーマン社会システム論の現行情報社会にとっての真価を改めて考えるためのフレームとしても役立つ。著者はルーマンや社会システム論に相当程度コミットしてから後も、ラトゥールの人類学的な科学論に対しては格別な興味と関心を抱き続けてきた。二〇〇八年に上梓した一種のルーマン論である『〈メディア〉の哲学――ルーマン社会システム論の射程と限界』(NTT出版)の二年後に出した『「情報社会」とは何か?――〈メディア〉論への前哨』(二〇一〇、NTT出版)は今改めて読み返してみてもラトゥールの影響が我が事ながら顕著である。

これは著者の元来の学統がラトゥールの専門とみなされている同じ科学論(科学史科学哲学)に属しているという親近感に由るものでは必ずしもない。実はラトゥールのアクターネットワーク理論(以下、原則的にANTと表記)が、巷説においては、ルーマン流の社会システム論の対極に位置すると思われがちであるにも拘らず、[1] 両者がその本質においてパラレルな理論構制を有している(と、尠くとも著者には思われる)ことに拠る。

本章の前半では、従って、ラトゥールのANTをルーマンの社会システム論と様々な水準において突き合わせてみることで、鍵概念や事態把握における両者の離接を探り、依って以って、両理論のパラレリズムを確認したい。勿論、両理論が交換可能な等価性を持つ筈はないのであって、その異同もまた両者の比較作業を通じて炙り出されてくるはずである。それを受けつつ、後半では、ラトゥールおよびANTの、ルーマンおよび社会システム論に対する理論としての独自性と可能性を浮かび上がらせていきたい。

結論だけを、前以って記しておけば、ラトゥールANTとルーマン社会システム論とのトータルな理論像における違いは、部分部分の論点における見解の不一致に見られるというよりは、二つの理論の構制の同型性の更に奥底に控える〈構え〉の相違に求められる。すなわち、理論の最基底部において、後者が社会の〈認識論〉の性格を有するのに対し、前者が〝社会〟の（乃至、前社会的な）〈存在論〉である点にこそ、両者の対立点は存する。換言すれば、この点において両者はそれぞれ固有の取り柄を有するのであって、ANTに関して言えば、その〈存在論＝形而上学〉にこそ理論としての可能性の芽が蔵されている。以上がわれわれの見立てである。

1　例えば、ルーマンの高弟であるE・エスポジトは、著者によるインタヴューのなかで、ラトゥールの影響力を肯んじつつも、その立場がルーマンとは相容れないことを認めている。「ルーマン後の社会システム論と現代社会学」（E・エスポジト、大黒岳彦（聞き手）、『現代思想』二〇一四年十二月号所収）。また、ラトゥール本人も、*Reassembling the social : An introduction to Actor-Network-Theory* (2005) 中のユーモラスな幕間劇において、自らの理論とルーマン理論との対立的関係を、質問に訪れた学生に語らせている（伊藤嘉高訳「アリ／ANTであることの難しさについて――対話形式の幕間劇」『社会的なものを組み直す――アクターネットワーク理論入門』法政大学出版局、二〇一九年）。

2―1 アクターネットワーク理論vs.社会システム論

段取りとして、本節ではまず両理論の同型性を、（1）社会、（2）人間、（3）プロセスの三つの観点から探る。次に、（4）自然、（5）近代、（6）方法という三つの論点に関しては、寧ろ両理論の間に顕著に見られる分岐を確認したい。

2―1―1 社会

ラトゥールは自説開陳の枕詞として、英国の元首相、鉄の女ことマーガレット・サッチャーの「いわゆる社会なんてものは存在しない」（There's no such thing as society.）との新自由主義的な発言をしばしば引き合いに出し、場合によってはサッチャーを一廉（ひとかど）の社会学者として褒めそやす素振りを示してまで、「社会」（society, the social）なる概念に対する自らの嫌忌を表明する。他方、ルーマンは「社会」（Gesellschaft）についての充分に抽象的なグランドセオリーの不在を託ちつつ自ら範を垂れるべく率先して包括的な社会理論を構築してみせた、不世出の体系的社会理論家として広く認知されている。だが、われわれとしてはこうした表面的事実を以ってラトゥールを社会唯名論者に、ルーマンを社会実在論者にそれぞれ割り振って能事了れりとするわけにはいかない。なぜなら、ラトゥールが社会実在論者でないことは慥かだとしても、後に述べる理由で、彼を社会唯名論の範疇にその儘収めることは躊躇されるし、社会唯名論の代名詞ともなっているウェーバー流の方法論的個人主義者に彼を数え入れることは尚更難しいからである。ルーマンにしても彼は〝満額〟の社会実在論者像からは程遠い。

というのも――この点はしばしば誤解されがちなのであるが――彼の社会把握は二重構造になっており、パーソンズ流の表面的な人称的行為の応酬体系としての〝社会〟の裏側ないし基礎に、非人称的な〈コミュニケーション〉の連鎖からなる、可能的経験のための制約をなしつつも、それ自体は経験の対象とはなり得ぬ超越論的（transzendental）〈システム〉が彼の〈社会〉には駆動して――厳密には自己言及的に〈作用＝演算〉を実行して（sich operieren）――おり、従って後者の〈システム〉としての〈社会〉が経験不可能であるという意味においては、ルーマンの〈社会〉は実在的ではないからである。

われわれとしては、双方の社会観が対極にあるとする巷説に対する異議から更に一歩踏み込んで、両者の社会理論における同型性の認定にまで歩を進めたいのだが、そのためにも両者の「社会」（概念）の把握ないし否認の詳細を検討しなければならない。

さて、そもそもラトゥールによる「社会」（society）もしくは「社会的なもの」（the social）の否認は、彼の元来の専門である科学論に固有の課題解決に関連してとられた措置が事の発端をなしている。科学論においてはK・ポパーの「反証可能性」[2]（falsifiability）や彼の議論の欠点を補ったI・ラカトシュの「リサーチ・プログラム」[3]に代表される、科学そのものに内在する発展の理路を重視するインター

2　Popper, K., *Conjectures and Refutations : The Growth of Scientific Knowledge*, 1963. 藤本隆志ほか訳『推測と反駁――科学的知識の発展』（法政大学出版局、二〇〇九年）。

3　Lakatos, I., *The Methodology of Scientific Research Programmes*, 1978. 村上陽一郎ほか訳『方法の擁護――科学的研究プログラムの方法論』（新曜社、一九八六年）。

ナルなアプローチと、科学社会学の創始者ともいえるR・マートン[4]や科学者集団の共同体的同質性が制度的に担保されるとするパラダイム論の提唱者であるT・クーン[5]を嚆矢としつつ、その衣鉢を継いで、彼らの主張を更に先鋭化させた、科学知識を取り巻く条件ばかりでなく知識内容それ自体についても環境の被拘束性を主張する「ストロング・プログラム」のD・ブルア[6]や、同プログラムを研究の中で実践するS・シェイピンらのエジンバラ学派[7]に代表される、科学に対する社会的・制度的条件を重くみるエクスターナルなアプローチとが対立しつつ並走してきたという経緯(いきさつ)がある。特にSSK(Sociology of Scientific Knowledge)と総称されるエクスターナル・アプローチの前衛は、科学的知識の社会的起源を強調する点に徴して、科学の社会的構築主義(social constructivism)とも称し得る。[8]

こうした科学論の歴史の中にラトゥールを位置付けるならば、彼のANTとは、構築主義を徹底するあまり、当の構築主義の立場そのものを内部から崩壊せしめるに至った、構築主義、エクスターナル・アプローチの謂わば〝鬼子〟と言える。どういうことか? 構築主義の原則をどこまでも追求するときには、科学ばかりか、社会もまた構築というより構成の対象に算入せざるを得なくなる。[9] とすれば、SSKのように一方で科学を構成対象=被説明項に、他方で社会や社会的なものを構成要素=説明項に排他的に指定しつつ、後者から前者への一方的な影響関係のみを説くのは偏頗な態度と言わざるを得ない。科学的知識が社会的に構成されるように社会もまた科学的知識に媒介されつつ構成されるのでなければ理論的には首尾一貫しない。社会は科学の外部に鎮座する自明の所与、不動の実体などではなく、その〝存在〟が科学的知識の働きを通して説明されなければならない、科学と並ぶもう一つの構成対象=被説明項だからである。このとき、科学と社会は一種の循環関係の中で互いが互いを解体し合う。と同時に、科学に対する当初のエクスターナルなアプローチもまた自らを撤回し、――エクスターナルなそれとの同位的対立を含意するインターナルなアプローチとは次元を異にした、循環的円環外部の存在を許さない――徹底的に内在主義的な立場へと変容を遂げる。

ラトゥールは、社会と科学（およびその生成物である自然）とが円環的循環関係を構成しながら融解を遂げることでその姿を現すに至ったこの唯一の内在的〈実体＝実在〉を〈アクターネットワーク〉と称する。してみると、ラトゥールは何ら「社会」の存立を否定などしていないことが分かる。ラ

4　Merton, R., *Social Theory and Social Structure : Toward the Codification of Theory and Research*, 1949. 森東吾ほか訳『社会理論と社会構造』（みすず書房、一九六一年）。

5　Kuhn, T., *The Structure of Scientific Revolutions*, 1962. 中山茂訳『科学革命の構造』（みすず書房、一九七一年）。

6　Bloor, D., *Knowledge and Social Imagery*, 1976. 佐々木力・古川安訳『数学の社会学――知識と表象』（培風館、一九八五年）。

7　Shapin, S., & Schaffer, S., *Leviathan and the Air-Pump*, 1985. 柴田和宏・坂本邦暢訳『リヴァイアサンと空気ポンプ――ホッブズ、ボイル、実験的生活』（名古屋大学出版会、二〇一六年）。

8　本章では、しばしば混用される「構成主義」（Constructionism）と「構築主義」（Constructivism）とを明確に使い分ける。前者はカントに端を発する経験の対象としての世界総体の主観による構成を主張する立場に対して、後者はM・スペクターとJ・キツセらが「社会問題の社会学」において提唱した個々のイシューに係わるミクロな構成に対して、それぞれ使用する。Spector, M., & Kitsuse, J. I., *Constructing Social Problems*, 1987. 村上直之ほか訳『社会問題の構築――ラベリング理論をこえて』（マルジュ社、一九九〇年）。

9　Latour, B., *We have never been modern*, 1993. 川村久美子訳『虚構の「近代」――科学人類学は警告する』（新評論、二〇〇八年）。

トゥールが「社会」において拒否するのは、それを独自のエージェンシーを有する〈アクター〉として立てることだけである。[10] 彼は、SSKの如く「社会」の〝存在〟を立論に際しての自明の前提とはみなさず、それを飽くまでも被説明項に据えた上で、彼が真実在と考える〈アクターネットワーク〉から如何に「社会」が構成されてくるのか、そのメカニズムの解明を目指す。その意味では彼にとって「社会」の存立は――ラトゥールが、いくらサッチャーを引き合いに出しながら「社会」の存立を否定する素振りを見せようとも、それは所詮レトリカルな所作に過ぎず、論理構制上は――議論の大前提をなしている。

ラトゥールの立論における如上の構制は、ルーマンが包括的〈社会〉(Gesellschaft)の存立を一方では前提しながらも、その〝存在〟の自明性や実体性を一旦棚上げし、ないし〝括弧に括り〟、改めて〈コミュニケーション〉という非人称的〈作用=演算〉の効果としてオペレーショナルに構成してみせる際の理論構制と完全にパラレルである。

ラトゥールもルーマンも、説明項としての「社会」の実体性を拒否する点では倶に社会実在論者ではない。にも拘わらず、双方共に「社会」の事実上の存立は認めている。そうでなければ、〈アクターネットワーク〉も、〈コミュニケーション〉のオートポイエティックな連鎖的接続としての社会システムも、ともに宙に浮いてしまう。〈アクターネットワーク〉も〈コミュニケーション〉もその効果として「社会」を産出する〈運動〉として導入されているからである。ラトゥールのANTも、ルーマンの社会システムも、「社会」を産出する〈運動〉の実体として何を据えるかという点で違いがあるにも拘わらず、〈社会〉をその〝水面上〟に現れたfür es(フュア・エス)の水準における存立体と、〝水面下〟

で〝社会〟の存在を支えている für uns（フュア・ウンス）の水準における〈運動〉とに二重化する理論構制において驚くばかりに同型的だと言える。

2-1-2 人間

〈社会〉を二重化的に把握する理論構制において同型的であるANTと社会システム論は、社会の構成要素として恰も自明の理でもあるかのように「人間」を立てる従来の発想を斥ける点でも軌を一にしている。ラトゥールから見てゆこう。

従来の社会理論の支持者が、社会の構成要素として「人間」を立てるのには彼らの方でもそれなりの理屈がある。社会構成の原理として、「動機（目的）」「行為」「連帯」「合意」「役割」等々の孰れを立てるにしても、その原理的動因をそもそも起動させる（意識的）主体の存在が不可欠である。そして、その主体性（agency）の座を占めるのは「人間」を措いて他あり得ないと考えるのは至極真っ当な発想である。こうした常識的了解の背後には、もちろん――ルーマンが〈旧西欧的〉（アルト・オイロペーイッシュ）（alt-europäisch）な因襲的思考として虚仮にする――アリストテレス以来の「同一律」やデカルト以来の〈心身（物）二元論〉が控えている。

10　ラトゥールは「社会」に①一時的な相互行為と②持続的な影響力・拘束力、という二つの側面を区別しているが、この双方について彼は実体性を拒否する。Latour, B., *Reassembling the social : An introduction to Actor-Network-Theory*, 2005. 伊藤嘉高訳『社会的なものを組み直す――アクターネットワーク理論入門』（法政大学出版局、二〇一九年）。

ラトゥールは、「社会の構成要素としての人間」という観方をこうした因襲的思考様式もろとも廃却する。人間は特権的な「主体」でもなければ、社会の専一的構成要素でもない。それは寧ろ〈作用主(アクタン)〉(actant)として〈非人間(≠モノ)〉(nonhuman)と一緒になって〈知=実践〉の生成・播布の備給網である〈アクターネットワーク〉を構成する。こうした「人間」の再定位によって、まず「主体」としての特権的地位が「人間」から剥奪される。別の言い方をすれば、それまでは「人間」的「主体」に用立てられるに過ぎない〝リソース〟としての地位に甘んじて来た〈非人間(ノンヒューマン)〉にも、〈作用主(アクタン)〉という「人間」と同位的な資格でネットワークを構成する点に徴して「主体性(エージェンシー)」が認められる。[11] 次に、「社会」の構成要素に「人間」のみならず〈非人間〉が参入した結果として、従来の人間(の行為)のみからなる構成物として想定されてきた「社会」は、社会(的なもの)と科学(=自然的対象)が解体化的に融合した地平に発見された〈人間/非人間〉の〝アマルガム〟である〈集合体〉(collective)として捉え返される。

今度はルーマンを見よう。ルーマンの〈社会〉では、人間による人称的行為の応酬という表層の裏側で、非人称的な〈コミュニケーション〉の連鎖的接続が恒に駆動している事情は既に前項で確認した。つまり、社会の表層では人間の主体的行為は認められるものの、実はそれは〈社会〉の超越論的次元で駆動する〈作用=演算(オペラツィオーン)〉の効果に過ぎず、超越論的次元での〈社会〉においては「人間」の占める場所はない。ルーマンのこうした措置を理不尽に過ぎると考えてはならない。例えば〈売/買〉という〈コミュニケーション〉の連鎖的接続によって維持、再生産されている〈経済システム〉という〈社会〉の一斑は、その〈環境〉をなす個々人(すなわち人間)の主体的行為とは異なるロジックで駆動しており、したがって、それがいくら主体的なものだとしても人間の個々の〈売／買〉行為によって経済的〈社会〉をコントロールすることは不可能である。同じことは政治的〈社会〉や、学問（＝科学）的〈社会〉についても言える。要は〈システム＝社会〉と「人間」とはその存在の位相——〈システム／環境〉準位（Systemreferenz）——が異なる。従来の社会理論は、社会を以って人間の代数和（ないし、人間の諸行為の合力）とみなすことで、人間が存在するのと同じ位相において、人間（的行為）の延長線上に登場するものとして、社会をも位置付けてしまうカテゴリーミステイクを犯しているのである。

以上の分析から明らかになったように、従来の社会理論が「主体性（エージェンシー）」を専ら「人間」という精神的存在にのみ認めてきたのとは異なり、ラトゥールもルーマンも「主体性（エージェンシー）」の所在を「人間」とは存在位相が異なる、非人称的次元の〈運動〉体——ラトゥールの場合は〈アクターネットワーク〉、ルーマンの場合は〈コミュニケーション〉連鎖——に移行させる。こうした意味において両者は共にポスト・ヒューマンの理論的パラダイムに属しているとみなせるが、次に問題になるのは、両者において〈社会〉の真実態とみなされている〈運動〉体の実相である。

11　〈アクターネットワーク〉においては、ネットワークを構成する〈人間〉と〈モノ＝非人間〉の双方が、ネットワーク内を〝主体性〟が状況に応じて移動することで、M・セールの所謂〈準－主体〉（Quasi-Subject）性と〈準－客体〉（Quasi-Object）性を共々混合的に帯びる〈ハイブリッド〉の存在性格を有する。

2―1―3　プロセス

　ラトゥールもルーマンも共に、アリストテレス以来の「同一性」のパラダイムから「差異性」のパラダイムへ、また、エレア学派的な「存在」における永遠不動性のパラダイムからヘラクレイトス的な「プロセス」における生成流転のパラダイムへの転換を図っている。そのことは、ラトゥールの〈アクターネットワーク〉とルーマンの〈コミュニケーション〉が孰れも一種の〈運動〉であることから過つことなく窺えるが、「差異性」と「プロセス」の捉え方は、ラトゥールとルーマンとで明確に異なる。本小節で扱う論点からは、ANTとシステム論に共通に看取できる理論構制における同型性の背後で、実は相互に相容れることのない要因も同時に働いている事情を対自化し始めていこう。

　ラトゥールの〈アクターネットワーク〉は、〈人間〉と〈非人間〉とを項とする関係の網の目として表象されがちであるが、それは単なる既成の出来上がった静的関係態ではない。寧ろそれは或る項が別の項――ラトゥールはこれを〈他者（性）〉（others, otherness）と呼ぶ[12]――と結び付く〈働き〉の連鎖としてイメージされなければならない。したがって、ありがちな「項が先か、関係が先か」といった借問はこの場合意味をなさない。何故なら、〈働き〉が項と関係を両つながら、その効果として〝生み出す〟――精確には、従前の「項」と「関係」の属性を更新する――からである。〈アクターネットワーク〉とは、〈他者〉を巻き込む〈運動〉、ないしそれまで別の陣営に属していた項（アクタン）――〈人間〉および〈非人間〉――をこちら側の陣営に新たに組み込む謂わば〝オーガナイズ〟の〈運動〉である。[13]但し、この〝オルグ活動〟によって成立した項（アクタン）相互の関係は一方的なものではなく互恵的性格を有し、それぞれの項（アクタン）が自らの「主体性」を飽くまでも保持しつつ、互いの属性を〈所有〉(having, possess) し合う、A・N・ホワイトヘッドに所謂〈抱握〉(prehension) のラトゥール流換骨奪胎の所産である。[14] ラトゥールはまた、他陣営のネットワークに属していた項（アクタン）を自陣営のネットワークに組み込むことで、新たな属性を項（アクタン）に〈所有〉せしめることを〈翻訳〉(translation) と呼ぶ。このような〈翻訳＝オルグ活動〉が積み重なることによって、自陣営の知の実現と、その知を再生産し更に物質化する、〈知＝実践〉の生成と播布のための備給体制（ロジスティックス）が構築されるが、これは〈アクターネットワーク〉そのものというより、個々のローカルな〈翻訳〉活動の痕跡と言った方が実情に適う。何故なら〈アクターネットワーク〉は、その本質においては飽くまでも〈出来事〉(event) の連鎖ないし〈プロセス〉であって、成果物としての体制（ロジスティックス）そのものとの同一視は出来ないからである。また、ラトゥールは「社会」に替わる新たな表象として〈集合体〉(collective) を提案しているが、これもまた「社会」の如き固定的・実体的な存在ではなく、〈アクターネットワーク〉がその時々に一時的に産み

12 Latour, B., *Science in Action : How to Follow Scientists and Engineers Through Society*, 1987. 川﨑勝・高田紀代志訳『科学が作られているとき――人類学的考察』(産業図書、一九九九年)。Latour, B., *An Inquiry into Modes of Existence : An Anthropology of the Moderns*, 2013, ch. 4.

13 ここにラトゥールが〈翻訳〉において闘争的 (agonistic) な契機を重視する理由がある。例えば、以下を参照。Latour, B., & Woolgar, S., *Laboratory Life : The Construction of Scientific Facts*, 1979. 金信行ほか訳『ラボラトリー・ライフ――科学的事実の構築』(ナカニシヤ出版、二〇二一年)。Latour, B., *The Pasteurization of France*, 1988. 荒金直人訳『パストゥール――あるいは微生物の戦争と平和、ならびに「非還元」』(以文社)。

14 Whitehead, A. N., *Process and Reality*, 1929. 平林康之訳『過程と実在』1・2 (みすず書房、一九八一・八三年)。

出す暫定的・可塑的な存立体に過ぎない。

　以上を踏まえつつ、次に検討するルーマンの〈社会システム〉との対比を意識しながら〈アクターネットワーク〉の特性を三点に纏めよう。まず、その〈ネットワーク〉は（1）物質的過程である。これは第一に、〈ネットワーク〉が精神的過程ではないことを含意している。したがって〈非人間〉間での〈翻訳〉——例えば、ある機械に余所（よそ）から取ってきた部品（例えばネジ）を取り付けるといった——があり得る以上、〈ネットワーク〉の稼働に精神（こころ）間のメディアである「言語」は必ずしも必須ではない。[15] それは原理的には物理的次元における〝領土〟争奪戦である。第二の含意は〈ネットワーク〉が、知そのものというよりは、その生成と流通を可能ならしめる物質的な備給網構築に照準していることである。ラトゥールがしばしばノートやペン、論文や交通機関を〈作用主（アクタン）〉の例として引き合いに出す理由もこれによって説明できる。と同時に、ここからは、次節（2－2－1）で指摘するように、ANTに〈メディア〉論的な含意を認め得る。

　次に、〈アクターネットワーク〉は（2）空間的ないし地理的布置を伴う。この規定は、〈ネットワーク〉が物質的過程であることの別の表現でもある。その過程がどんなに入り組んでいようと、またどれほど遠隔な場所に及ぶものであろうと、その繋がりは必ず空間的に辿り得るし、また辿られなければならない。〈アクターネットワーク〉においては時空を飛び越えるオカルティックな遠隔作用——ラトゥールはこの短絡（ショートカット）的操作を〈ダブルクリック〉［dc］（double click）と称する[16]——は断固として拒否される。ラトゥールが大域的〈グローバル〉を、局所的〈ローカル〉に還元する際のロジックの基礎にあるのは、こうした非連続的なもののミクロな水準での継続的連接という〈出来事〉の連鎖である。

最後に、〈ネットワーク〉は、（3）拡散的ないし開放的性格を持つこと。この規定は、〈ネットワーク〉が本質的に伝播的な拡張の運動であって、〈翻訳〉の運動が一巡してその環を閉じることは〈ネットワーク〉の本質には属さないことを意味する。この点にこそ、〈アクターネットワーク〉が〈システム〉ではなく、どこまでも〈ネットワーク〉であることの根拠があると同時に、〈ネットワーク〉が固定的〈構造〉とは無縁であって、〈構造〉が形成される前に、新たな〈ネットワーク〉によって簒奪される可能性の方が高いとする、〈ネットワーク〉相互の闘争的（アゴニスティック）関係を窺うことができる。

翻って、ルーマンの〈社会システム〉における〈コミュニケーション〉の連鎖的接続もまた、ラトゥールの〈アクターネットワーク〉と同じく、或る〈プロセス〉（Prozeß）であり〈出来事〉（エアアイクニス）（Ereignis）の連鎖であることを特徴とする。だが、そのコノテーションがラトゥールとは全く異なる。ルーマンが社会システム論を編み出すそもそもの機縁を成したのは、T・パーソンズによって提起された「秩序」の形成問題への取り組みであって、ホッブズ的な「万人の万人に対する闘争」という言

15　ラトゥールは、〈翻訳〉による〈ネットワーク〉形成を、ホワイトヘッドの用語系を踏襲しつつ〈命題〉（proposition）の〈分節化〉（articulation）という〈出来事〉（event）として規定してもいるが、こうした事態においても「言語」が必ず伴うわけではない。それは謂わば、〈ネットワーク〉の〝メッシュ〟が次第に稠密化を遂げてゆくことに擬えられるべき物質的水準のみで成立可能な事態だからである。Latour, B., *Pandora's Hope: Essays on the Reality of Science Studies*, 1999. 川﨑勝・平川秀幸訳『科学論の実在――パンドラの希望』（産業図書、二〇〇七年）。

16　Latour, B., *An Inquiry into Modes of Existence*, 2013.

葉に象徴されるが如き不確定性が支配する状況から、如何にして本来「起こりそうもない（ウンヴァールシャインリヒ）」(un-wahrscheinlich)「秩序」が生まれ維持されるのか、その謎を理論的に解明する作業の中で、ルーマンの〈社会システム〉は誕生した。

したがって、それは最初から「秩序」すなわち〈構造〉の形成と維持のメカニズム解明に照準している。ルーマンがこの問題に対して導き出した解答は、〈コミュニケーション〉の持続的連鎖の水準において変異や逸脱が仮令（たとい）生じても、〈システム〉が〈システム／環境〉の境界を可塑的にコントロールすることで、逸脱や変異は〈構造〉に吸収され、結果として〈構造〉の同一性は維持される、というものだった。すなわち、ルーマンは「差異性」のパラダイムに棹差しつつも、差異の中から、「ありそうもない（ウンヴァールシャインリヒ）」〈同一性〉が何故生まれ、維持されるのか、そのメカニズムを問うたのである。

こうした、ルーマンの構案を先のラトゥールのそれと比べてみるとき、同一の思想パラダイムに依拠しつつも、理論の根本意想における両者の異質性が顕在化してくる。ルーマンの〈社会システム〉もまた、ラトゥールの〈アクターネットワーク〉との対比において、次の三つの特性によってその基本性格を特徴付けることができる。

〈コミュニケーション〉の連鎖的接続である〈社会システム〉は、まず、何よりも（1）〈意味〉という地平において駆動する〈プロセス〉である。ルーマンは〈コミュニケーション〉を、〈意味〉(Sinn) の選択と保存という〈作用＝演算（オペラツィオーン）〉の連続とみなすことで、先の「秩序」問題に決着を付ける。このことは、ラトゥールの〈アクターネットワーク〉が原理的に物質的（唯物論的）過程であるのとは好対照をなしており、ラトゥールとの相違を強調して言い直せば、ルーマンの〈システム〉は

″観念論（イデアール）″的過程である。

次に、ルーマンの〈システム〉は、本質的に（2）時間的ないし歴史的な過程である。このことは、一つには〈コミュニケーション〉が、その時々で泡沫（うたかた）のように生まれては消えてゆくその場限りの刹那的〈出来事〉であることを含意しており、したがって第二に、「秩序」（＝〈構造〉）が維持されるためには、個々の〈出来事〉において同一の〈パターン〉が反復されることで〈構造〉が再生産的にその都度構成し直される必要がある。〈意味〉もまた反復的使用を通じて、〈構造〉の維持に資する″リソース″として歴史的に保存・蓄積されなければならない。[17]

最後に、ルーマンの〈システム〉は（3）円環的かつ閉鎖的な様態において存立している。これは〈システム〉が〈構造〉を持続的に維持するための必須条件である。何故なら、〈システム〉は何は扨て措いても存続し続けなければならず、ラトゥールの〈ネットワーク〉の如く他の〈システム〉に簒奪されるときには、いつまで経っても〈システム〉には〈構造〉が形成されず、安定を欠いた儘、その時々の偶然に左右され翻弄される事態に陥り、結果として「秩序」形成の企てそのものが水泡に帰すからである。こうした意味で、ルーマンの〈社会システム〉は、ラトゥールの場合とは逆に、どこまでも時間という地平において持続する閉鎖〈システム〉であって、拡大する一方で閉じることのない空間的かつ開放的な〈アクターネットワーク〉とは一線を画する。

17　こうした〈意味〉のレパートリーをルーマンは、歴史家であるR・コゼレックの概念を一般化しつつ〈ゼマンティーク〉（Semantik）と呼ぶ。

以上の比較を通して読者には既に薄々察しがついたものと忖度するが、ラトゥールのANTには変革期の理論、構造変動の理論としての性格が色濃く窺える。[18] 対して、ルーマンの社会システム論は、それが「秩序」に照準する以上、安定期の理論、現状の構造分析理論という性格を基本的に有する。この点については後に改めて主題化するため現時点ではこれ以上この論点に踏み込むことは慎みたい。

＊＊＊

以下の三つの小節においては、ラトゥールANTとルーマン社会システム論の同型性というよりは、寧ろ異質性を焦点化する。

2-1-4 自然

自然の問題はルーマン社会システム論の〝アキレス腱〟をなしている。というのも、先にみた通り、〈コミュニケーション〉の連鎖的接続がその本体である〈社会システム〉は、〈意味〉というイデアールな根源的〈メディア〉の地平に存立しており、したがって、社会システム論において自然が問題にされるとき、そこからは物質性が削ぎ落とされて、〈意味〉の問題に還元・縮減されてしまうからである。こうした社会システム論における自然観の貧弱さは、例えば、科学的「自然」の構成が主題化される〈科学＝学問〉システムにおいて、最終的には「自然」の問題が〈真／偽〉という〈科学＝学問〉システムを構成する〈コミュニケーション〉が則る〈成果メディア＝コード〉の問題に還元されることや、身体的「自然」が、結局のところ「シンボル＝言語」の問題に還元されることにみられる、ルーマンによる「自然」の扱いの主知主義的な一面性に端なくも露呈している。[19]

対してラトゥールの「自然」論では、彼が科学論の出自であるからというばかりでなく、科学研究の現場を参与観察によって知悉しているという事情もあって委細を極めた考察が展開されている。ラトゥールが考える〈自然〉には、少なくともそこに四層が区別される必要がある。すなわち、（1）自然科学の構成対象としての自然、（2）そこから自然的対象が構成される〈人間／非人間〉という〈アクターネットワーク〉水準における存在者としての自然、（3）自然科学による構成的純化によって〈社会〉との間で対立構造を構成するに至った範疇化され理念化された自然、（4）人新世において政治的「主体性」を帯びるに至った今後あるべき〈地表＝現世（テレストリアル）〉（terrestrial）としての自然、がそれである。順に見ていこう。

まず、（1）自然科学の構成対象としての自然であるが、この水準の自然は、ルーマンも含めて科学的構成主義を奉ずる論者であれば――すなわち、自然的対象のあるがままの実在性を素朴に信憑する者でなければ――当然受け容れるであろう自然〈層＝相〉である。ラトゥールはしかしながら、こ

18　ラトゥールは、こうしたＡＮＴの性格を〈厳然たる事実〉（matters of fact）に対する〈議論を呼ぶ事実〉（matters of concern）の焦点化と表現する。

19　Luhmann, N., *Die Wissenschaft der Gesellschaft*, 1990. 徳安彰訳『社会の科学』１・２（法政大学出版局、二〇〇九年）。Luhmann, N., *Die Gesellschaft der Gesellschaft*, 1997. 馬場康雄ほか訳『社会の社会』１・２（法政大学出版局、二〇〇九年）。また、拙著『〈メディア〉の哲学――ルーマン社会システム論の射程と限界』（ＮＴＴ出版、二〇〇六年）４・２・２「ルーマンの身体観」も参照のこと。

うした、構成主体としての〈人間＝精神〉と被構成対象としての〈モノ＝自然〉を截然と分割する二分法が、「主体性（エージェンシー）」を人間にのみ認め、自然を専ら人間に用立てられる〃リソース〃とのみみなす機械論的自然観を助長し、更には〈社会／自然〉の存在論的分断を招来したとして、また、次にみる〈人間／非人間〉の〈アクターネットワーク〉という存在の真実態を隠蔽した廉（かど）で、如上の自然了解を廃却し、その脱構築に掛かる。

　ラトゥールにとって、（2）〈人間〉と〈非人間〉とが等しく「主体性（エージェンシー）」を帯びた〈作用主（アクタン）〉として、闘争的な〈翻訳〉活動の応酬によって〈ネットワーク〉拡大の覇を競い合う状態こそが「自然」物の本来的な在り様（よう）である。ANTという勢い、〈非人間〉という〈インフラ言語〉(infra-language)の異様さばかりが取り沙汰されるが、これは所謂「物活論（ヒュロツォイスムス）」(Hylozoismus)の単なる復活ではないし、しばしば引き合いに出されるD・ハラウェイ流の〈ハイブリッド〉ともそれは異なる。[20] 前者は、モノもまた持つとされる〈魂＝生命〉としての実体性に力点があるのに対し、ラトゥールの〈非人間〉は他の〈作用主（アクタン）〉との間で互いの属性を〈所有〉(having, possess)し合う、属性水準の関係性に重点が置かれている。[21] また後者は、存在における二分法的分割の恣意性と政治性、とりわけ分割によって生じるマイノリティーの側の「サバルタン」性の告発と、〃あいのこ＝雑種（ハイブリッド）〃であるという事実に開き直り、それを盾に取っての、その戦略的・積極的な逆用による反転攻勢に真意があるが、[22] ラトゥールの場合には、〈人間／非人間〉の〈集合体〉が有するハイブリッド性それ自体に政治的意味はない。[23] 著者としては、ラトゥールの〈非人間〉の本義は、これまで不活性な〃素材〃とのみ考えられてきた〈質料〉＝〈メディア〉に実は、ある種の活性とそれが惹起する不確定性が認められることの指摘にあると考えるが、この論点については、その重要性に鑑み次節で改めて主題化したい。
（3）〈社会〉との対立関係を構成する自然〈層=相〉、および（4）〈地表=現世（テレストリアル）〉としての自然〈層=相〉は孰れも、ラトゥールの〈近代〉批判、そして彼独自の〈非近代〉（nonmodern）論と密接な係わりをもつ。前者の（3）自然は、精密自然科学によって〈非人間〉から「主体性（エージェンシー）」が抜き去られた上で、「主体性（エージェンシー）」を排他的・特権的に有する「人間=精神」と対立的なペアをなすものとして構成された自然科学的対象が、理念化され、更に「人間=精神」が住まう領域である〈社会〉と二分される形で領域化され、ついには実体化的に表象されるに至ったものである。

ここで重要なことは、ラトゥールがこの水準における自然を「唯一の」（one single）自然として特徴付けていることである。ラトゥールは、こうした「唯一の自然（ワン・シングル・ネイチャー）」という自然観の裏側には多数の「解釈」（interpretation）を許す多文化主義（multiculturalism）が同伴しているとする。逆に言えば、仮令（たとい）文化は多数存在していたとしても、文化と相容れぬ自然は、どの文化にとっても同じ一つの自然である、との謂である。だがラトゥールはこうした言い草に潜む欺瞞性を鋭く見抜く。実は「唯一の自

20　ラトゥールも〈ハイブリッド〉（hybrid）というインフラ言語を使用するが、そのコノテーションはハラウェイとは異なる。Latour, B., *We have never been modern*, 1993. 後論（2－2－2－2）を参照。

21　但し、後に指摘するようにANTに物活論的含みが全くないわけではない。

22　Haraway, D., *Simians, Cyborgs and Women : the Reinvention of Nature*, 1991. 高橋さきの訳『猿と女とサイボーグ——自然の再発明』（青土社、二〇〇〇年）。

23　なぜなら、ハイブリッド性それ自体は〈アクターネットワーク〉が汎通的に有する規定性だからである。ラトゥールの場合、ハイブリッドの政治性は、〈ネットワーク〉の長短によって生じる。次小節、次々小節を参照。

然」とは近代精密科学を産み、組織した西欧近代社会に固有の自然であり、特殊西欧的文化と見合った――より精確には、西欧的文化の一部をなす――自然概念なのである。したがって、多文化主義とは、一皮剥けば、「唯一の自然」という西欧近代に固有の「自然観」に過ぎない特殊西欧的な文化を、他文化に対して知らず識らずのうちに――というのは、多文化主義を標榜することで表面的には自文化を相対化しつつ、しかし「一つの自然」を主張することで「自然像」として偽装された自文化を〈不可視化＝自明化〉的に絶対化できるから――摺り込み、押し付ける巧妙な戦略ということになる。

（4）〈地表＝現世（テレストリアル）〉としての自然は、「唯一の自然」という自然観が近代西欧に固有の特殊な自然観に過ぎないこと、したがって自然は何ら「唯一」ではなく、別様にもあり得ること（auch anders möglich sein）つまり別のオルタナティヴ――ラトゥールの提案する〈非近代〉的な自然理解――もあり得ることを具体的に示したものである。その詳細については次節で検討しよう。

2-1-5 近代

〈近代〉という論点については、ラトゥールとルーマンは全くの対極に位置すると一般にはみなされている。ルーマンの社会システム論は紛う方なく社会の〈近代〉化理論であるのに対して、ラトゥールは明確に〈非近代〉（nonmodern）の理論的立場を標榜しているからである。だが、ラトゥールが〈近代〉を全否定しているとの認定を下すのには十分に慎重でなければならない。先にわれわれが〈社会〉について確認したラトゥールの屈折したロジックと逆説がここでもまた再現されているからである。
ラトゥールが繰り返し唱える「われわれが近代的であったことなど、これまで終ぞなかった」（We have never been modern.）という惹句の意味を例えば考えてみよう。これはJ・ハーバマスが主張するような〈近代〉が未だに達成されざる「未完のプロジェクト」[24]であって、引き続き〈近代〉化推進の努力が求められるといったスローガンでないのは勿論のこと、〈近代〉などこれまでも現在もこれからも存在することはない、といった〈近代〉の全面的否認でもない。もし本当にそうなら、そもそもこの惹句をラトゥールがわざわざ唱える必要がない。

　まず、ラトゥールにとって「近代的である」とは如何なる事態か考えてみよう。ルーマンにとって「近代的である」とは〈社会〉が機能的分化を遂げることであるが、ラトゥールにとって「近代的である」とは、〈自然〉と〈社会〉とが存在としての純化を並行的に遂げて互いに相容れぬ領域を占有する事態の謂である。[25]だが、この場合の焦点は、〈近代〉に固有の〈自然vs.社会〉――および、その根底にある〈モノvs.精神〉――という了解の構図が実は、〈近代〉を実際に駆動しているその〝楽屋裏〟のメカニズムを覆い隠す上辺（うわべ）の偽装（カムフラージュ）に過ぎないという点にある。実際に〈近代〉を産み出し、維持してきたその本体は〈自然vs.社会〉というカムフラージュの陰で密かに働いている〈人間／非

24 Habermas, J., *Die Moderne : Ein unvollendetes Projekt. Philosophisch-politische Aufsätze*, 1990. 三島憲一編訳『近代――未完のプロジェクト』（岩波現代文庫、二〇〇〇年）。

25 ラトゥールにもある種の機能的分化の議論は存在するが（Latour, B., *An Inquiry into Modes of Existence*, 2013）、そこでの議論は彼の〈近代〉論とは直接の関係はない。後論（2－2－2－1）を参照。

人間〉が織り成す〈アクターネットワーク〉なのである。ここには、〈近代〉の根底で〈近代〉を産み出し、拡大・維持させてきたのは、〈アクターネットワーク〉という〈非近代〉であったという逆説がある。とすれば先の惹句の真意は、われわれが〈近代〉と思いなしてきたものの本体は実は〈近代〉ではなく〈非近代〉の原理である、ということになる。

　このように考えてくるとき、ラトゥールが事としているのが、〈近代〉の現前（プレゼンス）という事実を認めた上で、それを議論の出発点に据えつつ、その成立と維持のメカニズムを暴き出すことで〈近代〉をトータルに批判するという、〈社会〉に対してラトゥールが採ったのと同じアプローチによる〈近代〉そのものの脱構築、ラトゥール流の〈近代〉批判であることが判明する。ただし、ラトゥール本人も強調しているように、この作業に対して「ポストモダン」のレッテルを貼ることはラトゥールの本意に悖る。何故なら、「ポストモダン」は徹底的な相対主義の立場を標榜するが、実はその相対主義は、前項でみた「唯一の自然」とペアをなしている「多様な解釈」と同水準にある多文化主義的な〝相対主義〟に過ぎず、根底で〈近代〉的自然観を密かに奉じているからである。つまり「ポストモダン」とは結局のところ西欧近代主義の一変種に過ぎない。これに対して、ラトゥールの〈近代〉批判は、「唯一の自然」という自然観も含めてトータルに近代西欧由来の〈近代〉という〈思考／実践〉枠組み総体の相対化を図ろうとする点で――ラトゥールの申し立てに従うなら――真の相対主義と言える。

　だが、そもそも何故ラトゥールは〈近代〉を批判しなければならないのか？　〈近代〉には慥かに問題もあるが、トータルに見てわれわれに、そして世界に、恩恵を齎してきたのではなかったか？　こうした借問に応じるに当たっては、メディア理論家であるM・マクルーハンの理論枠組みを援用するのが好便である。[26] マクルーハンは〈近代〉の宿痾を、人間（身体）の延長であると彼がみなす技術一般（ハイブリッド！）の自己増殖的な暴走的拡張――これをマクルーハンは〈爆‐発〉(Ex-plosion)と呼ぶ[27]――と制御不可能性に見ている。[28]

マクルーハンが理論化したこうした〈爆‐発〉現象の、ラトゥールにおける概念的な等価物が、「〈ハイブリッド〉の増殖」である。勿論〈近代〉以前にも〈ハイブリッド〉は存在したが、そこでは〈人間／非人間〉の連鎖の全体と詳細を容易に辿ることができた（例えば、〈ハサミ‐糊‐紙‐人間〉という工房をモデルとしたハイデッガーの道具連関的な――ラトゥールの用語系では〈媒介項〉(mediation)とは区別された〈中間項〉(intermediary)的な――〈ハイブリッド〉を考えてみよ）。ところが、〈近代〉における〈人間／非人間〉の連鎖は、連鎖の全長が恐ろしく長大である上に、入れ子状に入り組んだ複雑な構造がそこには介在しており、連鎖の全体を辿ることは事実上不可能である。そうすると、連鎖の総体が丸ごとブラックボックス化され、そのことで連鎖そのものが隠蔽されて視界の淵に沈むとともに、インプットとアウトプットという〈ネットワーク〉の両端のみが「ユーザインタフェース」および

26 McLuhan, M., *Understanding Media : The Extensions of Man*, 1964. 栗原裕・河本仲聖訳『メディア論――人間の拡張の諸相』（みすず書房、一九八七年）。

27 直観的なイメージを得るためには、大友克洋のアニメ『AKIRA』（一九八八年）において、アキラに憑依された鉄雄の身体が自己破壊的なまでに膨大し本人にも制御できなくなるシーンを思い浮かべればよい。

28 マクルーハンその人は、〝筋‐骨格〟水準での〈人間の拡張〉である〈爆‐発〉に対して、情報通信インフラを地球規模で張り巡らす〝神経系〟水準での〈人間の拡張〉を実現する――これをマクルーハンは〈爆‐縮〉(Im-plosion)と呼ぶ――ことで暴走は制御可能となると考えたが、その首尾については現在の世界の実状がはっきり回答を出している。

「効果」という名の可視的部分として残されるだけとなる。そして、このブラックボックスの体系が〈自然〉――先の2―1―4で区別した（3）の水準における〈自然〉――として表象されることとなる。だが、このとき、ブラックボックス化された〈ハイブリッド〉はその連鎖と共に、その副次的効果までが不可視化されてしまう。そうして視界から消え去った副次的効果の代表例としてラトゥールが挙げるのが、温室効果、異常気象、地球温暖化に象徴される人新世の自然変容なのである。

2―1―6　方法

　前半最後の論点として、両者の方法論を取り上げよう。

　ルーマン社会システム論の方法を一言で特徴付けるならば、〈システム〉の自己言及的な〈観察／反省〉そして〈記述〉ということになろう。この場合注意が必要なのは、謂う所の〈観察／反省〉が、必ずしも人称的な行為や心理的能作とは限らないという点である。ルーマンの〈メタ概念／用語〉系において、〈観察〉（Beobachtung）とは飽くまでも〈環境〉への或る〈区別〉の適用という〈システム〉の〈作用＝演算（オペラツィオーン）〉の謂であり、また〈反省〉（Reflexion）とは或る〈区別〉の〈システム〉それ自体への〈帰入＝再登録（リ・エントリ）〉（re-entry）という〈作用＝演算〉のことであって、したがって〈システム／環境（システム・レフェレンツ）〉準位が例えば、〈組織〉や〈社会〉のそれであった場合、〈観察〉にも〈反省〉にも、意識的ないし心理的ファクターは寸毫も介在しない。

　問題は〈記述〉（Beschreibung）であって、この場合、当該の〈作用＝演算（オペラツィオーン）〉を実行するのは社会学者ということになるが、〈記述〉対象が〈社会〉（Gesellschaft）である以上、〈観察／記述〉者としての社会学者そのものが、〈記述〉対象に包含されてしまう。社会学者が紡ぎ出す〈コミュニケーション〉もまた他ならぬ〈社会〉の一要素だからである。ここでは、所謂「集合論のパラドックス」が再現されており、〈社会〉の〈記述〉は自己言及的な性格を不可避的に帯びざるを得ない。

これに対して、ラトゥールは、観察対象への徹底的な内在と、観察に際しての理論的予断の厳禁を信条として掲げるエスノメソドロジーを方法論上の模範とする旨を折に触れ明言している。つまり、観察対象に対して、外部から持ち込んだ論理や言葉を〝上から〟ないし〝外から〟押し付けるのではなく、対象に内在する論理を、その内部の観点から対象に固有の言葉で、謂わば〝下から〟ないし〝内側から〟再現する、方法論の採用である。[29] したがって、当然ルーマン流の超越（論）的な方法論は端（はな）から拒否される。科学研究の最前線として位置付けられる実験室に対する人類学的な参与観察を実践した記録である『ラボラトリー・ライフ』[30] においては、ルーマンの方法の対極に位置づけられるこうしたラトゥールの経験的方法論の有効性が余す所なく示されているとされる。

だが、こうした巷説やラトゥールによるエスノメソドロジーに対する歯の浮くような賛辞を真に受

29 ラトゥールにとって、〈記述〉(description) とは、〈人間／非人間〉間の媒介関係を丹念に辿り、隠され忘却された媒介構造を想起する手続きである。対して〈説明〉(explanation) とは、対象に外部から持ち込んだ形式や概念を適用する操作である。こうした意味において、〈記述〉が一次元的、精々二次元的な断絶のない――ただし、微小な不連続的〝超越〟はある――線型的連接であるのに対し、〈説明〉は、一般化に伴う〈飛躍〉と、全体への三次元的〈包摂〉を不可避的に伴う。だが、この後指摘するとおり、純然たる〈記述〉などというものは事の原理上成り立ち得ない。
Latour, B., *Reassembling the social : An introduction to Actor-Network-Theory*, 2005.

30 Latour, B., and Woolgar, S., *Laboratory Life : The Construction of Scientific Facts*, 1979.

けてはならない。というのも、「参与観察」という人類学的方法そのものに一種の〝超越論的〟構造が潜在的な形で組み込まれており、しかもそのことにラトゥール本人もまた自覚的だからである。

ともあれ「参与観察」(participant observation) の原理的な構造を分析してみよう。「参与観察」とは、観察対象の只中に観察視座を据え、対象の謂わば〝内側〟から観察行為を実践することである。だがここには、〈参与〉という行為そのことが対象の〝本来のあり方〟を撹乱する、量子力学における〈干渉〉(interference) に似た不確定性のファクターが認められるのであって、観察者その人もまた〈観察〉という行為それ自体によって観察対象に介入せざるを得ないという、ルーマンの方法において見られたのと同じパラドキシカルな構造の再現が認められる。つまり、〝純粋〟な〝あるがまま〟の対象の姿を〈参与〉という行為が潰乱し、対象の〝純粋〟性を汚し損なうのである。対象を〝純粋〟なままに保つためには、〈観察〉者が〈観察〉対象と同化・一体化すれば済むが、その場合今度は〈観察〉行為が不可能な仕儀に陥る。何故なら、〈観察〉とは、〈観察〉対象と〈観察〉者との間に距離を設けること、すなわち両者が同化・一体化を行わないことだからである。つまり「参与観察」において〈参与〉の契機と〈観察〉の契機とは互いに相容れぬ、相互を打ち消し合う〝利益相反〟的な行為なのである。

一般的に言って〈観察〉という〈作用(オペラツィオーン)＝演算〉は、観察対象すなわち当事者水準への憑依的同一化 (für es) の契機と観察主体すなわち学知的記述水準における反省 (für uns) の契機の双方を必ず要求し、それらの相互交替において初めて成立するのであって、前者の契機のみでは〈観察〉は不可能である。エスノメソドロジーのナイーヴな方法論は、こうした〈観察〉の二重的構造の等閑視の上に成り立っているといってよい。

では、ラトゥールの場合はどうか？　彼の場合、極めて巧妙な遣り方によって、ある種の〝超越論性〟を「参与観察」に組み込むことで、エスノメソドロジーに纏わる素朴さを免れている。その巧妙な手口が、ラトゥールが〈計算の中心〉(center of calculation) なる〝インフラ言語[31]〟で提示する仕掛けである。ラトゥールは「参与観察」を〈アクターネットワーク〉の一環に組み込むのだが、参与観察の対象が位置付けられるのは、常に〈ネットワーク〉の末端である。言い換えれば、参与観察に携わる〈観察〉者は例外なく〈ネットワーク〉の中枢から派遣されており、「参与観察」の結果として得られたデータは残らず、派遣元の中枢に持ち帰られ、そこで蓄積され、解析に掛けられる。[32]この中枢こそが〈計算の中心〉であって、ここで遂行される〈計算〉によって、観察対象は〈計算の中心〉を権力的中枢とする〈ネットワーク〉に〈翻訳〉(＝オルグ活動) によって組み込まれるのである。こうした措置によって、社会システム論における〈超越論〉性や〈反省〉性が、〈アクターネットワーク〉における〝距離〟に換骨奪胎的に置き換えられることで再導入されるとともに、〈ネットワーク〉に

31　ラトゥールは自らの方法論が、エスノメソドロジーを範とし、経験的原理に則ったものであることを読者に印象付けるために、自らが編み出した用語系に対して〈上から〉の命名であるとの印象を与える〈メタ言語〉(meta-language) の使用を避け、それに換えて、〈下から〉の素材性を含意する〈インフラ言語〉(infra-language) という特徴付けを行っている。だが、こうした小細工をいくら弄そうとも、ラトゥールの〈インフラ言語〉群が観察者による構成の所産である以上、実際にはそれらもまた〈メタ言語〉の一種である事実は覆せない。

32　この辺りの議論は、Latour, B., *Science In Action : How to Follow Scientists and Engineers Through Society*, 1987.（川﨑勝・高田紀代志訳『科学が作られているとき――人類学的考察』産業図書、一九九九年）が最も詳しい。

権力構造が生まれる機制に対して、唯物論的・経験論的な水準で説明が与えられることになる。

2―2 ANTの可能性

本章後半では、社会システム論という参照枠組み(フレイム・オブ・レファレンス)からは一旦離れ、とはいえ、これまで遂行してきた社会システム論との比較作業の成果は踏まえつつ、暫くANTの〈メディア〉論的な含意を考えたい。この作業は、ANTが、〈メディア〉論が抱える重要課題の一つである現行情報社会の分析に対してどこまで貢献が可能かを検覈(けんかく)するための縁(よすが)となろう。もちろん、ラトゥールその人は「情報社会」という概念装置そのものを〈非近代〉の立場から拒否したであろう可能性が高いが、それにもかかわらず、ANTが――社会システム論がインターネット時代を先取りしつつも、本質的にはマスメディア時代の社会理論であったのとは対照的に――優れて、インターネットというメディア技術に象徴されるネットワーク時代との相性がよい〝社会(=集合体)〟理論であることを標榜する以上は、この作業には然るべき意義と必然性があるはずである。

それればかりではない。ANTの〈メディア〉論的含意を掘り下げることは、ANTの根底に密かに想定されている特異な〈存在論=形而上学〉を炙り出すことにも資する。この〈存在論=形而上学〉的位相を明るみに出すことで、社会システム論に対する真の意味でのANTの独自性と、理論としての可能性が開示されることになろう。

2-2-1 ANTと〈メディア〉論

〈アクターネットワーク〉という言葉からは、ANTに接する多くの者がインターネットを連想するであろうし、ラトゥール本人もまたそうした連想が読者の側で働くことを必ずしもネガティヴに捉えていないどころか、寧ろ情報社会におけるアドヴァンテージを強調するために、当該事実を積極的に利用している節さえ認められる。この事実は、一方でANTに或る〈メディア〉論的な含意が看取可能であることを指嗾する一方で、ANTの本質理解が〈メディア〉論的バイアスによってミスリードされる危険をも警告している。

まず、ミスリードの危険性の方から見てゆこう。インターネットがその一つの現象形態である所謂「網状組織（ネットワーク）」と、ラトゥールの〈アクターネットワーク〉とは、その存在性格からして全く異なっており、したがって両者を類同視することはそもそも間違っている。何故なら、〈アクターネットワーク〉が、飽くまでも〈エージェンシー〉としての〈アクタン〉間での〈翻訳（トランスレイション）〉と相互〈所有（ポゼス）〉の連鎖的プロセス、〈生成（ビカミング）〉という〈出来事（イヴェント）〉ないし〈運動〉であるのに対し、「ネットワーク」の方は〈アクターネットワーク〉の成果物、ないしその効果として初めて出現可能な静態的被構成物だからである。

だが、こうした誤解のリスクを出来させる一方で、インターネットと〈アクターネットワーク〉との比較はわれわれに或る〈メディア〉論的な認識利得を齎してくれもする。それは、双方が共に、そこを流通する〈内容（コンテンツ）〉の如何を問わぬ**物質的**インフラであり**物質的**過程であることの前景化である。

すなわち〈アクターネットワーク〉とは、単なる比喩ではなく、正真正銘の〝情報流通〟のための〈備給体制（ロジスティックス）〉――厳密には、その可能性の条件をなす〈運動〉――なのであって、その意味において〈アクターネットワーク〉は一つの〈メディア〉を構成している。また〈アクターネットワーク〉が〈備給〉の〈運動〉であることが、その原理的な物質性（唯物論性）を担保してもいる。

　マクルーハンの惹句「メディアはメッセージである」（The Medium is the Message.）を援用しつつ言い直せば、ＡＮＴはそれが、本来〈図／地〉構造における〈地〉に留まり続けることで〈メッセージ〉としては顕在化し難い〈メディア〉である〈アクターネットワーク〉の運動を、ラトゥール謂う所の〈インフラ言語〉を駆使しつつ〈対自化＝〈図〉化＝メッセージ化〉し得たことによって、マクルーハンの定義に適う歴とした〈メディア〉論の資格を要求し得る。あるいは、ラトゥールのインフラ言語の一つ〈書き込み〉（Inscription）の〈メディア〉論的含意を強調しつつ言い直せば、〈アクターネットワーク〉とは、Ｆ・キットラー謂う所の〈書き込みシステム〉（Aufschreibesystem）――ドキュメントのロジスティックス――の一種だと言うこともできる。[33]

　そして実は、ＡＮＴには、ルーマンの社会システム論にあっては不徹底の誹りを免れなかった〈質料〉性への注目という、いま一つの更に重要な〈メディア〉論的含意が潜んでいるのだが、この論点については、次々小節で別の角度から検討する。この論点に関する知見を遺漏なく抽き出すためには、ＡＮＴにおける〈形而上学＝存在論〉的位相を前以って主題化しておくことがどうしても必要だからである。

２-２-２ 〈形而上学＝存在論〉としてのＡＮＴ

ＡＮＴは、〈メタ概念〉による〈反省〉に媒介された所謂「出来上がった体系的理論」ではなく、エスノメソドロジーに範を仰ぎつつ、観察対象に内在し、そこに埋め込まれた世俗的〝理論〟――「心の哲学」に所謂〈民間心理学〉(folk psychology)の機能的等価物――を〈日常言語〉ないし――〈メタ言語〉ならぬ――〈インフラ言語〉によって掬い取るための方法論もしくは〝ツールキット〟であるとの性格付けがしばしばなされる。ラトゥールがＡＮＴの理論化に際して、エスノメソドロジーから並々ならぬインスパイアを受けたことは事実だとしても、前節「方法」(２-１-６)で既に指摘した通り、ＡＮＴが単なる〝ツールキット〟であるとは――とりわけ、その理論全体を射程に収めるとき――到底認め難い。エスノメソドロジカルな色彩が濃厚な『ラボラトリー・ライフ』や『法が作られているとき』[34]といった参与観察に重点が置かれた仕事においてすら、ＡＮＴは単なる〝ツールキット〟であることを超えた〈存在論〉的前提を〈インフラ言語〉――実際には〈メタ言語〉の機能的等価物――によって密かに導入している。

33　この〈書き込み〉の他、〈計算の中心〉(centers of calculation)や〈不変の可動物〉(immutable mobiles)といった〈インフラ言語〉群もまた〈メディア〉論的含意を認め得る。

34　Latour, B., & Woolgar, S., *Laboratory Life: The Construction of Scientific Facts*, 1979. Latour, B., *La Fabrique du droit : Une ethnographie du Conseil d'État*, 2002. 堀口真司訳『法が作られているとき――近代行政裁判の人類学的考察』(水声社、二〇一七年)。

われわれは、ラトゥールの口車に乗せられることのないよう呉々も気を付けなければならない。ANTは表面的にはエスノメソドロジーを擬してはいるが、実は、ルーマンの社会システム論の向こうを張った、偽装された〝社会のグランドセオリー〟、否寧ろ、そうした性格付けにも収まりきらぬ、一つの〈形而上学＝存在論〉、より精確には独自の〈自然〉了解も含んだ一つの〈宇宙論（コスモロジー）〉である。[35] そのことは、晩年の〈地表＝現世（テレストリアル）〉論[36]や〈存在様態〉論[37]に接するとき一層はっきりする。本小節では、ANTの最基層に窺えるラトゥールの〈形而上学＝存在論〉の諸相を、その〈存在様態〉論のANT全体における位置付けや、ラトゥールによる思弁的実在論そしてG・タルドのモナド論への参照の意味を考えるなかで泛かび上がらせていきたい。

2-2-2-1　〈存在様態〉論――存在論的多元主義の企図

ANTにおいては、〈近代〉に固有の〈精神 vs. モノ〉の二元論が、更には〈社会 vs. 自然〉の二元論が、〈アクターネットワーク〉という〈人間／非人間〉が織り成す〈翻訳〉の連鎖ないし〈生成〉の運動に還元されるが、[38]〈アクターネットワーク〉が本質的に物質的な水準における〈備給体制（ロジスティックス）〉を構成するため、備給の〈内容（コンテンツ）〉に関しては謂わば〝闇夜の牛〟的な無差別となってしまい、そこには〈内容（コンテンツ）〉を度外視した、二次元的にのっぺりと拡がるだけの備給網しか残らない。だが、それでは、現実に存在する多様な〈価値〉の存在に背を向けることになる。ここに、〈アクターネットワーク〉と謂う単層的な〈運動〉体から――〈精神 vs. モノ〉や〈社会 vs. 自然〉といった〈近代〉的二元論の道具建てに頼ることなしに――如何にして多元的〈価値〉の存在が立ち現れ、またそうした〈価値〉

体制が如何にして〈制度〉として担保されるのか、そのメカニズムを解明するという新たな課題が、ラトゥールの前に浮上してくることとなる。そして、この課題に応接すべくラトゥールが企てたのが存在論的多元主義（オントロジカル・プルーラリズム）（ontlogical pluralism）を定式化する試みとしての〈存在様態〉論である。

〈存在様態〉論の要諦は、〈価値〉の多元性を、〈存在〉の多元性によって担保するのではなく、〈存在〉の単一性——すなわち〈アクターネットワーク〉の唯一性——そのものは温存した上で、〈ネットワーク〉の〈存在様態〉（modes of existence）を多重化することで説明する点に存する。〈アクターネットワーク〉を一枚の織物（テクスチャー）に見立てるならば、織物（テクスチャー）は〈存在〉としては単一であるが、それを織り成している一本一本の〝経（よこいと）〟や〝緯（たていと）〟の太さや色合いが異なっているために、それらが組み合わさったときに結果として、多元性が成就されるという仕掛けである。

ラトゥールは〈ネットワーク〉の〈存在様態〉として都合十六の〈径路〉（pass）——すなわち

35　ラトゥールは、自然物の政治的エージェンシーを認めた〈自然の政治〉（*Politiques de la nature : Comment faire entrer les sciences en démocratie*, 1999）を唱えるため、単なる〈宇宙論〉というよりは、寧ろI・スタンジェール謂うところの〈宇宙政治論〉（Cosmopolitics）と言った方が実情に即していよう。

36　Latour, B., *Où atterrir? Comment s'orienter en politique*, 2017. 川村久美子訳『地球に降り立つ——新気候体制を生き抜くための政治』（新評論、二〇一九年）。

37　Latour, B., *An Inquiry into Modes of Existence*, 2013.

38　ラトゥールは〈非還元性〉（Irreduction）の原則を提唱するが、ラトゥールが拒否するのは、飽く迄も既存の権力関係を前提した〝垂直〟方向への〈還元〉（Reduction）であって、〈ネットワーク〉次元の〝水平〟的な〈力〉による〈闘争〉への〈還元〉についてはこの限りではない。Latour, B., *The Pasteurization of France*, 1988.

〝経(よこいと)〟と〝緯(たていと)〟——を挙げた上で、それらによって構成される〈価値〉として、科学的価値、法的価値、芸術的価値、宗教的価値、経済的価値、技術的価値を想定している。[39] 第三者的に見るとき、これはルーマンの機能的分化論のラトゥール版に他ならず、実際例えば、ルーマンにおいて〈コード〉の切り替えを担う〈成果メディア〉(Erfolgsmedien)の、ラトゥール〈存在様態〉論における機能的等価物である〈前置詞〉([pre]position)という概念装置(インフラ言語)も用意されている。[40] ただし、ルーマンが機能的分化に際して「言語」の役割を重視するのとは異なり、ラトゥールにあっては〈径路(パス)〉の〈連鎖/分岐〉における言語以前的・非言語的メカニズムが強調されており、ルーマンの機能的分化論の観念論的(イデアール)傾向に対して、より唯物論的な傾向が顕著ではある。

〈存在様態〉という概念そのものの案出に関して、ラトゥールがその先蹤として挙げるのは美学者のE・スーリオであるが、[41] 事柄そのものに即するとき、その構案の雛形となっているのがルーマンの〈機能的分化〉論、そしてE・ゴフマンの〈フレーム分析〉、とりわけその〈移調〉(keying)論であることは疑いを容れない。[42] ラトゥールとしては、ルーマンやゴフマン流の〈構造〉(structure)の構成・維持メカニズムとは区別しつつ、内在的経験の地平における自身の〈アクターネットワーク〉の〝構成〟を、既に廃れた死語を復活させつつ〈反復的更新(インストーレイション)〉(instauration)と称するが、孰れにせよ、それまで〈社会〉についてネガティヴな言辞をしか弄してこなかったラトゥールが、〈存在様態〉論において、〈社会(的なもの)〉=〈集合体(コレクティヴ)〉の積極的な概念規定と、その〝構成〟メカニズムの定式化に取り組もうとしていたことは間違いない。

とはいえ、ラトゥールによる多分にW・ジェームズを意識した、この〈多元的宇宙としての世界〉

(world as multiverse)に関する〝様相(モーダル)〟的存在論の企ては、公平に見て成功しているとは言い難い。それは、ANTが本来、最もその真価を発揮するのが既存の構造物の〈脱構築〉および新たな構造物の〈生成〉の場面であって、既存の構造の再生産と維持のメカニズム解明を目指した〈存在様態〉論については、徒に議論を煩雑化させているだけとの印象を否めず、この局面ではルーマン社会システム論の方にやはり一日の長があると言わざるを得ないからである。ラトゥールの〈形而上学=存在論〉の理論としての優越性(アドヴァンテージ)は〈存在様態〉論とは異なる場面に求められなければならない。

2-2-2-2 思弁的実在論およびタルド〈モナド〉論への言及

〈存在様態〉論は、〈アクターネットワーク〉の存在論的身分を問うものであるが、ラトゥールの〈存在論=形而上学〉には、ネットワークを構成する〈項(アクタン)〉の存在論的身分を問う文脈もまた認めら

39 実は〈存在様態〉論には隠された主題があり、それが経済的価値の分析を、〈愛着〉([att]achment)〈組織〉([org]anization)〈道徳〉([mor]ality)という三つの〈径路〉の交差として分析することであるのだが、この論点については本章では立ち入らない。

40 ラトゥールは、〈径路〉を辿る際に〈前置詞〉を取り違えることで様々な錯誤――例えば、二項対立やカテゴリーの実体視――が生じるとする。この点で、〈存在様態〉論は〈アクターネットワーク〉が如何なる仕方で見誤られるかに関する誤謬の類型論、すなわち一種の〈カテゴリーミステイク〉論、もしくは〈通念(エンドクサ)〉(ἔνδοξα)の成り立ちを尋ねる〈エンドクソロジー〉でもある。

41 Souriau, É. *Les Différents modes d'existence*, 1943.

42 Luhmann, N., *Die Gesellschaft der Gesellschaft*, 1997. Goffman, E., *Frame Analysis : An Essay on the Organization of Experience*, 1974.

れる。それが、所謂「思弁的実在論」一派に属し〈オブジェクト指向の存在論〉を標榜するG・ハーマンとの間での相互参照であり、また、ラトゥールがANTの思想史上の鼻祖として認定するG・タルドへの言及である。

ただし、ラトゥールによるハーマンとタルド双方の存在論への言及を等し並みに扱うことはできない。なぜなら、ハーマンの存在論とタルドのそれは或る意味において互いに相容れないものだからである。すなわち、ハーマンの存在論は、あらゆる〈関係〉や〈相関〉から退遁する、孤立的な〝隠れた〟(verborgen) 個体的実体としての〈対象〉(object) を立論の核に据える。その上で、彼は反〈相関〉主義の代表格として、儔匹であるQ・メイヤスーとともにラトゥールの名を挙げるのである。[43] ラトゥールはラトゥールで〈オブジェクト指向〉の概念をハーマンへの返礼宜しく一度ならず言揚げするといった按排である。対して、タルドの存在論は、ハーマンのそれが徹頭徹尾〈自己同一性〉の存在論であるのとは対照的に、ラトゥールも強調する通り〈差異〉(difference) の存在論であって、[44] 個体(モナド)間での属性の〈相違〉が、したがって、個体(モナド)間の〈比較〉が、つまりそれらの〈関係〉が、その存在論における論理的前件をなしている。

こうした点に徴するとき、ラトゥールが、ハーマンとタルド双方の存在論に対して同時に秋波を送っている事実は、彼の側での態度のブレと混乱を示すものであって、特に思弁的実在論の如き粗笨極まりない〝哲学〟の称揚は、それが単なる外交辞令であったとしてもラトゥールにとっては自説の価値を自ら貶めることにしかならない。尤も、タルドの〈差異〉の存在論にしたところで、その〈差異〉主義と〈関係〉主義が際立つのは飽くまでもハーマンとの比較においての話であって、〈関係〉

と〈差異〉の水準である相互的〈所有〉（having, possess）の〝主体〟として〈モナド〉をタルドが要請する以上、彼にあっても結局は〈関係〉と〈差異〉の担い手であるユニークな個体的実体が、その背後に想定されていることは匿し果せない。ハーマンとの違いは唯、〈モナド〉間に成り立っている諸関係の総体――これをタルドは端的に〈社会〉（société）と呼ぶ――が折り畳まれ、個々の〈モナド〉の中に多孔質的な〝宇宙〟として内蔵されるという仕方で〈モナド〉個体に〈関係〉を内属化させること、そしてそれを以って〈モナド〉の掛け替えのなさの実質とみなす点である。この手続き一つだけでも、思弁的実在論の平板で図式的な議論とは雲泥の差があるが、それでも、〈モナド〉の多孔性によってタルドの存在論に一種の〝物活論〟的なニュアンス――万物の〈魂〉！――が纏わり付くことは覆い難い。そして、この〝物活論〟的ニュアンスは、ラトゥールの〈存在論＝形而上学〉のなかに、評判の悪いJ・ラヴロック〈ガイア〉説の再評価[45]や〈人新世〉の時代を意識した〈地表＝現世〉論のかたちで、タルドから引き継がれることになる。

43　Harman, G., *The Quadruple Object*, 2011. 山下智弘ほか訳『四方対象――オブジェクト指向存在論入門』（人文書院、二〇一七年）。

44　Latour, B., 'Gabriel Tarde and the End of the Social', in Patrick Joyce (ed.) *The Social in Question : New Bearings in History and the Social Sciences*, 2002. 村澤麻保呂訳「〈社会的なもの〉の終焉」『VOL 05　エピステモロジー／知の未来のために』（以文社、二〇一一年）。

45　Latour, B., *Face à Gaïa : Huit conférences sur le Nouveau Régime Climatique*, 2015.

2-2-3 〈質料＝メディア〉の存在論としてのANT

われわれは、ラトゥールの理論的営為そのものが、〈アクターネットワーク〉という舞台上での一つの立派な〈翻訳〉実践（＝オルグ活動）であることがラトゥールその人によって明確に意識されていることに気付かなければならない。すなわち、ラトゥールによるエコロジカルな〈存在論＝形而上学〉の宣揚は、既存の〈社会〉に対して〈集合体〉を、従来の〈自然〉に対しては〈ガイア〉や〈地表＝現世（テレストリアル）〉を、すなわち〈近代〉に対してそのオルタナティヴとしての〈非近代〉を、それぞれ対抗させ、旧来の構造を構成していた存在者たちを、〈翻訳〉実践によって旧構造から捥（も）ぎ取り、自らの側のネットワークの〈アクタン＝エージェンシー〉として換骨奪胎してゆく、それ自体が一つの〈闘争（アゴニー）〉なのである。その意味で、ルーマン社会システム論の代表的惹句である、現行の社会は「別様でもまたあり得る」（auch anders möglich sein）との立言はまたラトゥールＡＮＴにそのまま流用可能である。ただし、「別様にもあり得る」その「あり方」が双方で異なる。

ＡＮＴとは、一言でいえば〈ヒト〉と〈モノ〉ないし〈人間／非人間〉が今とは別様にあり得る仕方の実践的発見の手続きである。構造主義人類学の枠組みに仮託して言えば、社会の〈構造〉は何ら唯一でもア・プリオリでもなく、恒にオルタナティヴの存在を許し、またその内部に孕んでいるというのがＡＮＴの根本テーゼである。また、こうした〈構造〉におけるオルタナティヴの可能性の認識と、複数の〈構造〉（候補）間でのヘゲモニー〈闘争〉の肯定が、ＡＮＴにおける相対主義と実践的性格の源泉ともなっている。だが、問題はそのオルタナティヴの所在如何である。

ルーマンはオルタナティヴの根拠を、〈形相＝形式〉水準における〈意味〉の〈選択〉可能性に求める。言い換えれば〈構造〉に対抗できるのは、飽くまでも別の〈構造〉でしかあり得ない、というのがルーマンの立場である。これに対して、ラトゥールはオルタナティヴの棲処(エレメント)として〈質料＝メディア〉の水準、すなわち〈潜在性〉の水準を指定する。或る既存の〈構造〉に対抗し得るのが、仮にもう一つの〈構造〉だとしても、その端緒においては謂うところの新たな″構造″は未だ確たる安定的〈形式〉の体裁を整えてはいないはずである。とすれば、それは〈形式〉未満、〈意味〉未満のアモルフで一回限りの〈出来事〉の連鎖、すなわち〈質料＝メディア〉の水準で生起する〈プロセス〉に求める他はない。

　ルーマンももちろん形相的〈形式〉とのペアをなすものとして質料的〈メディア〉を、自らの概念装置として導入するが、ルーマンの〈形式／メディア〉が多階的構造をなすことからも分かる通り、彼の〈質料＝メディア〉とは結局〈意味〉——つまり、もう一段下位の〈質料＝メディア〉にとっての〈形相＝形式〉——でしかない。そして、この点にルーマン社会システム論が本質的に有する観念(イデアール)論的性格の由来も索(もと)め得る。ルーマンにとって〈質料＝メディア〉とは所詮、〈構造〉構成の″素材″として用立てられる〈意味〉的″リソース″でしかないのである。それに対して、ラトゥールの〈質料＝メディア〉は、その能動性、自発性を特徴とする。それは、ルーマンの規定に拠るが如き構成のための″リソース″などではなく、ホワイトヘッド謂う所の、生成(ビカミング)の〈自立＝自律〉的で〈抱握(プリヘンション)〉的な〈プロセス〉である。スピノザ＝シェリングの言葉を借りて、それを〈能産的自然(ナートゥーラ・ナートゥーランス)〉(natura naturans)と呼んでもよい。あるいは、ドゥルーズの言葉を用いて〈潜在性(ヴィルチュアリテ)〉(virtualité)もしくは〈強度（アンタンシテ）〉（intensité）と呼ぶこともできよう。

ＡＮＴの社会システム論に対するアドヴァンテージは一に懸かって次の点に存している。すなわち、社会システム論が「対立」を、複数の〈形式〉相互、ないし複数の〈構造〉間という〃水平的〃方向にしか見ないのに対して、ＡＮＴがそれを〈形相＝形式〉と〈質料＝メディア〉との間、言い換えれば既存の〈構造〉と未だ形をなしていない〈前‐構造〉との間、すなわち〃垂直的〃方向に寧ろ認める点である。ただし、この〈前‐構造〉におけるモノたちは、思弁的実在論が言い張るが如き〃裸〃のマテリーや、あらゆる関係から退遁したマイノング流の〃純粋対象〃の如きものでは有り得ない。それは、単なるマテリーや純粋対象〈より以上（エトヴァス・メーア）、それ以外の或るもの（エトヴァス・アンデレス）〉（etwas Mehr, etwas Anderes）、である。もちろんその〈或るもの〉は、ルーマンが主張するような〈意味〉ではない。それは、〈意味〉以前の層、〈構造〉以前の相において、〈モノ／ヒト〉が相互に自ら張り巡らした――張り巡らされた、ではない点に注意せよ！――非・言語的、前・言語的〈繋がり〉である。この密やかな〈繋がり〉は、既存の〈構造〉が廃れ、新たな〈構造〉がそれに替わって再編される〈構造〉転換期に現れる僅かな間隙の期間――いわば〃政権交代〃における〃空位〃期――に、〈構造〉の合間から束の間顔を覗かせるに過ぎない。

　ラトゥールの卓見は、この〈繋がり〉を発見し、それを〈アクターネットワーク〉および〈集合体〉として同定し得たことにある。が、彼の功績はそれに尽きない。この〈繋がり〉の発見によって、ルーマンにあっては、高々認知的実践――アリストテレスに所謂〈賢慮（フロネーシス）〉（φρόνησις）――の水準に留まっていた社会の理論的把握の営為に、身体的次元も含めた実践性を付与するための理論的橋頭堡をラトゥールは築いたと評し得るからである。われわれとしては、ルーマンに欠けていた、ラトゥールのこうした洞察を〈批判的に継承＝継承的に批判〉することで、より精緻な〈社会〉の理論の構築作業に向けて活かしたいと念う。

第三章　情報社会にとって「数」とは何か？

3-0-1　はじめに――トリヴィアルな存在／分野としての巨大数

論文執筆に際して著者が墨守している個人的格律を破って、「巨大数」が表向きのテーマとなる本章では極く私的な弁明（エクスキューズ）から筆を起こさざるを得ない。というのも、本節で述べる「巨大数」をめぐるトリヴィアルな事情が、「巨大数」の本質に関わってくるように著者には思われるからである。

実は不覚にも、編集部からの原稿依頼を受けて初めて著者は「巨大数」という分野の存在を知った。もちろん「巨大な数」という意味での普通名詞としてのそれではなく、数学の一ジャンルとしてのそれである。慌ててAmazonでキーワードに「巨大数」の語を入れ、関連文献を検索してみて安心した。関連文献が三冊しかない。うち一冊はマンガである。一冊は在野の数学史家、鈴木真治氏の手になる岩波科学ライブラリー中の一冊『巨大数』である。ただしこの本は一〇〇ページを少し超える程度の紹介本である。「巨大数」を正面から扱っているのはフィッシュ氏による『巨大数論』で、もともと「ふぃっしゅっしゅ」名でウェブ上に公開していた内容が元になっている。[1] 最後のマンガは料理漫画家である小林銅蟲（どうむ）氏の異色作で、寿司屋を舞台に巨大数論が展開される『寿司　虚空編』である。[2]

さて、著者が先に「安心した」と書いたのは、参照すべき文献が少なく、〝仕込み〟の労が省けるから、ではない（逆に、当該テーマの関連文献が少なければ少ないだけ、参照枠（フレーム・オブ・レファレンス）の作成をゼロから自力で行う必要が生じ、ために〝仕込み〟に掛かる労力はむしろ増える）。関連書籍の刊行点数から推して「巨大数」が数学のジャンルとして公認ないし確立されていないことが察され、「巨大数」についての著者の不案内が、かならずしも不明と不勉強の所為ではないと確認できたからである。

実際、先に挙げた三冊はすべて二〇一〇年代に入ってからの公刊であり、「巨大数」がきわめて新しい分野であることがわかる。さらに言えば、フィッシュ氏は「ふぃっしゅ数」という巨大数を構成してみせた斯界の第一人者であり、「フィッシュ」あるいは「ふぃっしゅっしゅ」という人を喰ったペンネーム、というよりハンドルネームからわかるとおりネット上に散在する世界中の愛好家たちと巨大数を論じ、その成果をウェブ上で報告する、往年のブルバキとはまた違った意味における匿名の数学研究家(マニア)である。岩波科学ライブラリーが所謂科学啓蒙書のシリーズであること、マンガというメディアで取り上げられる以前に、2ちゃんねるやニコニコ動画、YouTube等のBBSや動画SNSで話題となったことで「巨大数」が一種のバズワードと化しつつあること、とも併せ考えるとき、浮かび上がってくるのは、「巨大数」というジャンルの「在野性」ないし「アマチュア性」である。それは逆に言えば、「巨大数」というジャンルが数学の本流にとってマージナルな領域であり、トリヴィアルな存在であることをも同時に意味する。

1　フィッシュ『巨大数論 第2版』、NextPublishing Authors Press、二〇一七年。同氏には『巨大数入門』の著もあるが、これは『巨大数論』からの抜粋なのでカウントしない。
2　これら以外に『数学セミナー』(日本評論社)が二〇一九年七月号で「おおきな数」というタイトルで巨大数の特集を組んでいることが注目される。

3-0-2　現代数学における巨大数の扱いの変遷

現代数学史に即して考えよう。D・ヒルベルトの弟子であるW・アッカーマンの発見になるとされる、「アッカーマン関数」(Ackermannfunktion)は巨大数を生成する。だが、アッカーマン関数の本質は飽くまでも、全域に亘って計算可能(コンピュータブル)(computable)でありながら、原始帰納的(プリミティヴ・リカーシヴ)(primitive recursive)ではない点にその数学的本質が存するのであって、それが爆発的な増加関数であることは副次的属性に過ぎない。R・グッドスタインが一九四〇年代に発見した「グッドスタイン数列」(Goodstein Sequence)もまた巨大数を生成するが、その数学的本質はむしろK・ゲーデルが謂う意味における「決定不能(ウンエントシャイトバール)」(unentscheidbar)な命題をそれが構成する点にこそある。つまり、巨大数それ自体がそこでの主題であるわけではない。

巨大数の生成機構ではなく、〝存在〟としての巨大数に目を移そう。一九五〇年代に「スキューズ数」(Skewes Number)と呼ばれる巨大数(そのものが、ではなく、それが存在すること)が発見されたが、これはリーマン予想の証明へ向けての営みの副産物である。また、一九七〇年代初頭には「グラハム数」(Graham's Number)が登場したがこれもまた、一九七六年に大型コンピュータを駆使して最終的に解決された「四色問題」決着の努力の過程で発見されたものである。すなわちここでもやはり本来の主題は「リーマン予想」や「四色問題」であって「巨大数」それ自体ではない。

ところが一九七〇年代後半以降、巨大数の扱いにおいてゲシュタルト・チェンジが生じる。その転機をなしたのが、D・クヌースによる巨大数の「矢印」記法(一九七六年)の案出であり、それを発展させたJ・H・コンウェイによる「チェーン」記法（一九九五年）の考案であった。これらは、それまでの巨大数の一般的な表記法であった冪乗表記が有していた制約を超えて、さらに大きな数の表記を可能にするものであり、したがって、そこで焦点になっているのは、それまでとは違って、間違いなく巨大数そのものである。二〇〇二年にフィッシュ氏によって考案された「ふぃっしゅ数」は、こうした巨大数の新たな表記の登場を前提に案出された、「S変換」と呼ばれる写像を通じて生成される巨大数である。重要なことは、この「ふぃっしゅ数」が、それまでのような何らか別の目的達成過程の副産物ではなく、純粋に巨大数の生成のためだけに考案されているという事実である。

われわれが本章で考えたいことは、数学において長くマージナルでトリヴィアルな扱いを受けてきた巨大数が、右でみた経過を辿りつつ表記法の刷新を機に今世紀に入って、一つの分野として取り沙汰されるようになったことの意義、である。ただし、その際にも数学の主流においては、依然「巨大数」はマージナルでトリヴィアルなトピックに過ぎず、数学の正式で正統的な一ジャンルをなすものとは認められていないことに留意が必要である。われわれとしては、「巨大数」ブームを天から無視したり、純粋数学の高処からそれを貶めたりするのではなく、「情報社会にとって数とは何か？」という社会哲学的な次元で問題を構成するための恰好の論材、議論の縁として遇したいと思う。

3-0-3　視角の設定――数と意味

以上の認識に基づきつつわれわれは以下の二つの問いを立てたい。第一の問いは「巨大数はなぜトリヴィアルな分野／存在と見なされてしまうのか？」という問いであり、第二の問いは「にもかかわらず、情報社会においてなぜ巨大数は人々の関心を喚起するのか？」という問いである。

まずは第一の問いに取り組みたいのだが、われわれはこの問いに「数（ツァール）」(Zahl) と「意味（ジン／ベドイトゥング）」(Sinn, Bedeutung) との関係というアングルからアプローチしたい。

結論から言えば、現在持て囃されている「巨大数」は、実用的な見地からみるときには、本質的に「無意味（ベドイトゥングスロース）」(bedeutungslos) である。すなわちそれはアボガドロ数 ($6.02214076 \times 10^{23}$ mol^{-1}) やプランク定数 ($6.62607004 \times 10^{-34}$ m^2 kg/s) あるいは光速 (299,792,458 m/s) のように、物理的世界の構造の指標を与えているわけではないし、かといって個々の巨大数それ自体が「π（パイ） = 3.14159265359…」や「τ（タウ） = 1.61803398874…」ネイピア数「e = 2.71828182846…」のように「円周率」や「黄金比」「自然対数の底」といった何らかの〝個性〟的な機能的意味を有するわけでもない。つまり、実用的な見地からは「巨大数」は、何の役にも立たない、という意味において無意味＝トリヴィアルとみなされる。

しかし、他の自然科学とは違って、そもそも現代の純粋数学が対象とする数学的存在は本質的に〝無意味〟ではなかったか？　例えば、虚数単位「$i = \sqrt{-1}$」を組み込んだ「複素数（コンプレクセ・ツァール）」(Komplexe Zahl)、W・R・ハミルトンの「四元数（クォターニオン）」(Quaternion)、「リーマン多様体（マンニヒファルティヒカイト）」(Riemannsche Mannigfaltigkeit)、「無限次元ベクトル空間」、G・カントールの「実無限（アクトゥエッレス・ウンエントリッヒェ）」(aktuelles Unendliche) そして「群」(Group) や「体」(Field)「環」(Ring) といった数学的〝存在〟は孰れも、現実世界に対応物を持たないという意味においては成る程無意味（ベドイトゥングスロース） (bedeutungslos) に違いない。つまり、それらは巨大数と同様、実用的意味を持たない。にもかかわらず、それらの数学的〝存在〟は、巨大数と違って決してトリヴィアルとはみなされない。何故か？　両者における「無意味」の含意が異なっているからである。

巨大数における「無意味」さは、それが何の役にも立たず、何の「情報」をももたらさない、という意味で「ノイズ」性と言い換えることができる。ところが、数学的〝存在〟は膨大な「情報」をそれが生成・産出する点で、巨大数の「無意味」さとは質を異にしている。実は数学的〝存在〟の〝無意味〟性とは、数学的〝存在〟の本質的な特性である「形式性」「抽象性」「体系的閉鎖性」をネガティヴに表現したもの、すなわち「具体的な実在世界からの離陸」を意味しているに過ぎない。数学的〝存在〟が、具体的な実在世界を離陸し実用的「意味」と手を切ることで、「形式性」「抽象性」「体系的閉鎖性」を手に入れる以上、これは理の当然であって、その〝無意味〟性は「形式性」「抽象性」「体系的閉鎖性」の〝コインの裏側〟なのである。

こうした純粋数学の見地からするとき、逆説的にも「巨大数」は「意味」を持ち過ぎている。すなわち、いまだ実在世界から充分に離陸し、その軛(くびき)を脱していない。なぜなら、それは「巨大さ(リーゼングレーセ)」(Riesengröße)という感性的特性に拘泥(こだ)わるが故に、必然的に「自然数(ナトゥーリッヒェ・ツアール)」(Natürliche Zahl)という実在的世界に纏縛された数体系をモデルとして立てざるを得ず、したがって純粋数学の抽象性と形式性とを獲得できないからである。[3]

こうして、われわれは第一の問い――巨大数はなぜトリヴィアルな分野/存在と見なされてしまうのか?――に対する暫定的な答を得ることができる。巨大数のトリヴィアリティは、「数」と「意味」との関係における巨大数の〝中途半端〟さに、すなわち実用的な見地における「意味の過少」(=ノイズ性)と、純粋数学的な見地における「意味の過剰」(抽象性・形式性の欠如)とに根差している。

3-1 数と社会

だが、これで巨大数の含意が尽くされたわけでは全くない。以上は巨大数のネガティヴな側面の、それも単なる素描に過ぎない。巨大数の情報社会における積極的な意義を闡明するためにも、以下では一旦暫く「巨大数」から離れ、「数」一般が持つ社会的意義の変遷を社会哲学的、メディア論的なアングルから辿ることにしよう。

3-1-1 数の社会的性質

まず最初に確認しておきたいのは、「数」が最初からア・プリオリな〝存在〟であるわけではない、という点である。われわれは数に或る種のアプリオリテートを認めるのに何ら吝かではないが、ただしその承認は「数」が社会的構成物であることの認定が大前提である。逆説的な言い方になるが、その社会的に構成された「数」が、ア・プリオリ性を呈するのである。

われわれは「一つ、二つ、三つ…」という「順序数(オルトヌンクスツァール)」(Ordnungszahl)——所謂「基数(カルディナルツァール)」(Kardinalzahl)と区別された限りでの、モノを数える際に使用する数——をア・プリオリな自明の〝存在〟であり、またそれに連動する形で「数える」という行為をも人類が生得的に備える能力とみなしがちである。だが「数」は、「言語」と同様、原理的に「他の人間たちにとって存在するがゆえに初めて私自身にとっても存在する」[4](マルクス)広義の社会的〝制度〟の一斑である。つまり、「数」の〝存在〟は言語的交通=コミュニケーションがその「可能性の条件(ベディングンク・デア・メークリヒカイト)」(Bedingung der Möglichkeit)をなす。

もちろん「数」ではなく「数感覚」なら、人類といわず他の哺乳類や鳥類などにもア・プリオリな能力が認められる。実際、カラスが数の大小を判別しているらしいことが実験的にも確認されている。しかし、それは「数える」という行為とははっきりと区別されなければならない。「数感覚」とは、「単一性」（一つ）「双数性」（二つ）「数多性」（たくさん）といった直覚的な知覚であり、したがってそれらはわれわれに直接与えられる現相的（phänomenal）なゲシュタルト的所与である。その直接的所与である「数感覚」が社会的に構成された認識の網の目である「数体系」に組み込まれて、例えば「数多性」が「五つ」として分節化されるとき――この分節化が、取りも直さず「数える」という行為である――それは初めて「5」という「順序数」の認識となる。

「測る」という計測行為の場合には、「数える」場合以上に「数」の社会性が明瞭となる。「単位」という計測の社会的尺度の存在が、「測る」行為の前提だからである。「手の指」や「歩幅」「腕の長さ」がしばしば計測単位として使われることから、身体性と結びつけつつ「計測」における「数」の

3 カントールの「実無限」は、「巨大さ」とは無関係である。それは、カントールが「実無限」からはっきりと区別する「非本来的無限」（das Uneigentlich-unendliche）が持つ属性ではあり得ても、本来の無限である「実無限」の属性ではない。「実無限」とは「巨大」といった感性的属性を超越した形而上学的〝存在〟だからである。Cantor, G., Grundlagen einer allgemeinen Mannigfaltigkeitslehre, 1883. In *Gesammelte Abhandlungen mathematischen und Philosophischen Inhalts*, Springer, 1932. 岡本賢吾・戸田山和久・加地大介訳「一般多様体論の基礎」『哲学』5、特集「神の数学――カントールと現代の集合論」（一九八八年）に所収。

4 Marx, K. & Engels, F., *Die deutsche Ideologie*, 1845-6, {7c = 14}, *MEW*. Bd. 3, S30, 1869.

ア・プリオリ性を強弁しようとしても無駄である。そもそも何を以って計測の単位とするか、という決定自体が社会的な「約束」であって、社会的承認や合意なしには「単位」はそもそも有意味に語り得ないからである。ものの長さを紐をそこに宛てがって測る場合のように、任意の比較対象（今の場合は「紐」）さえあれば「単位」は不用なのではないか？ という反論があるかもしれない。だが、測定「量」が、その場限りのものではなく、社会的に共有されるためには、それは「数」値化されなければならない。特に測定する「量」が大きくなればなるほどその必要に迫られる。まさか測定の度毎に、長大な紐を回付したり、ちょうど同じ長さの紐を人数分糾（あざな）ったりするわけにもいくまい。ここでもまた測定行為がコミュニケーションであることが確認されると同時に、したがってそこにどうしても手頃な社会的「単位」が必要となることが分かる。

複数の「順序数」同士の記号的操作である「計算する」という行為の社会性については、計算の操作手順やその記号的表記が社会的に共有されなければならないことを考えれば、もはや贅言を要するまい。

こうして「数える」「測る」「計算する」という、「数」をめぐる基本的行為が有する社会性を、その行為によって構成される「数」もまた当然受け取ることになる。

3-1-2 国家的支配と数

「数える」「測る」「計算する」という社会的行為＝コミュニケーションのなかで構成されてきた「数」体系は、おそらく当初は比較的小規模なコミュニティ内で流通していたと推測される。コミュニティによっては他所（よそ）とは異なる「数」体系を編み出したかもしれない。だが、集権的国家が複数の環節的コミュニティを束ねながら出現したとき、「数」体系はトップダウンで統一されざるを得ない。徴税、土木・治水工事、暦法・度量衡の制定といった国家経営・国家事業に「数える」「測る」「計算する」という行為が組み込まれていくからである。

　実際、古代エジプト王国でも古代バビロニアでも中国古代王朝でも、今でいう「数」学は官僚や書記を養成する教育において行われ、その中核をなしていた。古代エジプトの重要な「数」学文献である『リンドパピルス』や『モスクワパピルス』、また0・ノイゲバウアーらによって解読された古代バビロニアの楔形文字史料、時代はやや降るが今に伝わる古代中国の代表的な数学文献である『周髀算經』（しゅうひさんけい）『九章算術』は例外なく、日常で出会う事例を題材にした練習問題とその解法、もしくは専門官僚（テクノクラート）による王への御進講という形式を採っている。このことからは、古代国家にとって「数」学が、土木工事や暦法はもちろんのこと、貨幣換算、田畑の規模、穀物の収穫量、金融における複利、遺産相続における均等配分、などにかかわる実用的かつ専門的な技術であり、支配者がそれを配下に体系的に習得させようとしたことが分かる。

　ここで気を付けなければならないのは、「数（字）」と「文字」との関係である。われわれは動（やや）もすれば「数」と「数字」とを同一視するが、両者ははっきりと区別しなければならない。「数える」「測る」「計算する」という行為は「数」に関わるが「数字」無しにも――例えば「指を折る」「腕を伸ばす」「紐を宛てがう」「棒に刻み目を付ける」「紐に結び目をつくる」「小石を並べる」ことで――行える。勘定や測定の結果の記録も「数字」無しに可能である。例えば、インカ帝国では、十六世紀のピサロによる征服まで、結び目のある縄を簾状(すだれ)に組み合わせた形状の「結縄(キープ)」(Khipus)と呼ばれる十進法位取りを採用した極めて精緻な「数」表記体系が用いられていた。[5] 重要なことは、インカ帝国が無文字社会であったという事実である。すなわち、〈声〉→〈文字〉という「言語」における〈メディア〉的進展と、〈「数」行為〉(数える、測る、計算する)→〈「数」表記〉という「数」における〈メディア〉的進展は独立した過程(プロセス)であり、そしてしかも恐らくは後者の方が時期的にも早く生じている。「数」表記が「数字」となったとき初めて、「数」は「文字」と交差し、同一〈メディア〉の地平内でその史的運動を始めることになる。

3-1-3 ギリシア数学の二重の両義性

ソクラテスやプラトンが生きた古代ギリシアのポリス国家において〈文字〉は、最新のメディア技術であった。言葉を換えれば、当時のギリシアは〈声〉メディアから〈文字〉メディアへの主導的メディアの転換期にあたっていた。この主導的メディアの過渡期に、〈声〉パラダイムの「記憶」というテクノロジーを土台に成立し、長くギリシア文化の根幹をなしてきた「神話(ミュトス)」(*Μύθος*)を駆逐しにかかったのが「哲学(ピロソピア)」(*Φιλοσοφία*)である。そして、この「哲学」においては、創設者であるプラトンによる〈文字〉蔑視の建て前(例えば『パイドロス』『第七書簡』)にもかかわらず、その場限りの儚く流動的な〈声〉ではなく、痕跡を留める〈文字〉が、永遠不滅の自己同一的存在である概念=〈イデア〉の固定的記述のためには不可欠である。[6] エジプトやメソポタミアからギリシアに伝わった「数」学は、この「哲学」に合流する。

もちろん、元来の実用的なテクノロジーとしての「数」学も、その儘の形でギリシアに伝わってはいる。だが哲学者たちは、そうしたテクノロジーとしての「数」学を「計算術（ロギスティケー）」（*Λογιστική*）と呼んで奴隷や商人が事とする俗事として軽蔑し、「本来学ぶべき事（マテーマティコス）」（*Μαθηματικός*）である「数」の本質の究明、すなわち「算術（アリトメーティケー）」（*Αριθμητική*）からは判然（はっきり）と区別している。このとき見落としてはならないのは、この「算術（アリトメーティケー）」が、時間的なプロセスである「代数」ではなく、空間的な規定性である「幾何」をモデルにして「数」を捉えている点である。つまり、そこでは「数」が有為転変して留まることなき存在としてではなく、永遠不動の静的な〈かたち〉、しかも経験的な世界には存在し得ない理念的なそれ（＝イデア！）として考えられているのである。プラトンが「数」学を哲学の予備門として位置付けていること、また彼が設立したアカデメイアの入り口に掲げられた「幾何学を知らざる者の立ち入りを禁ず（アゲオメトレートス・メーデイス・エイスィトー）」（ΑΓΕΩΜΕΤΡΗΤΟΣ ΜΗΔΕΙΣ ΕΙΣΙΤΩ）の銘がその事情を何よりも雄弁に物語っている。

ギリシア「数」学には、以上のような〈計算術（ロギスティケー）／算術（アリトメーティケー）〉という両義性の他に、「算術」内部で更なる両義性が認められる。それは、「算術」における神秘的要素と理論的要素との混在である。エウクレイデスの『原論（ストイケイア）』、奇跡的に重ね書き写本（パリンプセスト）から発見・復元されたアルキメデスの『方法』、そして

5　Urton, G., *Inka History in Knots : Reading Khipus as Primary Sources*, University of Texas Press, 2017.

6　Havelock, E. A., *Preface to Plato*, Belknap Press, 1963. 村岡晋一訳『プラトン序説』新書館、一九九七年。また、拙著『〈メディア〉の哲学——ルーマン社会システム論の射程と限界』（ＮＴＴ出版、二〇〇六年）の第一部も参照。

アポロニウスの『円錐曲線論』などヘレニズム期のギリシア算術（アリトメーティケー）には理論的要素が際立っているが、ピュタゴラスやプラトンの算術（アリトメーティケー）は多分に両義的である。すなわち、それは「数」の超越性と根源性とを唱えるが、その主張の道筋が理論的方途と神秘的方途との二途をとる。彼らは一方で「数」があらゆる地上的な存在の原型（アルケー）（ἀρχή）であることを、プラトンの場合は「イデア」（ἰδέα）説として、ピュタゴラス派の場合は「万物は数である」という原理として、それぞれの理論の基礎に据える。第三者的にみるとき彼らにとっての「数」とは、汎ゆる個別的存在を抽象・形式化した上で「実体」化し、それを今度は個物の存在原理へと理論の上で優劣順位を逆転させたものに他ならない。このとき「数」は超越的で根源的な、地上の個物とは異なる格別な〝存在〟と化す。

だが、他方で彼らは、「数」を〝神意〟の顕れとみなし、崇拝や嫌忌の対象となすことで超越化・根源化を図ってもいる。それは例えばプラトンの場合『国家』篇第八巻に現れる「プラトン数」[7]（60^4 = 12,960,000）、ピュタゴラス派の場合には「四数体（テトラクテュス）」（τετρακτύς, 1, 2, 3, 4）などの所謂「聖数」にはっきり窺える。彼らの「数」に対するこうした神秘的態度はピュタゴラス教団、プラトン哲学がともに、身を清め、禁欲的生活を送り、「魂」を浄化することで地上の俗事を去って神人合一の成就を目指す民間教団オルペウス教の深甚な影響下にあることに因っていると思われるが、重要なのは、ギリシア「数」学における算術（アリトメーティケー）のこの両義性が、そして〈計算術（ロギスティケー）／算術（アリトメーティケー）〉といういま一つの両義性が、それ以後の「数」学の展開を規定することになるという点である。

3-1-4 記号の覇権——十七—十八世紀

ギリシア「数」学の神秘的要素が、全面化したのは〈(手書き)文字〉メディアのパラダイムにおいてである。具体的には、「哲学」が「神学の婢(アンキッラ・フィロソフィアエ)」(ancilla philosophiae)の地位に格下げされた中世ヨーロッパにおいて「数秘術」や「ゲマトリア」(גמטריה)として「数」の神秘的要素は開花した。これらにあっては、「数」記号が、そこに神意が宿る隠喩的存在であるとみなされ、その解読・解釈が試みられる。つまり「数」が宗教的意味の担体とみなされているわけで、理論的要素はその陰に隠れる。言葉を換えれば、そこでは「数」は何かの「象徴(シンボル)」ではあっても〈自立＝自律〉した「記号(サイン)」ではない。これは西洋においては独立した「数字」が長く現れず、〈文字〉すなわちアルファベット(ヘブライ文字も含む)が「数」表記を代替し兼ねた、という歴史的事情に因るところが大きい。つまり、「数」と「文字」とが混淆することで、「数」の理論的要素が宗教的「意味」に謂わば〝汚染〟された恰好である。こうした「数」の理論的要素に対する神秘的要素優位の傾向は、〈活字〉メディアの普及を背景に徐々に市民権を得てきた、象徴的含意が希薄な「数」のインド・アラビア表記(＝数字)とそれを用いた筆算によって、それまで幅を利かせてきた〈文字〉による「数」表記と算盤(アバカス)(abacus)による計算が駆逐・一掃される十七世紀まで続いた。[8]

「数」学における神秘的要素と理論的要素との逆転劇は十七世紀に始まる。その逆転——「数」パ

7 プラトン『国家』VIII. 546A。

ラダイムの転換――は二つの契機、すなわち、（1）幾何→代数へ、（2）世界の数値化、から構成されている。

（1）の契機からみていこう。ギリシア「数」学においては、「数」は永遠不動の静的存在とみなされたがゆえに、〈かたち〉、それも理念的なそれ（＝イデア）として把握された。だからこそ「数」は「三角数」（1, 3, 6, 10…のように正三角形を構成可能な点の総数を示す数）や「四数体（テトラクテュス）」のような所謂「図形数」に顕著なごとく〈かたち〉と結びつけて論じられたし、「数」学は〈かたち〉という普遍的存在が秘めている内奥の探索、そこに隠されている真理洞察の営みとして組織された。またしたがってそこでは「自然数」とそれらの比である有理分数が「数」のすべてであった。[9]

ところが、〈活字〉の普及によって、われわれが現在使用しているインド・アラビア「数字」が「数」表記のユニヴァーサルな（すなわち、言語体系の別を問わない）デ・ファクト・スタンダードとなったことで、「数」は〈かたち〉から切り離され、独自の〈自立＝自律〉的〝存在〟領域＝〈記号〉領域、を獲得する。その地平において「数」学は、〈存在〉における探査・洞察ではもはやなく、〈記号〉の継時的操作による対象（＝新たな記号的構成物）産出の営みとして組織されることになる。そして、その新たに組織化された「数」学こそが「代数」に他ならない。それまでの「数」学＝「幾何」が空間的営みであったとすれば、その営みが「代数」において時間化された、そう言ってもよい。『自然哲学の数学的原理（プリンキピア）』[10]を古色蒼然たるギリシア「数」学風の幾何学的証明で埋め尽くしたニュートンによる反動的挙措にもかかわらず、ライプニッツが「普遍記号学（カラクタリスティカ・ウニヴェルサーリス）」（characteristica universalis）の企図によって目指した代数的（＝記号操作的）な方向が――弟子筋にあたるヤーコプ、ヨーハンのベルヌーイ兄弟の普及への尽力もあって——以後の「数」学の主流となる。

もう一つの契機、「世界の数値化」をみよう。新しい「数」学におけるこの契機を端的に示しているのは、ガリレオの『贋金鑑識官』と『天文対話』にみられる「自然という書物は数学という言語で書かれている」旨の信条表明であろう。[11] この「数学という言語（リングア・マテマティカ）」(lingua matematica) の実例としてガリレオが持ち出すのが「三角形、円といった幾何学的図形」であるにもかかわらず、この表明を「万物は数である」というピュタゴラス派における教養の復活であると考えてはならない。なぜならピュタゴラス派が考えている「数」が〈かたち〉という実体的で理念的な存在そのものであるのに対し、ガリレオが考えている「数」は自然という実体を記述するために作り出された人為的「言語」＝「記号」だからである。

ここには「数」理解における（α）「存在」把握の転轍、そして（β）存在論から認識論へのドラスティックな理論上の転換が介在している。（α）はデカルト哲学が拓いた「物心二元論」の世界観

8　もちろん、それ以降も宗主国イギリスの数学者G・H・ハーディが、植民地インドで見出した天才的数論学者S・ラマヌジャン（彼は、個々の自然数に〝個性〟を認めていた）、や「137」という数字に終生拘泥わった物理学者W・パウリなどが存在するが、それらの事例は飽くまでも例外的である。

9　したがって、一辺の長さ「1」の正方形の対角線の長さとして、有理分数化不可能な無理数「$\sqrt{2}$」が出てきたことはピュタゴラス派にとっては秘匿に値する驚天動地の事態であった。

10　Newton, I., *Philosophiae Naturalis Principia Mathematica*, 1687.

11　Galilei, Galileo, *Il Saggiatore*, 1623. 山田慶兒・谷泰『贋金鑑識官』中央公論新社、二〇〇九年。*Dialogo sopra i due massimi sistemi del mondo*, 1632. 青木靖三訳『天文対話』岩波文庫、一九五九年。

によって、(β)はカントのコペルニクス的転回によってそれぞれ理論的に定式化された。

　デカルトは「思惟スルモノ（レース・コギタンス）」(res cogitans)としての〈こころ（メンス）〉(mens)と「延長セルモノ（レース・エクステンサ）」(res extensa)としての〈もの（コルプス）〉(corpus)を二つの排他的な実体として立てた上で、前者を「人間（ホモ）」(homo)に、後者を「自然（ナートゥーラ）」(natura)に割り振ったが、これは〈こころ〉以外の世界の汎ゆる存在者を(身体も含めて)「自然」に繰り込み、「延長物」すなわち「数」値化の対象として措定したこと——機械論的自然観の成立——を意味する。ガリレオが「自然」に「数学という言語（リングア・マテマティカ）」を適用するためには、まず「自然」が「数」値化を受け容れる〈もの（コルプス）〉と化していなければならない道理である[12]。

　さらにカントは〈かたち〉の可能性の条件である「空間」を、〈記号〉による代数的計算の可能性の条件である「時間」ともども、人間による認識の枠組みとして超越論化する[13]。この措置によって「時空間」が認識の条件としてア・プリオリ化されると同時に、時空間内部の存在である「自然」は例外なく人間に固有の尺度である「数」値化の対象として立ち現れることになる。こうして、十七―十八世紀における「数」パラダイムの転換の本義は、それまで「数」に纏わり付いてきた(神由来の)象徴的意味を徹底的に払拭し、それを人間の認識の条件とみなすことで「形式化」したところに存する。

　したがって、この時期、デカルトとフェルマーによって切り拓かれた「座標幾何学」の一つの意義は間違いなく、それまで〈かたち〉に従属していた「数字」=〈記号〉の地位が、〈かたち〉の代数化=〈記号〉化によって逆転をみたこと、あるいは同じことだが、「時間」(=代数)による「空間」(=幾何)の包摂、にある。が、同時にそれは「数」が対象に備わった属性ではなく、人間が対象に読み込んだ尺度であることをも含意している。つまり、座標幾何学のいま一つの意義が、「数」のア・

プリオリテートを神の手から人間に奪還したこと、をも示している。事実これ以後、「数」学の源泉は人間理性の深奥に求められてゆく。

3－1－5　「数」の氾濫――十八―十九世紀（1）

カントによる「数」学の超越論的な基礎付けの試みは、「数」を認識行為における不可避の制約として人間理性の側に取り込むことでア・プリオリ化する主観的な側面と、その「数」という人間的尺度を、本来不可知の〈もの自体〉（Ding an sich）である「自然」に適用することで、認識の対象を発見的に拡張してゆく客観的な側面、の両面を兼ね備えている。十八―十九世紀の「数」学の特徴は、実用数学と純粋数学がともに飛躍的な発展を遂げた点に求められるが、これは決して、本来一つであるはずの「数」学が、二派に分化ないし分裂したこと、ましてやその両派の対立、を意味するわけではない。純粋数学はカント認識論の主観的な側面に、実用数学はその客観的な側面に、それぞれ対応しているのであって、両者は同じコインの表裏である。十八―十九世紀における両者の発展が必ずしも緊密な相互的交流に俟つものとはいえず、相対的に独立なそれぞれの事情や内的論理に従っているとしても、デカルトの「物心二元論」＝「機械論的自然観」の枠内にある限りは――カント認識論も

12　当時、一般に「自然」はアリストテレス哲学に依拠しつつ、「数」量化を許さぬ質的な有機体的＝生命的な存在とみなされていたことに注意。つまり、機械論的自然観においては、それまでの「自然」に対する神意の目的論（＝形相因）的な〈説明〉に代わって、「数」値を用いた因果論（＝起動因）的な〈記述〉が求められることになる。

13　Kant, I., *Kritik der reinen Vernunft*, 1781. I. Transzendentale Elementarlehre. Erster Teil : Die transzendentale Ästhetik.

またデカルトが打ち立てた「物心二元論」の存在論的パラダイム内にある点を忘れる勿れ！――両者の根は共通であることが留意されなければならない。

　以上の留保を付けた上で、まずこの時期の実用数学の発展の意義を考えよう。それをキャッチフレーズ風に一言で纏めれば、〝計算術(ロギスティケー)〟の復権ということになるが、この復権をこの時期が国民国家の完成期に当たっていることを度外視して論じることはできない。敢えて、本章のテーマである「巨大数」と関連付けて言うとすれば、この時期に実用数学が飛躍的な進展をみたのは、国民国家が扱う「数」が二つの意味で巨大化を遂げたことに因る。一つは、個々の「数」値の巨大化であり、いま一つは、「数」値群の増殖的膨大、大量生成という意味での巨大化である。

　航海技術が発達して地中海を舞台とした交易が盛んになり、それに伴い貨幣流通の範囲も拡大した十三世紀にイタリアで「百万(ミリオーネ)」(millione)が考案されるまでは、ヨーロッパでは「千(ミッレ)」(mille)が最高位の基本数詞であった。当時社会的に流通した「数」の一般的規模が窺い知れるが、国民国家の完成を契機に、国家による人口把握の必要性、国家間ならびに宗主国‐植民地間の交易における取引量と貨幣流通量は急激に増大し、扱う「数」値も巨大化した。十七世紀初頭にJ・ネイピアが「対数(ロガリスム)」(logarithm)を考案したのも、日常的に出現するようになった巨大な数の扱いを（積・商を加・減に還元することで）簡素化するためであった。

　個々の「数」の巨大さにも増して厄介なのは、「数」の嵩の大小にかかわらず、それらが引きも切らず次々と出現することである。例えば、商取り引きの度毎に資産総計は増減し、その度毎に新たな巨大「数」が生成する。出生・死亡・犯罪に関する様々な人口統計にも調査の度毎に新たな「数」値が現れる。また当時の、B・ラトゥール謂うところの社会における「計算の中心(センターズ・オブ・カルキュレイションズ)」(centers of calculations)をなしていた天文台[14]は、観測と計算によって「数」値を時々刻々生成するネットワークのノードをなしており、そこには数学者の他に、次々に測定され、また別の天文台から刻々と届けられる「数」値を機械的に処理する専従の職業的オペレーターである「計算者(コンピュータ)」(Computer)たちが組織されてもいた[15]。

こうした「数」値の氾濫に対処するためにも〝計算術(ロギスティケー)〟がこの時代に復権を遂げ、重用されたことは当然の成り行きであった。そればかりではない。膨大な計算量は、その自働化をも促した。計算機の開発である。すでに、十七世紀半ばにパスカルが加減算を実行できる「パスカリーヌ」(Pascaline)を、同世紀後半にはライプニッツが乗除算も可能な計算機を開発していたが、これらは手動式計算機であって、人力計算の補助装置の域を出ていない。十九世紀初頭、Ch・バベッジは大英帝国の国家プロジェクトとして、対数や三角関数も扱える大型計算機「階差機関(ディファレンス・エンジン)」(Difference Engine)の開発を請

---

14 Latour, B., *Science in Action : How to Follow Scientists and Engineers Through Society*, Harvard University Press, 1987. 川崎勝・高田紀代志訳『科学が作られているとき――人類学的考察』産業図書、一九九九年。当時、天文台は当代の第一級の数学者たちが集った国家的な数学研究センターであった。例えば、ガウス、L・A・J・ケトレー、ラプラースは孰れも台長に任じられている。「計算の中心」という〈インフラ言語〉については本書第二章を参照のこと。

15 Aubin, D., Observatory Mathematics in the Nineteenth Century, & Croarken, M., Human Computers in Eighteenth-and Nineteenth Century Britain, *Oxford Handbook for the History of Mathematics*, ed. Eleanor Robson & Jacquelin Stedall. Oxford University Press, 273-298, 375-403, 2009. 野村恒彦訳「19世紀の天文台数学」杉本舞訳「18世紀および19世紀の英国における計算者」『Oxford　数学史』(共立出版、二〇一四年)に所収。

け負い、蒸気動力による完全な計算の自働化を目指した。

「階差機関」が完全自動であること以上に注目に値するのは、その最終過程(プロセス)が計算結果である「数」値の単なる出力ではなく、その「印刷」である点である。十八世紀末には、最新の望遠鏡を装備した天文台による子午線観測の成果は、即刻印刷に回され、遠洋航海路の船員や理論家に『航海年鑑』(Nautical Almanac)付属の天文表として頒布されたし、種々の人口統計表が公衆衛生政策の策定のために作成・公表され、平均余命を記した生命表が保険会社を当て込んで編まれ販売された。膨大な「数」値の集積である「数表」はこの時代の社会の垂涎の的であり、本格化した「出版」がこの社会的要請に応えた。最終的には失敗した「階差機関」プロジェクトも、こうした「数表」への社会的需要がなければ、国家予算からの経費支出の承認は得られなかったはずである。当代の巨大「数」は、I・ハッキングがいみじくも「印刷された数字の洪水(アヴァランシュ・オブ・プリンティッド・ナンバーズ)」(the avalanche of printed numbers)と形容するとおり、「印刷」と不可分の関係にあった。[16]

3-1-6 「数」の拡張――十八―十九世紀(2)

十八―十九世紀は、国民国家の完成を背景に、国家による支配と管理の規模増大に伴う「数」値の爆発的増殖に対応するために実用数学＝〝計算術(ロギスティケー)〟が発展を遂げたが、その一方で、複素関数、解析、群論、無限集合、非ユークリッド幾何、といった「数」の本質を究明する〝算術(アリトメーティケー)〟の領域でも独自の進展がみられた。この領域においては、実用数学の場合とは異なり、「数」的〈記号〉に対応する実在は存在せず、純粋な思惟による「数」的対象の首尾一貫した構成のみが問題となる。そのため、われわれはこの領域の「数」学を、実用数学との区別において純粋数学と呼びたいのだが、それはまたギリシア数学に固有の「算術（アリトメーティケー）」との差を際立たせるための措置でもある。

現実世界における個物や経験的対象を問題とせず、理念的な対象をのみ事とする点で、慥かに当代の純粋数学はギリシアの「算術（アリトメーティケー）」と一脈相通ずる面を持つ。だが、両者には看過できない幾つかの相違がある。まず第一に、ギリシアの「算術（アリトメーティケー）」を社会制度的に可能にしたのは、実利・実用的労働を哲学者を含む市民一般に免除させた奴隷制度であったが、十八―十九世紀に純粋数学を社会制度上可能にしたのは、インターナショナルなアカデミーの存在と、それを財政的に支えた国民国家によるパトロネージである。十八世紀の不世出の数学者L・オイラー、革命期に活躍したJ－L・ラグランジュ、P－S・ラプラース、A－M・ルジャンドル、N・de・コンドルセらは孰れも、純粋数学の名だたる確立者たちであるが、彼らはそれぞれが属する国家で、議員や官吏、王族の顧問や家庭教師として生計を立てる一方で、国家的な利害や、個人的な実利を離れて学問的成果を公平に相互評価し合えるアカデミーに属することによって純粋数学の徒であり得た。国民国家の側でも、優秀であれば国籍を問わず純粋数学者のパトロンとなった。

次に内容的な相違を考えよう。「算術（アリトメーティケー）」は理論的要素と神秘的要素の両義性をその特徴としたが、純粋数学は神秘的要素を完全に払拭しており、「数」〈記号〉に隠喩的「意味」はもはや認められない。

16　Hacking, I., *The Taming of Chance*, Cambridge University Press, 1990. 石原英樹・重田園江訳『偶然を飼いならす――統計学と第二次科学革命』木鐸社、一九九九年。ただし、この時期の巨大「数」は、現在の「巨大数」とは「意味」の裏打ちの有無という点で異なるため、両者を同一視することはできない。詳しくは後論で述べる。

そこにあるのは一定の規約に則った〈記号〉の操作、演算の連鎖のみである。本章冒頭で指摘した純粋数学の「無意味」性とはこうした事態を指す。また、理論的要素にしても、純粋数学の対象は、「算術(アリトメーティケー)」が純粋な〈かたち〉に仮託しつつ想定したような別世界の〝イデア〟的実体ではない。それは寧ろ経験的世界の個物から幾段階にも亘って施された一般化の手続きによって得られた、高次の抽象的「形式」である。だからこそそれは、単なる夢想や砂上の楼閣ではなく、普遍妥当性を有する。

純粋数学と「算術(アリトメーティケー)」の間には、「数」の〝超越性〟に関して、もう一つの重要な、そして決定的な相違がある。「算術(アリトメーティケー)」における「数」の〝超越性〟とは、「数」が現実世界の存在に対して、〈流出(エマナチオ)(emanatio)－受肉(インカルナチオ)(incarnatio)〉もしくは〈臨在(パルーシア)(παρουσία)－分有(メテクシス)(μέθεξις)〉の関係において前者の地位を占めることに他ならない。例えば、イデア的「数」(「3」)と個物の〝数〟(三つのリンゴ)との間、あるいはイデア的な〈かたち〉(完全「円」)と現実世界の「かたち」(砂に描かれた〝円〟)との間には、前者が「原型(アーキタイプ)」で後者がその「模倣(ミメーシス)」(μίμησις)である、という関係が成立している。したがって、後者は前者の謂わば〝劣化形態〟ということになるが、第三者的にみるときには、むしろ前者のほうが後者の「理想化」「理念化」であって、その証拠に「数」の〝超越性〟とはいいながら、地上世界の存在者と全く無縁の奇妙奇天烈な〈存在〉を原型として立てることはできない。その意味で現実世界の個物が、実は「数」の〝超越性〟の制約となっており、現実世界から完全に遊離することを防ぐ〝碇(いかり)〟の役目を果たしている。

これに対し、純粋数学は全く経験的世界の軛から脱している(そして、だからこそ「純粋」なのである)。例えば、「数」体系は、「自然数(ナテューリッヒェ・ツァール)」(natürliche Zahl)から出発し、そこに負数が加わって「整数(ガンツェ・ツァール)」

(ganze Zahl) に、分数（＝比）が加わって「有理数(ラツィオナーレ・ツァール)」(rationale Zahl) に、更に無理数が加わって「実数(レアーレ・ツァール)」(reale Zahl) に、そして十九世紀には虚数(イマギネーレ・ツァール) (imaginäre Zahl) が加わった「複素数(コンプレクセ・ツァール)」(komplexe Zahl) にまで拡張されたが、十九世紀における数論の泰斗L・クロネッカーの嗟歎――「整数（実質的には、正整数としての「自然数」）は神が創り給うたが、それ以外は人間の拵え(こしら)ものである」(Die ganzen Zahlen hat der liebe Gott gemacht, alles andere ist Menschenwerk.) ――が示すとおり、「数」体系とは本質的に人為的構成物であり、「複素数」に至っては、現実には存在し得ない。それにもかかわらず、純粋数学的にはそれは普遍妥当性を有する歴とした対象的〝存在〟なのである。

もう一つ例を引こう。カントは「空間」をア・プリオリな直観形式という、人間による認識の不可避的制約とみなすことで、「幾何」の普遍妥当性を基礎付けたと信じた。だが、この措置は諸刃の剣である。なぜなら、その空間が、現実空間を理想化・理念化したユークリッド空間である間は、人間の産み出した空間形式と現実空間とは一致し、唯一の「幾何」であるユークリッド幾何学の普遍妥当性は保証されるが、その一致が破綻したとき、「空間」の唯一性も「幾何」の唯一性も水泡に帰すからである。そして実際、十九世紀にユークリッド幾何学における公理体系内の所謂「平行線公準」の否定を突破口に、ユークリッド空間とは本質的に異なる空間形式が構成可能であることをN・ロバチェフスキーとファルカシュ、ヤーノシュのボーヤイ父子が示し、更にB・リーマンは「距離(アプシュタント)」(Abstand) の再定義を梃子に、空間概念を極度に抽象化・形式化することで「リーマン多様体(マンニヒファルティヒカイト)」(Riemannsche Mannigfaltigkeit) という高次元空間を構成してみせた。その現実空間からの乖離は言わずもがな、である。現実の物理空間と数学的空間とが同一である必要はもはやなくなったのである。[17]

これらのことから、然るべきパラメータの設定によって性質の異なる空間形式が如何様にも構成可能であること、したがって現実空間はその唯一性と絶対性とを剥奪され、構成された種々の空間形式もろとも相対化されること、にもかかわらず「抽象」化され「形式」化された空間は、純粋数学の対象として首尾一貫している限りは普遍妥当性を持つこと、が見て取れる。

上に示した数論や幾何の分野のみならず、解析や代数、無限集合やトポロジーの分野でも同様の事態が生じている。こうした事実からは、ギリシア数学から純粋数学への変遷のなかで、「数」の〝超越性〟の内実がこの時期にドラスティックな変質を遂げたことがわかる。

3―1―7 純粋数学の統一と専門分化――十九―二十世紀

十九世紀の後半になると純粋数学は更なる高度の抽象化と形式化へと向かう。それは二つの傾向として現れた。一つは「数」学の純粋性を、規約の、経験的な要素からの独立性に求めて行く方向であり、H・ポアンカレの規約主義や、ヒルベルトの公理主義、降ってはN・ブルバキの〝構造主義〟数学の試み、がその代表例をなす。例えば「点・直線・平面」の代わりに「机・椅子・コップ」を使って同じ構造を有する幾何学を構成することも可能であって、この場合、幾何学の本質は、項にではなく関係にある。逆に言えば、関係のノードをなす個々の項に如何なる経験的具体物が充当されるかは重要ではない。重要なのは、基本関係を記述した〈規約＝公理〉群の首尾一貫性であり、その間に矛盾がないことである。

こうした〈規約＝公理〉主義的思考を体現するかたちで、R・デデキント、カントール、G・ペアノ、そしてG・フレーゲ、B・ラッセル＝A・N・ホワイトヘッドらは、先のクロネッカーが「神の創造物」とみなした「自然数」ですら、なんら〝自然〟な存在物ではなく、規約的な人為的構成物であることを公理主義的に示した。結局「数」とは、〝自然〟数も含めて経験の対象ではなく、人間が構成した純粋「形式」の一つの〝質料〟充当態、〝受肉〟態でしかないわけである。

抽象化と形式化のもう一つの傾向は、S・ボホナーの言い方を借りれば、それまで「数」一般（空間も含む）の代数化・記号化に留まっていた抽象化や形式化が、合理的思考一般の代数化・記号化へと拡張されたことである。[18] その試みは十九世紀半ばのG・ブールによる推論の代数化の企図に端を発し、世紀の変わり目には、フレーゲ、ラッセル＝ホワイトヘッドらによって記号論理学という新分野に結実する。この新分野は、現在の「巨大数」との関連からも極めて重要な意義を有するが、それについては次節で触れる。

こうした高度の抽象化と形式化は、結果として純粋数学に二つの効果をもたらした。まず、それぞれ独立に発展を遂げてきた純粋数学の様々な分野が、高度の抽象化と形式化を遂げるなかで、一つの

17　「複素数」については量子力学との関係、「リーマン多様体」については一般相対性理論との関係を持ち出しつつ、数学的空間と物理的空間との一致を言い立てる向きがあるかもしれない。だが、孰れの場合にも数学的構成が物理学的構成に先んじていること、また物理的世界と言っても量子力学は極端にミクロなオーダーの物理現象を、一般相対性理論は極端にマクロなオーダーの物理現象を扱っている点で、やはり日常的現実の物理世界とは一線を画している。また、この時期、純粋数学が他の自然科学（とりわけ物理学）を導く発見的原理として機能した点にも注意。

18　Bochner, S., *Role of Mathematics in the Rise of Science*, 1981. 村田全訳『科学史における数学』みすず書房、一九七〇年。

純粋数学へと収斂していった。例えば、「対称性」に注目する「群」論によって「数」の離散的側面と連続的側面とが統一され、「解析」と「代数」と「幾何」が結び付いた。純粋数学は、下位帰属する要素の特殊性を削ぎ落としながら抽象化を繰り返し、形式の純粋化を進めるのである。そればかりではない。「無限恐怖（オーロル・インフィニティ）」(horror infiniti)の伝統のなかで「数」学領域での扱いがそれまで頑（かたく）なに拒まれてきた「実無限（アクトゥエッレス・ウンエントリッヒェ）」(aktuelles Unendliche)が、〈抽象＝形式〉化の手続きによってカントールの手で純粋数学に取り込まれた。あらゆる分野は、それが「理知的構造物」である限り「形式」化され得、純粋数学の対象となるのである。

だが、純粋数学の統一は、「数」の〈抽象＝形式〉化がもたらした効果の半面——しかもポジティヴなそれ——でしかない。そこにはもう一つのネガティヴな半面が存在する。純粋数学の専門分化がそれである。「数」学の全領域を個人の手中に収め、自家薬籠中のものになし得た最後の数学者は、おそらくC・F・ガウスであろう。あるいはどんなに時代を降っても、二十世紀初頭のポアンカレとヒルベルト止まりであって、それ以降は、純粋数学の統一に伴う領域の膨大化に個人の才能や努力がもはや追従できなくなっている。当代にあって数学者であるとは、何らか特定分野の専門家であること以上を意味しない。

われわれは、数学研究からその学問的キャリアを開始した哲学者E・フッサールが『ヨーロッパ諸学の危機と超越論的現象学』において、ガリレオ以来、純粋数学が主導してきた自然科学が、自然の形式化と抽象化とを重ねることで、その表面的な栄耀栄華にもかかわらず、それが本来あるべき一つの世界観であることを止（や）め、その母胎である「生活世界（レーベンスヴェルト）」(Lebenswelt)からの乖離を起こしていることとを警告したのが、まさにこの時期であったことを想起する必要がある。[19] だが、純粋数学の〝生活世界〟からの乖離傾向は、フッサールが『危機』書を著した二十世紀初頭がそのピークであるわけではない。

3－2　巨大数の意義

3－2－1　「数」の〈自立＝自律〉と自己言及

現実世界からの「抽象」と自然の「形式」化の反復の涯てに純粋数学が辿り着いたのは、「数」学から〝質料（ヒュレー）〟（ὕλη）的契機を一掃し、〝形相（エイドス）〟（εἶδος）的契機すなわち「形式」のみから構成された首尾一貫し、且つ閉じた体系となすことで現実世界との繋がりを最終的に絶つことであった。こうした方針は、世紀の変わり目にヒルベルトによって提示され、その方針の下で純粋数学の閉じた体系が「無矛盾性（コンシステンツ）」（Konsistenz）と「完全性（フォルシュテンディヒカイト）」（Vollständigkeit）とを備えていることの立証が目指された。[20]

見逃されてはならないのは、この試みが「数」学による「数」学そのものの主題化・対象化であって、「数」学の自己自身の自己自身による基礎付け（フンディールンク）（Fundierung）——すなわち「数学基礎論（フンディールンク・デア・マテマティーク）」

19　Husserl, E., *Die Krisis der europäischen Wissenschaften und die transzendentale Phänomenologie: Eine Einleitung in die phänomenologische Philosophie*, Sonderabdruck aus *Philosophia* Band I, 1936. 細谷恒夫・木田元訳『ヨーロッパ諸学の危機と超越論的現象学』（中央公論新社）。

(Fundierung der Mathematik) ないし「メタ数学」(Meta-Mathematik) ——、したがって「自己言及的(ゼルプストレフェレンツィエル)」(selbstreferenziell) な関係の創出による「数」学の〈自立＝自律〉化であることである。

このプログラムそのものは、ゲーデルが一九三〇年に「不完全性定理」によって、体系の「無矛盾性」と「完全性」とが必ずしも両立するわけではないことを示したことで、頓挫した。にもかかわらず、純粋数学において経験的なものに制約されない「数」学的「形式」の自己言及的な閉鎖性と完全性という理念はその後も生き残り、依然「数」学の主導的原理として機能し続けているように見える。

ここで読者には、われわれが冒頭で共有した二つの問い——すなわち「巨大数はなぜトリヴィアルな分野／存在と見なされてしまうのか？」（第一の問い）と「にもかかわらず、情報社会においてなぜ巨大数は人々の関心を喚起するのか？」（第二の問い）——を想起してほしい。長大な迂路を介した後に、われわれは漸く第一の問いに回答を出すことができる。巨大数が、純粋数学によってトリヴィアルな分野／存在とみなされてしまうのは、巨大数が純粋数学の自己言及的円環の一環を占めることによって「数」の超越性を証示するのではなく、自然数という現実世界に埋め込まれた経験的存在に拘泥わって、その地平において「巨大さ」という疑似超越性を追求するからに他ならない。

別の角度から言い直せば、「数」における「意味(ジン)」(Sinn) とは、それに対する現実世界の対応物が原理的に存在し得ない以上、体系の自己言及的＝〈自立＝自律〉的な円環の一項を占めることにしか求め得ない。にもかかわらず、巨大数はその「意味」を自己言及性＝〈自立＝自律〉性にではなく、「数」の〝他者〟である現実世界との関連性に求めようとしているのである。

さて、では、右のような事情であるのに、なぜ巨大数は現在の情報社会において、これほどまでに人々の興味・関心を掻き立てるのだろうか？　この第二の問いへの回答抜きには、巨大数の本質解明を成し遂げたとはいえない。小節を改めて、その問いに取り組もう。

3-2-2　「数」生成の自働化――「算術」の意味変容

　実は、純粋数学における自己言及的な円環形成の企図の背後で、それと並行して、もう一つの〈自立=自律〉化のプロセスが進行してきた。それが「数」生成の自働化である。それは、まず十九世紀後半に「算術化（アリトメティズィールンク）」（Arithmetisierung）の運動として起こった。すなわち解析や幾何、実数論などにおいて連続量を扱う場合、離散的な手続きを、対象に対して反復的に適用することでアプローチする手法の流行である。例えば、解析の場合、直線や曲線上の点という幾何学的直観の助けを借りることなく、算術的操作の反復によって「無限大」「無限小」「無限分割」を扱えるようになる。また、幾何の場合には、空間に「算術化」を適用することで、直観不可能な「n次元空間」が創設可能となり、「空間」概念が劇的に抽象化・一般化される。

　われわれがここで気付かなければならないのは、この解析や幾何、実数論の「算術化」においては、

20　ヒルベルトのこうした「形式主義（ロギツィスムス）」（Logizismus）の観点からするとき、「数」をナイーブにも超越的存在とみなし、それを実在のモデルとして立てる現在流行（いまはやり）の「思弁的実在論=新唯物論」と称する〝哲学〟――アナクロニックな新・新実在論――など噴飯の極みであろう。ただし、「形式主義（ロギツィスムス）」のプログラムに対しては、クロネッカー、ポアンカレ、J・ブラウアー、H・ワイルなどが「直観主義（イントゥイツィオニスムス）」（Intuitionismus）を標榜して、〝質料〟的契機の重要性を訴えていることも申し添えておく。

ギリシア以来の「算術（アリトメーティケー）」の概念が無視できぬ変容を被っていることである。プラトンは「数」の本質究明たる「算術（アリトメーティケー）」に、「数」についての機械的技術に過ぎない「計算術（ロギスティケー）」を持ち込むことを強く戒めている。「算術（アリトメーティケー）」にとって「数」は純粋知性だけが対峙できる対象だからである。[21] ところが、十九世紀の「算術化」運動における「算術（アリトメーティク）」（Arithmetik）とは、まさしくプラトンが「算術（アリトメーティケー）」から排除しようとした、機械的演算の反復的遂行という「数」学の技術化なのである。ここで生じているのは、「算術（アリトメーティケー）」の「計算術（ロギスティケー）」化の事態に他ならない。

二十世紀に入ると、この「算術」の「計算術」化は、三つの出来事によって更に拡大し加速する。まず、3-1-6ですでに言及した「記号論理学」という新ディシプリンの出現である。この新ディシプリンによって、「数」のみならず、論理的思考一般が算術化＝計算術化された。次に、A・チューリングによる「計算（コンピュテーション）」（computation）概念の再定義である。チューリングは「計算」を、一定のアルゴリズムに基づいてプロセスを続行する〝機械〟（チューリング・マシン）の振る舞いと同一視する。[22] ここにおいて、「算術」は「計算術」化したばかりか、その担い手が人間から機械に移されたことで非人称化とともに自働化されるに至る。最後は二十世紀半ば以降の〈情報的世界観〉の成立を背景とした、デジタル革命の始動である。デジタル革命は、機械語である「0/1」の二進法を〝計算術（ロギスティケー）〟における「数」表記の既定値（デ・ファクト・スタンダード）となすことで、「算術」の非人称化＝機械化＝自働化を完成させた。ここにおいて、ギリシア以来の算術（アリトメーティケー）／計算術（ロギスティケー）の地位もまた完全に逆転する。

右の言辞は、決して鬼面人を嚇すレトリックを弄しているわけでも、奇を衒っているわけでもない。二十一世紀に入ってその全貌を現しつつある情報社会とは本質的に、"計算術(ロギスティケー)"が社会の中枢で作動するパラダイムなのである。詳細をみよう。

3-2-3 情報社会と巨大数

情報社会の社会基盤＝下部構造を構成しているのは、ＡＩとインターネットであるが、その先魁をなしたのは、一九四〇年代後半の電子計算機(コンピュータ)の登場であった。コンピュータは、チューリングが青写真を描いた「計算」の機械化＝自働化を現実のものとし、七〇年代には「四色問題」の解決において無視できぬ役割を演じるまでになっていた。３-０-２で言及した七〇年代半ばの「巨大数」の扱いにおけるゲシュタルト・チェンジもまた、こうした社会的・歴史的文脈の中で捉える必要がある。「矢印」記法を案出したクヌースが、計算機科学の分野において並外れた知識と伎倆を有する伝説的なプログラマとして知られていること、また「チェーン」記法の考案者であるコンウェイがコンピュータ・ゲームの制作者でもまたあるという事実は、単なる偶然ではない。

一九九〇年代後半以降、「ＩＴ革命」の旗印の下にインターネットが社会基盤化し、そのノードの

21　プラトン『国家』、524D-526C。
22　Turing, A., On Computable Numbers, with an application to the Entscheidungsproblem, *Proceedings of London Mathematical Society*. (2) 42, 230-265, 1936. 佐野勝彦・杉本舞訳「計算可能な数について、その決定問題への応用」『チューリング（コンピュータ理論の起源第１巻）』近代科学社、二〇一四年。

主流が据え置きのパソコンからモバイル端末に移行すると、ネット上には時々刻々生成されるテクストデータや身体データ、位置データ、画像・動画データ、等々が「ビッグデータ」として流通し始めた。ここで重要なことは、ビッグデータを構成する個々のデータが、「0」と「1」の有限ではあるが長大な列、すなわち「巨大数」に他ならない点である。したがって、ビッグデータとは「巨大数」の無尽蔵・無際限の生成と再生産、そして社会内部での間断なき流通である。しかも、この巨大数の奔流としてのビッグデータは、本質的に「無意味」である。それ自体として「役に立たない」という意味で「無意味」なだけではない。それが脈絡を欠いた断片であることにおいて、純粋数学的な意味――すなわち、首尾一貫した体系性という意味――においてもビッグデータとしての巨大数は「無意味」である。この徹底的な「無意味」性をわれわれは、ビッグデータ＝巨大数の「ノイズ」性と呼びたい。[23] 情報社会の根底的土台をなしているのは、したがって逆説的にも「情報」ではなく、「ノイズ」なのである。

　情報社会においては、世界のあらゆる存在者が、この無意味な「巨大数」（「0」と「1」の長大な並び）へと還元される。そして、このノイズの塊から何らかの「意味」を〈情報＝パターン〉として抽出するのは人間ではない、人工知能（エーアイ）である。それればかりではない。人工知能は、それ自体はノイズに過ぎない「巨大数」を資源（リソース）として、そこから新たな〝存在者〟を創造することさえできる。例えば、暗号通貨においては、楕円曲線と素数を利用して時々刻々巨大数を生成することで、AIは貨幣が使用されるその都度、〈ノード＝ヴァーチャルな〝貨幣使用者〟〉を次々と新たに産み出す。また、「拡張現実（オーグメンテッド・リアリティ）」（Augmented Reality, AR）や「複合現実（ミックスト・リアリティ）」（Mixed Reality, MR）においては、サンプリングによってＡＩは知覚可能な物や者からなる新たな〝現実（リアリティ）〟をすら構成可能である。そして、それらの〝実体〟もまた総て「巨大数」である。

してみれば、情報社会を存立・維持させているのは、ビッグデータという「巨大数」の自働化・非人称化された〝計算術（ロギスティケー）〟であり、したがって情報社会とは、「巨大数」の生成→再生産→流通のシステムに他ならない。別の角度から言い直せば、情報社会とは不確定的な〈ノイズ〉空間としての情報空間に於いて存立しており、その〈ノイズ〉＝巨大数の〝大海〟から選択的演算によって初めて〈意味〉という〝小島〟が構成される。そして、それがわれわれにとっての現実（リアリティ）として現成する。現在のわれわれが「巨大数」に関心を抱かざるを得ないのも、それがわれわれの現実（リアリティ）の存在根拠（ラティオ・エッセンディ）（ratio essendi）をなしているからなのである。

3-3　〈メディア〉としての「数」

以上で冒頭において設定した二つの問いへの回答をわれわれは果たしたことになるが、まだ猶、タイトルに掲げた問い——情報社会にとって「数」とは何か？——が店晒し（たなざらし）の儘（まま）である。最後に、「巨大数」も含めた「数」一般が情報社会において持つ意義を考えよう。

23　著者は嘗て、ビッグデータのこの徹底的な「ノイズ」性、「役に立たなさ」を〝ゴミ〟と形容したことがある。拙著『情報社会の〈哲学〉——グーグル・ビッグデータ・人工知能』（勁草書房、二〇一六年）を参照されたい。

情報社会において「数」は、最早嘗(かつ)てのような超越的存在（例えば、「イデア」の如き）ではあり得ない。ここまでの議論から判明したように、それは本質的には〈ノイズ〉である。ただし無－意味なだけの単なる「ノイズ」ではない。それは、そこから〈意味〉が——例えばＡＩによって——構成されるような、資源(リソース)ないしは生成源としての〝ホワイトノイズ〟であり、その限りにおいてそれは、無－意味というよりは前－意味的〈素材〉すなわち〈メディア〉である。〈意味〉の「可能性の条件(ベディングンク・デア・メークリヒカイト)」(Bedingung der Möglichkeit) をなすような、こうした〈メディア〉としての〈ノイズ〉をわれわれは〈根源的ノイズ(ウアシュプリュングリッヒェス・ラオシェン)〉(ursprüngliches Rauschen) ＝〈超越論的ノイズ(トランスツェンデンターレス・ラオシェン)〉(transzendentales Rauschen) として、〈意味〉の攪乱源である単なる「ノイズ」から明確に区別したいのだが、情報社会にとって「数」とは、この〈メディア〉としての〈根源的＝超越論的ノイズ〉に他ならない。

　このように考えるとき、すでに「巨大数」の特性として指摘した「疑似超越性」は、以下の二つの事態を含意していることが分かる。第一は、「巨大数」の「疑似超越性」は、それが「疑似」的存在であることにおいて、情報社会における「真性」の超越的存在の不在を背後から照らし出している。情報社会の二次元的(フラット)な構造は、〈神〉や「道徳的価値」を含めてあらゆる超越的存在を相対化せずにはおかない。嘗て「イデア」と同一視された「数」も、その例外ではない。第二に、それにもかかわらず「巨大数」の「疑似超越性」は依然、何らかの「超越性」ではあるわけで、ただし、その「超越性」は、プラトンの時代のような〝上へ〟の超越性ではなく、謂わば〝下へ〟の超越性である。情報社会においては、純粋数学において目指されてきた、首尾一貫した純然たる「形式」——それは同時に「形相(エイドス)」(εἶδος) ＝「現実態(エネルゲイア)」(ἐνέργεια) でもある——とともに、「巨大数」によって象徴される無定型(アモルフ)で不確定的な「実質」――すなわち「質料(ヒュレー)」(ὕλη)=「潜在態(デュナミス)」(δύναμις)――が社会存立のためには不可欠である。つまり情報社会においては「数」の〃イデア〃性(=「形式」性・「抽象」性・「体系的閉鎖」性)と並んで、「数」の〃物質〃性(=「資源」性・「素材」性・「メディア」性)が重要度とプレゼンスを増して来ざるを得ない。「巨大数」は以上の意味において、情報社会の「質料(ヒュレー)」的要因――あるいは同じことだが、情報社会を構成している「数」の〃物質〃性――の象徴であり、その体現者なのである。[24]

24　この点に、現在の「思弁的実在論」流行の一つの事由を求めることは可能であろう。

第四章　量子力学・情報科学・社会システム論

——量子情報科学の思想的地平

4−0 はじめに――量子コンピュータ〝ブーム〟と情報社会の現段階

4−0−1 「量子超越性」を巡る騒動

またしてもグーグルである。二〇一九年十月二十三日に発表された、同社開発になる量子プロセッサSycamore(シカモア)を搭載した量子コンピュータが、古典コンピュータなら一万年掛かるタスクを二〇〇秒で成し遂げ、念願の「量子超越性」(quantum supremacy)を初めて示した、とされる事件である。[1] グーグルのこうした発表に対し、同社と競合するかたちで汎用量子コンピュータを開発中のＩＢＭから早速、「古典コンピュータなら一万年掛かる」という見積もりは、古典コンピュータの実力を見縊(みくび)り過ぎであって、当該タスクは精々二日余りもあれば古典コンピュータでも達成可能、という異論が提出されている。

もちろんグーグルの発表内容は専門家たちによる充分な検証をパスしている。にもかかわらずＩＢＭによる先の異論は、量子超越に一番乗りしたグーグルに対する同社のやっかみ許(ばか)りとも言い切れない事情がある。というのも、「量子超越性(クォンタム・スプレマシー)」は、古典コンピュータに対する量子コンピュータの(単なる比較優位に止(とど)まらぬ)圧倒的優越性を示さなければならないという開発者の当為ないし目標として機能しており(でなければ、膨大な資金を量子コンピュータ開発に投入する意味がない)、当該概念をグーグルのように安易に喋々することは量子超越のハードルを下げることになりかねないからである。

実際グーグルには、ディープラーニングの分野において大量のネコの画像から、ＡＩが教師無しで「ネコ」の一般概念を形成した、とする過大評価が過ぎる発表を行ったり、発明家で未来学者のＲ・カーツワイルを鳴り物入りで同社に迎え、彼が吹く「シンギュラリティ」の三百代言を結果として世界中に撒き散らした〝前科〟もある。

果たして「量子超越性」達成の報とともに「量子コンピュータ」もまた、巷間の話題を攫い「シンギュラリティ」のときと同様、その語は時代のバズワードと化しつつある。こうした遣り口は、グーグルの伝家の宝刀であって、成果の発表は同時に巧妙なセールストークでもあることに注意しなくてはならない。一九六〇年代から地道に量子計算の問題に取り組んできたＩＢＭに好意的に解釈すれば、同社のグーグルに対する異論は、グーグルの発表が「量子コンピュータ」に対する世間の理解をミスリードし、結果として量子コンピュータが一時的な流行現象に終わることを危惧してのグーグルに対する掣肘とみなせなくもない。そして、ＩＢＭの危惧が単なる杞憂でないことは、グーグルの発表を受けて仮想通貨の中枢をなす暗号技術が量子コンピュータによって破られるとの憶測が広がり、ビットコインを始めとする仮想通貨の価格が軒並み急落したことや、疑似量子コンピュータ――と言って差し障りがあれば、本命である汎用量子コンピュータへの過渡形態――である量子アニーリングマシンが既に稼働し、市場に投入されている事実を盾に取った、明日からでもビジネスに量子コンピュー

1　Arute, A., Arya, K., Martinis, J. M., et al., "Quantum supremacy using a programmable superconducting processor", *Nature*, 23 October, 2019.

タの導入を検討しないと時代に遅れをとるかの如き〈強迫＝脅迫〉的言説の横行、が示していよう。

専門家や事情通なら先刻承知のように、「量子コンピュータ」はその設計思想がその実装に大幅に先行する〝画に描いた餅〟を地で行くテクノロジーである。実際の開発は「揺籃期以前」というのが実情である。右の事例は、巷間の「量子コンピュータ」のイメージと開発の実際とが如何に乖離しているかを端的に示している。「量子超越性」とは、現状〝画餅〟に過ぎない量子コンピュータを正真正銘の〝餅〟であると認めさせるための指標であって、だからこそ早急にビジネスに展開したいグーグルはその達成を声高に吹聴し、他方、これから長く続くであろう開発の〝茨の道〟を覚悟するＩＢＭは、その単なる初手を「量子超越性」達成と〝盛る〟グーグルの所作を苦々しく受け止めたわけである。

4－0－2　量子情報科学へのスタンス

前小節で主題化したここ最近の騒動から離れて一般的に言っても、われわれは「量子コンピュータ」を含む量子情報科学が現在の情報社会のパラダイムを大きく揺るがすとは考えない。今世紀中に汎用量子コンピュータが実用化したとしても、運転自動化に伴う渋滞制御や気象予報の今以上の精確化と詳細化といった、機械学習によるビッグデータ処理、創薬や新素材開発のための分子設計など、計算に指数時間や階乗時間を要する特殊なケースに、経済効率から考えても、用途は限られる筈で、パソコンを含めた現行の古典コンピュータが量子コンピュータにリプレースされるといった事態は到底考えられない。量子コンピュータの完成で現在主流のＲＳＡ暗号や暗号通貨が採用している楕円曲線暗号は破られるだろうが、それに代わる新たな「耐量子暗号」が開発されるだけの話で暗号利用の枠組み（コンテクスト）そのものは何も変わらない。また「量子テレポーテーション」技術の応用によって堅牢性と秘匿性の高い、新たな通信ネットワークインフラが往く往くは構築されるだろうが、これもまた著者が名付けるところの〈ネットーワーク〉という情報社会の枠組みがそれによって些かも脅かされるわけではない。[2]

右の如き言い草は、宛（あたか）も量子情報科学の価値と意義をわれわれが貶めているように聞こえるかもしれない。だが、それは誤解というものである。長期的な観点からは、われわれは〈（量子コンピュータに象徴される）量子計算－量子暗号－量子通信〉の〝三位一体〟が構成する量子情報科学を、次世代の情報社会の要（かなめ）をなす技術と考える。情報社会の本体は社会学者N・ルーマンが〈コミュニケーション〉と呼ぶ非人称的な〈演算＝作用（オペラツィオーン）〉（Operation）の連鎖的な接続であり、これは情報社会が別のパラダイムに取って代わられない限りは不変である。量子情報科学は間違いなく、〈コミュニケーション〉＝〈演算＝作用（オペラツィオーン）〉を担う筈のテクノロジーである。誤解されてはならないことは、量子情報科学が、巷間言われるような現在の情報社会の様相を一変させるが如き、パラダイム変革的なテクノロジーなどではなく、寧ろそれを完成させるテクノロジーである、という点なのである。

2　ただし、量子コンピュータの計算能力が古典コンピュータのそれを大きく上回り且つ、量子コンピュータが天文学的に高価であり続けるか、もしくは、政治制度によって、その所有が（例えば国家機関や大企業、富豪などに）制限された場合、計算能力の差によるヒエラルキー（新手のデジタルデヴァイド）が形成されることで往時のヒエラルキカルな〈放－送（ブロード・カースト）〉（Broad-Cast）体制が復活する可能性が全くないとは言えない。

本章の狙いは、量子情報科学が現行の情報社会を完成させる思想的次元を占めるディシプリンであることを、主として思想史的なパースペクティヴから権利付けることにある。したがって、特に必要が生じない限り、量子情報科学の個々の論点や技術への関説は、紙幅の都合もあって予め断念する。焦点は飽くまでも、量子情報科学の総体が立脚する思想的地平の評価にあるからである。

以下で展開する本論の見通しを示しておく。次節（4－1〔－x〕）では一九四〇年代に成立をみた情報科学という新興ディシプリンによって拓かれた〈情報的世界観〉の概要を説述する。続く節（4－2〔－x〕）で、前世紀の幕開けに誕生した量子力学成立の経緯にまで遡り、量子力学が実は〈情報的世界観〉を潜在的に準備していた事情を確認する。そして第三節（4－3〔－x〕）において、量子力学と情報科学が合して成立した量子情報科学が拓いた思想的地平を見定めた上で、最終節（4－4〔－x〕）で、情報社会の包括的理論である社会システム論もまたその思想的地平に場所を得ることを示す。

4－1 〈情報的世界観〉の黎明

4－1－1 情報科学の誕生とサイバネティックス

十九世紀中盤に誕生した電信技術は、それまで物理的な「モノ」と混同されていた「情報」を、「モノ」から明確に切り離し、それとは異なる水準の〝存在〟であることを人々にはっきりと認識させた。二十世紀に入ると二度の世界大戦が、高度な暗号技術や索敵情報網としてのレーダー技術、そして高速な弾道計算装置としてのコンピュータの開発を時代の要請としたことで、「情報」を対象としたディシプリンである「情報科学」(Information Science)が、第二次世界大戦中の一九四〇年代にアメリカで組織された。そのセンターとなったのが、メイシー財団の後援になる所謂「サイバネティックス会議」である。

サイバネティックスというと、一般には数学者・工学者であるN・ウィーナーの名と結びつけられて云為されるのが恒となっているが、会議には、ウィーナーの他に、彼の好敵手(ライバル)である数学者・物理学者のJ・フォン・ノイマン、神経生理学者のW・マカロック、数学者・論理学者のW・ピッツ、当時は人類学者で後に生態学者となるG・ベイトソン、F・ボアズ傘下の「文化とパーソナリティ」学派の広告塔的存在である人類学者のM・ミード、そして第六回会議から書記に就任し、会議解散後はイリノイ大学アーバナ・シャンペーン校内に「生物計算機研究所」(Biological Computer Laboratory, BCL)を立ち上げ「セカンド・オーダー・サイバネティックス」(Second Order Cybernetics)を旗揚げすることになるオーストリア、ウィーンからの移民物理学者H・フォン・フェルスターが、コアメンバーとして参画しており(ただし、ウィーナーとノイマンは第七回会議をもって退会)、かならずしもウィーナーの専売特許ではない。

「情報科学」の組織化という観点から見る場合、サイバネティックス会議の参加者では寧ろウィーナー以上に、彼が『サイバネティックス』[3](一九四八年)を著した同年に『通信の数学的理論』[4]を公刊し、第七回と第八回会議にゲストとして招請された数学者・工学者のC・シャノン、そしてフォン・

ノイマンの貢献が重要である。[5] ただし、ノイマンの貢献は戦後のフォン・ノイマン型コンピュータの設計によって、というよりは、戦前の『量子力学の数学的基礎』[6]（一九三二年）が果たした役割が大きい。また会議の参加者以外では、「計算」の概念を数学的に構成してみせたA・チューリングの貢献が無視できない。[7] 逆にウィーナーは、晩年においては情報科学の戦列の最前線から離れ、サイバネティックスの人道主義的通俗化に力を注ぐことになる。[8]

4-1-2 モノ・意味・情報

さて、では「情報科学」は思想史的なアングルから見て何を為し遂げたのか？ この点を評価するためには、二十世紀初頭にE・フッサールによって定礎された「現象学」（Phänomenologie）を参照項として利用するのが好便である。情報科学と現象学とは、第三者的に見るとき、自然諸科学が当時陥っていた或る種の隘路（あいろ）において、工学分野と人文学分野からの、アプローチこそ違え、問題意識を共有したそれぞれの側における反応、とみなすことが出来るからである。

現象学が成し遂げたこと、それは一言で言って、「モノ」に対する「意味」のプリオリテートの宣揚と、「意味」による世界構成メカニズムの解明、である。現象学にとって世界とは、一般にそう考えられているような「モノ」の集積ではなく、〈形相〉的「意味（ジン）」（Sinn）――現象学のターミノロギーでは、〈かたち（モルフェー）〉（μορφή）ないし「ノエマの核」（der noematische Kern）――の下に〈質料〉的「素材（シュトッフ）」（Stoff）――具体的には、センスデータや知覚ゲシュタルトなどの「射映（アップシャットゥンク）」（Abschattung）と呼ばれる〝見え姿〟――が、取り纏められることで初めて立ち現れる地平（ホリツォント）（Horizont）である。厳密には、「素材」を「意味」の下で対象にまで構成する能作を超越論的(トランスツェンデンタール)な主観が「志向性(インテンツィオナリテート)」(Intentionarität)の中で「統握(アウフファッスンク)」(Auffassung)によって担うのだが、目下の文脈にとってこの論点は夾雑物なので立ち入らない。[9] 要は、イデア的な「意味」に「素材」が謂わば〝充塡〟されることで、

3 Wiener, N., *Cybernetics : or Control and Communication in the Animal and the Machine*, Hermann & Cie, MIT Press, 1948. 邦訳『サイバネティックス――動物と機械における制御と通信』池原止戈夫・彌永昌吉・室賀三郎・戸田巖訳（岩波書店、一九六二年）。

4 Shannon, C., "A Mathematical Theory of Communication", *Bell System Technical Journal*, vol. 27, 1948. pp. 379-423 and 623-656.

5 サイバネティックス史の観点からも、ウィーナーとメイシー会議を偏重する従来の観方には異議を唱えたい。サイバネティックスの情報社会成立に対する貢献を正当に評価するためには、「ウィーナーのサイバネティックス」を越えて、「セカンド・オーダー・サイバネティックス」や「オートポイエーシス」、更にルーマンの「社会システム論」までを射程に収めた「思想運動としてのサイバネティックス」を主題化する必要があると著者は考える。この主題系には本章では立ち入らないが、関心のある向きは『思想』（岩波書店）に七回に亘って分載した拙稿「情報社会の生成と構造――サイバネティックス運動の理路」を参看されたい。

6 Neumann, J., von, *Mathematische Grundlagen der Quantenmechanik*, 1932. 邦訳『量子力学の数学的基礎』広重徹・井上健・恒藤敏彦訳（みすず書房、一九五七年）

7 Turing, A., On Computable Numbers, with an application to the Entscheidungsproblem, *Proceedings of London Mathematical Society* (2) 42, 1937. pp 230-265. 邦訳「計算可能な数について、その決定問題への応用」『チューリング（コンピュータ理論の起源1）』伊藤和行・佐野勝彦・杉本舞訳（現代科学社）。

8 例えば、*The Human Use of Human Beings*, The Riverside Press (Houghton Mifflin Co.), 1950. 邦訳『人間機械論――サイバネティックスと社会』池原止戈夫訳（みすず書房、一九五四年）。

9 現象学の語用(ターミノロギー)については、本書終章（6－5－2）を参照。

この世界は成り立っている、そう考えるのである。

現象学に窺えるのは、まず（1）「モノ」を〈質料〉（ὕλη）的契機と〈形相〉（εἶδος）的契機とに分解し、その上で（2）〈形相〉的契機である「意味」に、「目的」論的な観点から、〈質料〉的契機はもちろんのこと、「モノ」に対しても、その優位を認定し、世界における主宰的地位を与える、という発想である。ここには、世界を構成するのは「モノ」ではなく「意味」である、という基本了解が認められる。

では、情報科学はどうか？　情報科学の場合も、（1）の「モノ」を〈質料〉的契機と〈形相〉的契機とに分解する所までは現象学と同じである。だが、そこから先が異なる。現象学は、〈形相〉的「意味」を自己同一的でア・プリオリな存在と看做す。このときフッサールは数学的対象をモデルとして〈形相〉的「意味」を解しており、そうであるが故に、それは永遠不滅のプラトン的「イデア」（ἰδέα）に擬せられることにもなる。これに対して、情報科学は、〈形相〉的「意味」の所与性を否定し、それが「情報」の多様性からの選択の結果であることを説く。すなわち情報科学にとって、「意味」とはア・プリオリな存在でも根源的な存在でもなく、「情報」〝空間〟こそが、世界の根源をなし、「意味」はそこからの派生物の身分をしか有さない。この「情報」〝空間〟こそが、多様な〈状態〉から構成された標本空間、すなわちシャノン謂うところの「情報源」（Information Source）に他ならない[10]。そして、その雛形をなすのが、フォン・ノイマンが『量子力学の数学的基礎』において量子力学に導入した「複素ヒルベルト空間」（Der komplexe Hilbertraum）である。

4-1-3 〈情報的世界観〉とは何か？

一旦整理しよう。

われわれの日常的な思念に於いては、「モノ」こそが世界を構成する原基的存在であって、「意味」は、その「モノ」に対して（共同）主観的に付与される二次的属性に過ぎないと看做される。こうした「モノ」優位の発想の構えを、廣松渉に倣って「物的世界像」と呼ぶことにしよう。[11]

現象学は「物的世界像」における「モノ」と「意味」との先後関係を逆転させた。すなわち「モノ」とは、先在する「意味」という一種の〃かたち〃に知覚的〃素材〃が充当されたものであって、結局の所、〃構成物〃に過ぎない。とすれば、世界を構成する原基的要素は「モノ」ではなく寧ろ「意味」でなければならない。

だが、情報科学は、現象学が世界の原基的要素として申し立てる「意味」をも「情報」による〃構成物〃に過ぎないことを喝破する。「意味」とは、多様な潜在的〈状態〉＝「情報源」からの選択によって初めて存在を得るのであって、「情報」が「意味」に先立つ。であれば〈状態〉〃空間〃である

10 現象学と情報科学の、「意味」および「情報」の観点からのより立ち入った比較については、本書終章を参照のこと。また、拙稿「情報的世界観と基礎情報学」（西垣通ほか編著『基礎情報学のヴァイアビリティ――ネオ・サイバネティクスによる開放系と閉鎖系の架橋』、東京大学出版会、二〇一四年に所収）も参看されたい。

11 廣松渉「物的世界像の問題論的構制」（一九七五年）。『廣松渉著作集』第三巻（岩波書店、一九九七年）に所収。

「情報」こそが世界の根源（＝情報源）をなすのでなければならない。以上の理路を辿って情報科学が唱導し、後に現行情報社会の理論的基層をなすことにもなるこの思想的地平を、〈情報的世界観〉と呼ぶことにする。

ここで三点、読者の注意を喚起しておきたい。

まず一点目。「物的世界像」と「現象学」とが対立関係をそこに於いて形成している「モノ vs. 意味」という構図それ自体に、情報科学が疑義を呈し、それに代えて「情報＞意味＞モノ」という新たな構図――「情報」の根源性――を対置する恰好になっていること。こうした「情報」の根源性の主張に対しては、「情報」は必ず〈何かについての〉「情報」であって、「情報」に先立って何らかの「モノ」が想定されている筈である、との異議を呈する向きがあるかもしれない。だが、こうした通俗的な「情報」観を転覆させるものこそシャノンの「情報源」の思想なのである。「モノ」の〈実在〉や「意味」の〈自己同一性〉に先立って、「情報」の〈多様性〉＝〈不確定性〉が先在している。つまり、「情報源」における「情報」とは、それを実体的に束ねる〈何か〉を欠いた、諸〈状態（ツーシュテンデ）〉（Zustände）の標本空間、数学的に言えば「集合（メンゲ）」（Menge）である。いずれにしろ、この場合の「情報」は自己同一性を有した何らかの実体的存在ではなく、不定的〝空間〟、ないし不確定性の〝場〟であることが留意されなければならない。

二点目。したがって、「意味」ないし「モノ」の側から見るとき、この潜在的〈状態〉空間としての「情報源」は、〈情報〉空間であると同時に〈ノイズ〉空間でもまたあることになる。何故なら、「選択」という〈作用ないし演算（オペラツィオーン）〉（Operation）が生じた瞬間、選択されなかった諸〈状態〉は夾雑物（ノイズ）

と化すからである。にもかかわらず、情報源におけるこうした〈ノイズ〉は、通信路において不可避的に発生する、「意味」の自己同一性を脅かし毀損する所謂「雑音（ノイズ）」とは異なる。それは、「意味」の発生源として、あらゆる周波数を重ね合わせ的に並存・包含した〝ホワイトノイズ〟もしくは〝乱数発生器（ランダムナンバージェネレーター）〟に擬（なぞら）えることができる底（てい）の〈情報＝ノイズ〉である。われわれは「通報（メッセージ）」と同位同格的な〈区別〉において存立する「通報（メッセージ）／雑音（ノイズ）」とは位相を異にし、且つ、それを包摂する〈情報＝ノイズ〉を〈根源的ノイズ（ウアシュプリュングリッヒェス・ラオシェン）〉(ursprüngliches Rauschen) と名付けることで、「意味」の自己同一性を予想・前提する従来の「雑音（ノイズ）」一般から区別したい。

第三点目。〈根源的ノイズ〉としての〈情報〉空間であるシャノンの「情報源」は、その思想的先蹤が、フォン・ノイマンの「複素ヒルベルト空間」にあることからもわかるように[12]、極めて公理論的で規約主義的な性格を有する。それはノイマンの数学上の師が、「公理論的思考（アクスィオマーティッシェス・デンケン）」(axiomatisches Denken) をその仕事に於いて貫徹したD・ヒルベルトであったことによる。シャノンの「情報源」にもこの公理論的な性格が影を落としている。すなわち、それは極度に人工的で技巧的な存在性格を持っている。「モノ」や「意味」といった〝自然〟的存在を人工的な「情報」の不確定性の網の目の中に組み込むことによって、そこから「モノ」や「意味」を再構成してみせるわけである。したがって、「情報源」は正面切って「実在」と称することが躊躇われ憚られる人為性と仮構性を伴う。だが、

12　シャノンはポス・ドク期にプリンストン高等研究所でノイマンと親しく接している。ただし制度上の指導教官はH・ワイルであった。

自然そのものが、ここまで説述してきた「情報源」的な存在性格を持つとすれば如何？　そして実際、量子力学がそのことを立証したのである。

4―2　量子力学と〈情報的世界観〉

4―2―1　物理学における「物的世界像」の綻び

さて、近代物理学の出発点をなすニュートンの力学体系は、それが、絶対時空間という〝器〟内部における「モノ」の挙動を司る法則を定式化する、というモチーフを有する限りに於いて「物的世界像」の物理学的表現と言ってよい。そこでもやはり、世界は基本的に「モノ」の集積として了解されている。「質点」(point mass)や「剛体」(rigid body)の概念はこうした「モノ」を理想化した概念に他ならない。「流体」(fluid)や「弾性体」(elasticity)といった所謂「連続体」(continuum)もまた「モノ」を変容的に拡張した概念として捉え返すことが出来る。であるからこそ、そこにニュートン力学が適用可能なのである。

十九世紀にM・ファラデーとJ・C・マクスウェルが電磁気学を興した辺りから雲行きが怪しくなってきた。そこでは「電場」(electric field)や「磁場」(magnetic field)が主題化されたが、電場・磁場は〈状態〉であって「モノ」ではないからである。それでも、そうした〈状態〉の基体・媒体として「エーテル」(aether)の存在を想定し、これを流体ないし弾性体に準じて扱うことで、辛うじて電磁気学をも「物的世界像」の中に押し込めることができた。

　ところが、マイケルソン・モーレーの実験（一八八七年）やアインシュタインの特殊相対性理論（一九〇五年）が「エーテル」の実在に対してネガティヴな裁定を下したことと軌を一にするかたちで、所謂「黒体輻射（シュヴァルツコェルパーシュトラールンク）」（Schwarzkörperstrahlung）に纏わる問題の解決の中でM・プランクが「エネルギー量子」（Energiequanten）の概念を導入した（一九〇〇年）とき、「物的世界像」に生じた綻びはもはや繕い難いものとなる。

「量子」概念は、五年後にアインシュタインの「光量子」（Licht-Quantum）として再現されることからも分かるように、一種の〝粒子〟であって、その限りでは「モノ」である。なぜ、それが「物（モノ）的世界像」の綻びを意味することになるのか？　この辺りの事情を詳らかにするためにも、当時の物理学界の勢力布置を押さえておく必要がある。

　十九世紀後半から二十世紀初頭の物理学は大局的に見て二つの対立軸を巡って鎬が削られる状況にあった。対立軸の一つは「物理的実在論 vs. 現象主義」であり、いま一つの対立軸は「原子論 vs. エネルギー論」である。前者の対立軸から見ていこう。「物理的実在論」とは読んで字の如しであって、物理学の目的は現象の向こう側にある「物理的実在」の真の姿や振る舞いを究明することだと考える立場である。この立場を、殆どの物理学者や物理学徒は採る。他方の「現象主義（フェノメナリスムス）」（Phänomenalismus）は物理学者・哲学者のE・マッハや哲学者R・アヴェナリウスが唱導した、当時の（物理学界を越えた巷間レベルをも含む）流行思想である。[13] 彼らによれば、われわれに直接与えられるのは「モノ」ではなく、感覚的「要素」（Elementen）および「要素（エレメンテン）」相互の関係のみであって、「物理的実在」を含む「モノ」の概念は、「思惟経済」(Denkökonomie)のために要請された仮構物に過ぎない。ヒュームやバークレー僧正の思想の現代版ともとれるこの「現象主義」が、「物理的実在」や「物理的現象」そのものに向かうのではなく、その「記述」の水準を主題化する一種の〝メタ物理学＝形而上学〟(Metaphysik)である点に留意されたい。

後者の対立軸は、差し当たっては前者の対立軸の一方である「物理的実在論」内部での対立として始まっている。「原子論」(Atomistik)を代表するのはL・ボルツマンである。[14] 彼は気体が示す実験的事実から、物理的実体を微視的粒子である「原子」であると推定する。他方、「エネルギー論」(Energetik)の立場を代表するのはW・オストヴァルトである。[15] 彼は究極的な物理的実在は直接的な観察と測定が可能でなければならないと主張し、不可視の領域に想定されただけの微視的「原子」ではなく、直接の測定が可能な巨視的「エネルギー」を以って物理的実体と看做した。ここで重要なことは、「エネルギー論 vs. 原子論」の対立そのことではなく、その対立が物理学における「巨視系 vs. 微視系」の相克の一つの現れに過ぎず、しかも表面的には両立場は対立しているように見えながら、巨視系と微視系との間に断絶は存在しないこと、すなわち「自然の斉一性」が、両立場で共通に、しかも密かに信憑されている点である。

4-2-2 物理学における「情報」への視界

「エネルギー論 vs. 原子論」の対立は、ボルツマンの自死という悲劇を伴いつつではあるが、原子論に軍配が上がった。実体化されているとはいえ、〈状態〉記述の概念である「エネルギー」に対して、

「モノ」の最小単位である「原子」が物理的実在として受け容れられた、つまり、「モノ」が微視・巨視の両界に亘って世界を主宰することが認められたわけで、これは一見「物的世界像」の勝利であるようにも映る。だが、そう簡単には事は運ばない。

ここには第二幕がある。オストヴァルトが論難したとおり、「原子」という微視系には、直接的なアクセスが不可能である。それは単に「極端に小さい」から、というばかりではなく、「極端に数が多い」から、でもある。それは「多体系」の域を越えた「集団」としてしか把握不可能である。だからこそ、ボルツマンは原子論の主張を携えつつ、「情報」と「確率」を駆使して統計的に「原子」集団の巨視的振る舞いを再構成する「統計力学」を打ち立てていったのである。

したがって、「モノ」へとダイレクトに向かう古典力学とは異なり、統計力学においては、「観察・測定」→「情報」→「モノ」、という媒介的構造が必然的に要請される。「情報」を介してしか「モノ」にアクセスする手立ては無いのである。ここにおいて「モノ」に代わって「情報」のプレゼンスが浮上して来ざるを得ない。この場合の「情報」の測度こそが、集団からなる系全体の〈状態〉を記述す

---

13 Mach, E., *Die Analyse der Empfindungen und das Verhältnis des Physischen zum Psychischen*, 1886. 邦訳『感覚の分析』須藤吾之助・廣松渉訳（法政大学出版局、一九七一年）。Avenarius, R., *Kritik der reinen Erfahrung*, 1988-90.

14 Boltzmann, L., "Über die Beziehung zwischen dem zweiten Hauptsatze der mechanischen Wärmetheorie und der Wahrscheinlichkeitsrechnung", respective den Sätzen über das Wärmegleichgewicht, 1877. Reprinted in *Wiss. Abhandlungen, Vol. II*, pp. 164-223, 1909.

15 Ostwald, W., *Die Energie*, 1908. 邦訳『エネルギー』山県春次訳（岩波文庫、一九三八年）。

るために熱力学から借りてこられた「エントロピー」(Entropie) の概念に他ならない。ボルツマンにあっては、彼が「原子論」の推進者であったこともあり、右の媒介的構図中の「モノ」の契機への拘泥わりはいまだ健在だが、W・ギブスの統計力学にあっては——「アンサンブル」(Ensemble) 概念の導入によって——「モノ」の契機への顧慮はほぼ消失している。[16] こうして「エントロピー」の概念は、集団を構成する「モノ」の実質や構造の如何を問わない、閉鎖系における〈状態〉(とその変化) を示すだけの形式的な「情報」の測度として純化されていき、後にシャノンが規定する「情報量」概念に結実する。[17]

しかも、先の媒介的構図の効果は単に「モノ」に代わって「情報」の地位が浮上した、ということだけには止まらない。古典力学の構図にあっては、対象である「モノ」のみが焦点化するため、「観察・測定」主体の能作は識域から遠退く。このことはニュートンによる「私は仮説を作らない」(Hypotheses non fingo) という素朴だが力強い信条表明からも窺える。[18] だが、「モノ」に対する「情報」の顕在化は、観察・測定が「主体の」能作であることを意識させずにはおかない。ここにおいて、「情報」の地平の浮上と連動するかたちで「記述」と「表現」の問題が、物理学に於いて顕在化してくる。そして、以上の理路の中で第二の対立軸である「エネルギー論 vs. 原子論」(≒「巨視系 vs. 微視系」) は、第一のそれ「物理的実在論 vs. 現象論」と深層でリンクする。

前小節で言及したプランクによる「量子」概念の物理学への導入は、以上で概観した如き、当時の物理学界の勢力布置の中で形作られた問題構制 (Problematik) を踏まえてなされている。その問題構制とはこうである。まず、「エネルギー論 vs. 原子論」の対立とその調停の中で、逆に「巨視系vs.微視系」の断絶が顕在化したこと。統計力学の段階では、それはまだ原理的な断絶として受け止められておらず、「自然の斉一性」は依然信憑されていた。だが、プランクの「エネルギー量子」（一九〇〇年）の導入を皮切りに、アインシュタインの「光量子」仮説（一九〇五年）、N・ボーアによる水素原子の電子軌道における所謂「量子跳躍（クヴァンテンシュプルンク）」（Quantensprung）の〝発見〟[19]（一九一三年）に至って、〝自然そのもの〟の振る舞いが、巨視系と微視系とで異なることは、最早疑いを容れる余地のないことが明らかとなってきた。ここに「自然の斉一性」は破綻をきたす。言葉を換えて言い直せば、「量子」概念の導入は、巨視系と微視系との間で自然の振る舞いに大きな差が存在することを物理学が認めたことを意味する。

そして、それは次のような認識を促しもする。すなわち、巨視系と微視系の断絶の調停が、「自然」（＝「実在」）の水準では最早不可能である以上、それは観察主体の「観測」行為とそこで与えられる「情報」の水準で行われる他ない。ここに、物理学の焦点が「実在」のレベルから「情報」（＝「確率」）のレベル、更には「記述」「表現」のレベルにシフトするのと軌を一にするかたちで、プランクに端

16 Gibbs, W., *On the Equilibrium of Heterogeneous Substances*, 1876-8. 邦訳『ギブス　不均一物質の平衡について』廣政直彦・林春雄訳（東海大学出版部、二〇一九年）。

17 もちろん、純化の過程において、熱力学においては含意されている〈状態〉変化の「非可逆性」といった契機は背後に退き、〈状態〉の「複雑性」が前景化している。

18 Newton, I., *Philosophiæ Naturalis Principia Mathematica*, second (1713) edition. General Scholium.

19 Bohr, N., "On the Constitution of Atoms and Molecules", *Philosophical Magazine* Series 6, Volume 26, July 1913. pp. 1-25.

を発する初期「量子論」が、「実在」の言葉によって記述されていたそれまでの古典力学を、「情報」と「確率」の言葉によって〈状態〉（及びその変化）を記述する新たな物理学体系へと再組織化する企図である「量子力学」へと展開せざるを得なかった必然性もある。

4－2－3　量子力学における「モノ」と「情報」の相克

量子力学の誕生は、物理学界を様々な対立軸によって二分した。曰く、「決定論 vs. 非決定論（不確定性）」、「自然の連続性固持 vs. 非連続性の容認」、「近接作用（局所性）vs. 遠隔作用（非局所相関）」etc. etc. …。諸対立を図式的・傾向的に整理するならば、一般に「決定論」「連続性」「近接作用」を自然において固守しようとする者たちは、「斉一性」を有した「自然」の実在を信奉する「物理的実在論」に与（くみ）する。たとえ、その実在が実際には不可知であったとしても、それは人間の側における認識能力の問題であって、そのことによって物理的実在が否定されることにはならない、そうこの立場を奉ずる者は主張する。この立場には、量子力学の建設に功があった、プランクやアインシュタイン、E・シュレーディンガーなども含まれる。

対して、「不確定性」「非連続性」「非局所相関」を積極的に認めようとする者たちは、〃自然〃における〃断絶〃と〃飛躍〃を受け容れる。否、精確に言い直そう。彼らは〃自然そのもの〃を語ることを禁欲する、というより、そうしようと試みることがそもそもナンセンスであると考える。なぜなら、われわれに与えられているのは「観測可能（オブザーヴァブル）」な（observable）「測定値」すなわち「情報」のみであって、〃自然そのもの〃や〃物理的実在〃と称されるものは、原理的に「情報」からの構成物であって、それが〝自然〟界に〝実在〟として投射されたものに過ぎないからである。この立場には、前出のボーア、W・ハイゼンベルク、M・ボルンなど所謂コペンハーゲン解釈を採る者たちが属する。

ただし、〈「情報」からの〝実在〟の構成〉は、〈「主観」による「客観」の構成〉ではない。両者を同一視するとき、宛(あたか)も「主観」性(＝人間)こそが世界の主宰者であって、恣意的に〝自然〟や〝実在〟が「主観」によって構成可能であるかの如き、コペンハーゲン解釈の誤った理解が導かれる。その典型が京都学派の数理哲学者、田辺元の量子力学解釈にみられる。

田辺は、量子力学が誕生して間もない一九三六年に逸早(いち)く論文「量子論の哲学的意味」を発表し、自らの量子力学観を披瀝している。[20] 彼はそこで、量子力学において見られる(と田辺が思い込んだ)「主観vs.客観」の対立構図を乗り越えるべく、ボーアの「相補性(コンプレメンタリテート)」(Komplementarität)概念に西田哲学的「絶対矛盾的自己同一」を強引に読み込むことで、件(くだん)の対立を「無」の地平において弁証法的に止揚するとともに、物理学的な「世界像」を、哲学的「世界観」に高めようと目論んでいる。[21] 田辺ばか

20 田辺元『科学と哲学との間』(岩波書店、一九三七年)に所収。この当時ヨーロッパでは既にナチスが政権を掌握し、極東でも日中戦争を目前に控えた時期で剣呑さが増しており、行間からも時局の緊迫感が窺える。当時の日本の思想界における合言葉であった「近代の超克」への指向を田辺の行文の端々から察知可能である。

21 田辺の名誉のために付け加えておくが、論文「量子論の哲学的意味」が、書籍『科学と哲学との間』に再録される際、彼は自らの解釈を、一九三五年に執筆し同書に併録された旧稿「古代哲学の質料概念と現代物理学」を改稿・加筆する中で自己批判し撤回している。この論文に於いては、「量子論の哲学的意味」において賞讃されたボーアは寧ろ貶められ、代わりにP・ディラックが持ち上げられているが、見逃せないのは田辺がそこで、量子力学の意義を古代哲学の〈質料(ヒュレー)〉概念との関連に見出そうとしている点である。田辺のこの姿勢は、本章の問題意識とも通底する。この点、やはり田辺は流石である。

りではない。コペンハーゲン派に近い、ノイマンやE・ウィグナー[22]もまた、波動関数における「重ね合わせ」（干渉）の状態が、「波束の収縮」を起こす領界を「脳」や「意識（こころ）」と看做すことによって、「巨視系 vs. 微視系」の問題次元を「主観 vs. 客観」の構図に押し込める錯誤を犯している。

「主観 vs. 客観」構図の墨守は、量子力学が折角拓いた「情報」の地平を、再び「モノ」の水準に引き戻してしまう。これでは元の木阿弥である。「波束の収縮」の解釈に関しては、先に触れたノイマンやウィグナーの「心‐物（身）問題」的解釈の他に、アインシュタインやシュレーディンガーらの正統的で伝統的な「物理的実在論」、パイロット波を導入するD・ボームの「隠れた変数」解釈[23]、荒唐無稽と言う他ないH・エヴェレットの「多世界解釈[24]」および量子コンピュータの発案者の一人でもあるD・ドイッチュによるその改変版[25]、そして「心」の実体を量子現象とみなすR・ペンローズ[26]らが、それぞれ自説の正当性を主張して譲らぬ〝百家争鳴〟の状態が長く続き、その状況は現在も変わらない。だが右に挙げた解釈は孰れ（いず）も結局の所、広義における「物理的実在」の如何を巡って展開されている限りに於いて、古典物理学的な発想の地平である「物（モノ）的世界像」の埒を出ないと言わざるを得ない。量子力学が切り拓いた「情報」の地平を正当に評価できているのは、われわれの見るところ、コペンハーゲン解釈のみである[27]。

コペンハーゲン解釈を――「物的世界像」の対立構図に絡め取られることなく――額面通り受け取るならば、「巨視系 vs. 微視系」の対立は、田辺やノイマンそしてウィグナーらがそう考えたような「主観 vs. 客観」の対立に還元されるものではなく、「モノ vs.〈状態〉」の対立、より正確には「意味 vs. 情報」の対立と重ねあわさるべきものである。

すなわち、〈基体＝実体（ヒュポケイメノン）〉（*ὑποκείμενον*）を欠いた〈状態〉のみからなる集合（メンゲ）が「情報」〃空間〃としてまず〃存在〃している。この〈状態〉〃空間〃においては、〈状態〉——これは「状態ベクトル」ないし「波動方程式」あるいはディラックの「ケット」（|〉）で表現可能——はそれらが帰属する〈基体＝実体〉が不在である故に、諸〈状態〉は不確定の様相において併存し得る（重ね合わせ≒干渉）。だが、然るべき〈作用＝演算（オペラツィオーン）〉（＝測定・観測）による或る特定の〈状態〉が、他の諸〈状態〉から「選択」されるとき、〈状態〉は確定性を帯びると同時に、その〈状態〉は実体化されて〃モノ〃＝

22　Neuman, J. von, *op. cit.*, 1932. Wigner, E. P., "Remarks on the mind-body question", in *The Scientist Speculates*, 1961. pp. 284-302,.

23　Bohm, D., "A Suggested Interpretation of the Quantum Theory in Terms of "Hidden Variables" I & II", *Physical Review* 85, 1952. pp. 166-179, 180-193.

24　Everett, H., "Relative State Formulation of Quantum Mechanics", *Review of Modern Physics*, Vol. 29, 454, 1957.

25　Deutsch, D., *The Fabric of Reality : The Science of Parallel Universes and Its Implications*, Penguin, 1998. 邦訳『世界の究極理論は存在するか——多宇宙理論から見た生命、進化、時間』林一訳、（朝日新聞社、一九九九年）。

26　Penrose, R., *The Emperor's New Mind : Concerning Computers, Minds, and The Laws of Physics*, Oxford University Press, 1989. 邦訳『皇帝の新しい心——コンピュータ・心・物理法則』林一訳（みすず書房、一九九四年）。*Shadows of the Mind : A Search for the Missing Science of Consciousness*, Oxford University Press, 1994. 邦訳『心の影——意識をめぐる未知の科学を探る』林一訳（みすず書房、二〇〇一・二〇〇二年）。

27　コペンハーゲン派に対して「物理的実在を論じていない」という廉（かど）で彼らを貶めるとするなら、その論難そのものが愚の骨頂である。量子力学とは「物理的実在」が、ではなく、「情報」（≒「確率」）が主題化されるパラダイムなのである。

〝物理的実在〟となる。そして〈状態〉は〝物理的実在〟という帰属〈基体〉を得たことで宙に浮いた〈状態〉から脱し、（「基体」の「属性」という）「意味」をも獲得する。〝物理的実在〟が「情報」によって〈構成〉(konstruieren) されるとは、以上の意味に於いてである。

留意すべきは、この〈構成（コンストルクツィオーン）〉において「主観」性の果たす役割は「選択」という消極的〈作用＝演算〉(Operation) に限られており、田辺が考えたような積極的能作、ましてや恣意的操作を事とする権能はない。たとえて言うなら、それはフッサール現象学の「受動的総合（パッスィーヴェ・ズュンテシス）」(passive Synthesis) に近いのであって、対象の側で構成は〝半自動的〟に——すなわち「固有状態（アイゲンツーシュタント）」(Eigenzustand) の出現として——遂行される。

こうしたコペンハーゲン派の思想を、D・ヒルベルト仕込みの、緻密な公理論的枠組みに於いて「複素ヒルベルト空間」における「情報」（＝〈状態〉の集合）からの「モノ」（＝〝物理的実在〟）の〈構成〉として再構成してみせたものこそノイマンの『量子力学の数学的基礎』に他ならない。[28] そこで示された理論構図が、〈情報的世界観〉を定礎したシャノンの情報理論の雛形になっていることは、前節で述べた通りである。

4-3　量子情報科学の履歴(プロフィール)

ここで、シャノンが打ち立てた情報科学の地平に量子力学の成果を位置付けておこう。シャノンは、その著『通信の数学的理論』の冒頭で、「一般的な通信システムの図式」(Schematic Diagram of a General Communication System) と題された有名なダイアグラムを示している(図を参照)。

4-3-1　量子力学と情報科学

この図に潜在する哲学的意義を掘り下げる作業は紙幅の都合で別稿に譲らざるを得ないが[29]、ここで指摘しておきたいのは、図中の左端「情報源」(Information Resource) が機能的に見て量子力学におけるコペンハーゲン解釈の「複素ヒルベルト空間」と等価である、という点である。すなわち、複素ヒルベルト空間における〈状態〉ベクトルとは、系が理論的に取り得るあらゆる〈状態〉の集合がなす、謂わば〝標本空間〟の要素であり、終端(=観測者)から見た場合には、可能な観測値(オブザーヴァブル)の「リソース」をなしている。ただし、この「リソース」に線形性がある、すなわち「重ね合わせ」が可能である点は両者で共通だが、量子力学の〝情報源〟が「時間発展(ツァイトエヴォルツィオーン)」(Zeitevolution) する点で、情報理論のそ

28　ただし、すでに指摘したとおり、ノイマンは最後の最後で「波束の収縮」を巡る解釈に於いて「主観 vs. 客観」という「物的世界像」の残滓に足を掬われてしまっている。

29　前掲、拙稿「情報社会の生成と構造――サイバネティックス運動の理路(上)」『思想』二〇一九年十二月、No. 1148(岩波書店)。

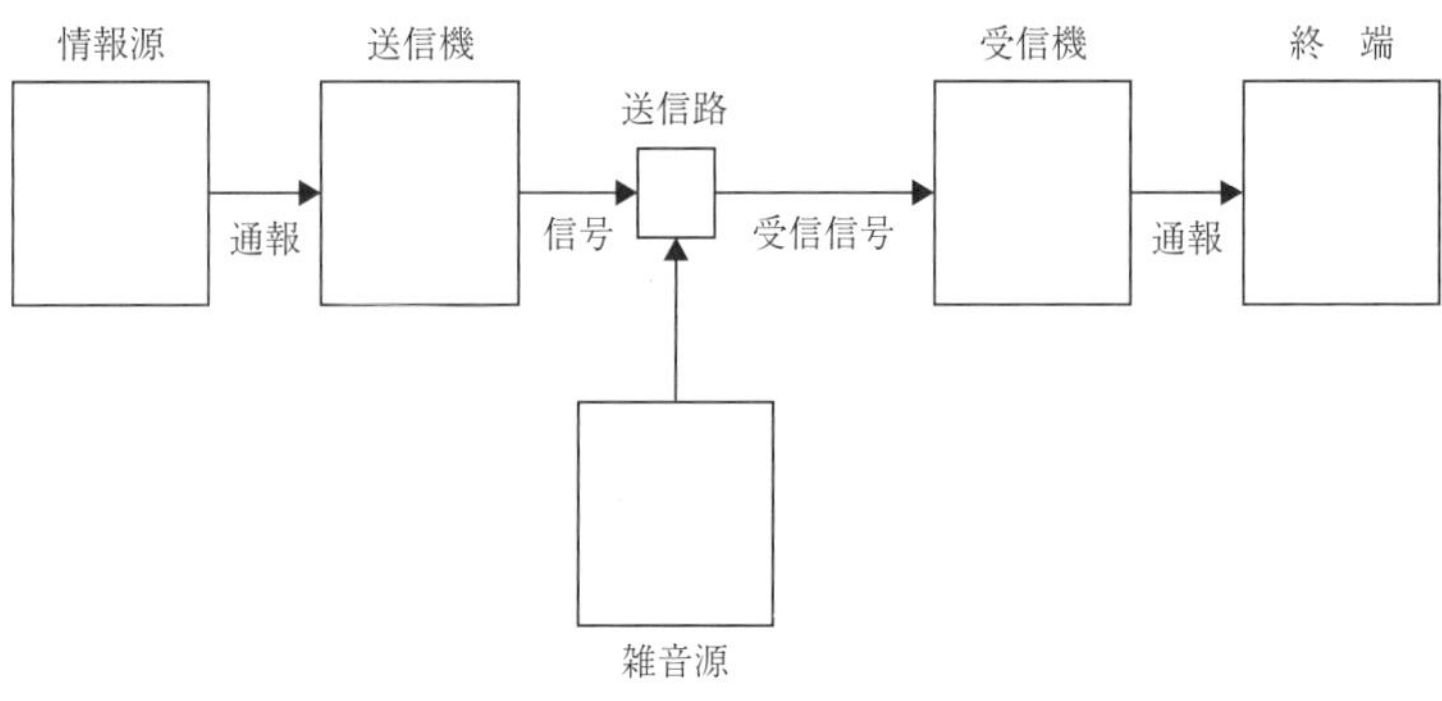

図　一般的な通信システムの図式

れとは異なる。

そして「観測＝測定」とは、この〝情報源〟としての複素ヒルベルト空間から、特定の〈状態〉が選択的かつ確率的に観測者に「受信」されることに他ならない。

「物理的実在」論者たちは、〝情報源〟の向こう側に確定的かつ実体的かつ連続的な「モノ」を想定しようとするが、「モノ」とは「受信」された測定値（＝〈状態〉についての「情報」）から事後的に〈構成〉されるのであり、しかも〈状態〉が選択的、確率的にしか観測者には「受信」されない以上、〈構成〉された「モノ」には恒に揺らぎと不確定性とが孕まれざるを得ない。これは「受信」には必ず「ノイズ」が伴うという事態と等価である。ただし——ここで敢えて冒頭節での記述を反復するが——この「ノイズ」は、送信路において外部から介入してくる「雑音（ノイズ）」（＝測定機器に淵源する系外部からのノイズ）ではない。そうしたノイズが全く無いとは言わないが、本質的なのは〝情報源〟それ自体に由来する〈根源的ノイズ〉（ursprünglches Rauschen）すなわち〈状態〉の確率的選択に伴う、原理的な不確定性をその本質とするノイズである。コペンハーゲン派は諸他の

「実在論」者たちとは異なり、観測者が云為出来るのは〝情報源〟としての複素ヒルベルト空間の構造までであり、それより先を語る権限は観測者には与えられていない、と考える。彼らが「物理的実在」について黙して語らずというポリシーを貫くのは以上の理由に拠る。

　このように見てくるとき、コペンハーゲン解釈に沿う「モノ」の〈構成〉に際しては、「物理的実在」という「意味」が〈形相(エイドス)〉の機能、〈状態〉についての「情報」が〈質料(ヒュレー)〉の機能を、それぞれ担っていることが分かる。だが問題はここからである。まず、「意味」のみから世界が構成できないのと同様に、「情報」のみからも世界は構成できない。そこには、どうしても「物質」的契機が必要である。換言すれば、「意味」が〈形相〉の機能を果たしている間は〈質料〉の位置にある「情報」もまた、「物質」的な観点から見るときには、「意味」とは位相を異にする、いま一つの〈形相〉と化す。とすれば、「情報」という〈形相〉に見合った次元の、新たな〈質料〉の導入が要請されざるを得ない。[30]第二に、先の論点とも絡むが、〝情報源〟（＝複素ヒルベルト空間）内部は、それが〈状態〉の線形空間であることによって、可逆性が成立している。が、現実世界は非可逆である。この非可逆性にもまた「物質」的次元におけるいま一つの〈質料〉が関与していると考えざるを得ない。そしてこの第二の〈質料〉が産み出す問題系こそが、量子情報科学の誕生を促すことになる。

30　こうした観点から、〈根源的ノイズ〉を「〈形相〉的ノイズ」と、また、これに対応させるかたちで従来の「雑音(ノイズ)」を「〈質料〉的ノイズ」と呼ぶこともできる。

4-3-2 量子情報科学の誕生まで

情報科学ないし計算機科学が自然諸科学に於いて占める位置は極めて微妙である。まず、それは数学の一分野を構成しつつも、本質的な点において、数学の本流とは異質である。数学の本流は、現実世界との紐帯を斟酌することなく、どこまでも抽象化と形式化の階梯を上昇することができる。[31]だが、情報科学(ないし計算機科学——以下「情報科学」で代表させる)はそうはいかない。情報科学の本質は〈設計〉であって、思考は機械・装置・インフラのかたちで必ず物理的に実装可能でなければならない。つまり、それは物質として現実化される必要がある。ここに情報科学において物理学的なアプローチが要請されると同時に、或る物理的・物質的な制約と限界が、そこに原理的に課されることにもなる。その制約・限界の筆頭が「熱雑音」(thermal noise)の問題である。

実装された計算機の集積度が低い間はまだ良かった。計算や情報送信の遂行にとって「熱雑音(サーマル・ノイズ)」の影響が無視できる範囲に収まったからである。だが実装の集積度が増して回路の微細化が進み、それが原子のオーダーに近づいてくると、「熱雑音」の問題は致命的となる。発熱による装置の融解・自壊のリスクばかりではない、不確定性原理に基づくエラーの発生がもはや無視できない域に達するからである。

情報科学の黎明期にすでにJ・ジョンソンやH・ナイキストが計算速度の高速化に連れて「熱雑音」の問題が表面化せざるを得ないことを指摘していたが、[32]実はそこには「情報」と「物質=エネルギー」との不可避的な連関という、より原理的な問題が潜んでいる。物理現象の不可逆性(=エントロピーの増大）に関して、J・C・マクスウェルが開陳した有名な思考実験「マクスウェルの魔（デーモン）」において、「デーモン」は粒子の速度の観測（＝「情報」取得）を何のエネルギー消費も無く行える想定になっている。[33] すなわち、そこでは「情報（計算）過程」と「物理（物質）過程」とが互いに独立であると看做されているのである。だが、シラード——原爆使用に関する「シラード嘆願」のシラードである——が明らかにしたとおり、[34]「情報過程」においても、それが機器・装置を使用して行われる以上、「熱雑音」によるエネルギー消費が必ず生じる。つまり「魔（デーモン）」による「エントロピー増大の阻止」＝「可逆性の実現」は原理的に不可能である。ここで示されているのは「情報」という〈形相（エイドス）〉は「物質」という〈質料（ヒュレー）〉なしには存在し得ないこと、言い換えれば「情報科学」と「物理学」との連携の必然性である。

まず、一九五〇年代末から七〇年代にかけて、右で概略を示した、計算過程におけるエネルギー消

31 この点については、本書第三章「情報社会にとって「数」とは何か?」を参照されたい。

32 Johnson, J., "Thermal Agitation of Electricity in Conductors", *Physical Review* 32 (97), 1928. pp. 97–109. Nyquist, H., "Thermal Agitation of Electric Charge in Conductors", *Physical Review* 32 (110), 1928. pp. 110–113.

33 Maxwell, J. C., *Theory of Heat*, 1872.

34 Szilard, L., "Über die Entropieverminderung in einem thermodynamischen System bei Eingriffen intelligenter Wesen", *Zeitschrift für Physik* 53, 1929. pp. 840–856. その後、ブリルアンの考察を経て、量子情報科学の創始者の一人、C・H・ベネットが「マクスウェルの魔」の思考実験の無効を最終的に証明した。Brillouin, L., "Maxwell's demon cannot operate : Information and entropy. I", *Journal of Applied Physics* 22, 1951. pp. 334–337. Bennet, C. H., "The thermodynamics of computation — a review", *International Journal of Theoretical Physics* 21 (12), 1982. pp. 905–940.

失のメカニズムを情報理論と物理学とを連携させながら理論化する努力が続けられる一方で、熱雑音によるロスやエラーの防止といった対症療法的な対策の域を越えて、熱雑音が理論上は生じない筈の可逆計算の可能性が理論的に、L・ブリルアン、R・ランダウア、C・H・ベネットらによって探られた。[35]

一九八〇年代に入ると、まず一九八〇年にP・ベニオフがチューリング・マシンの量子力学的記述を成功させ、[36]八二年にはR・ファインマンが「量子ゲート」を組み合わせた量子コンピュータを構想、[37]八五年には前出のドイッチュが、A・チューリングとA・チャーチによる計算の定義（所謂「チューリング＝チャーチのテーゼ」）を情報科学の〈形相〉的（＝数学的）水準を越えて、量子物理学における〈質料〉的な水準をも組み込んで書き直すに及んで、[38]量子情報科学は、正式に誕生した。

4-3-3　量子情報科学の現在

量子情報科学においては、グーグルによるセールストークが奏効して、現状、量子コンピュータばかりがスポットライトを浴び、しかも、それは古典コンピュータに代わる次世代コンピュータとして「高速性」のみが強調されている。しかし、前小節で概観した量子情報科学成立の経緯からも分かる通り、量子コンピュータは本来、高速性を求めて開発が始められたわけではなく、可逆性を実現するコンピュータとして構想されている。高速性は、可逆性の効果に過ぎない。このことを踏まえた上で、量子情報科学の現在を、量子コンピュータを中心に瞥見しよう。

量子コンピュータは、可逆的な閉じた量子系（＝〝情報源〞）において量子〈状態〉の時間発展（＝

ユニタリ発展）を利用しつつ、計算を実行する一種の自然コンピュータである。ただし、〈状態〉変換の制御は可能で、その際に使われるのがユニバーサル量子ゲート回路である。ユニバーサル量子ゲート回路には、〈状態〉の「重ね合わせ」を実現する「アダマール変換」と、複数の〈状態〉における量子間相関（量子エンタングルメント）を実現する「コントロールNOT」があり、これらを組み合わせることで、並行的な演算プロセスを実現する。この演算プロセスは「重ね合わせ」によって生じる干渉（Interferenz）を利用することで、指数時間を要する計算ステップ数を、多項式時間のステップ数に短縮できる。

一九九四年には、P・ショアが因数分解の量子アルゴリズムを、[39] 九六年にはL・グローヴァーが検

35 Brillouin, L., *a science et la théorie de l'information*, 1959. 邦訳『科学と情報理論』佐藤洋訳（みすず書房、一九六九年）。Landauer, R., "Irreversibility and heat generation in the computing process", *IBM J. Res.* Dev. 5, 1961. pp. 183-191. Bennett, C. H., "Logical reversibility of computation", *IBM J. Res.* Dev. 17, 1973. pp. 525-532.

36 Benioff, P., "The computer as a physical system : A microscopic quantum mechanical Hamiltonian model of computers as represented by Turing machines", *Journal of Statistical Physics*, Vol. 22, 1980. pp. 563-591.

37 Feynman, R., "Simulating physics with computers", *International Journal of Theoretical Physics*, Volume 21, Issue 6-7, 1982. pp 467-488.

38 Deutsch, D., "Quantum theory, the Church-Turing principle and the universal quantum computer", *Proceedings of the Royal Society A*. 400 (1818), 1985. pp. 97-117.

39 Shor, P. W., "Algorithms for quantum computation discrete logarithms and factoring", in *Proceedings of 35th Symposium on Foundations of Computer Science*, IEEE Computer Society Press, 1994. pp. 124-134.

索のための量子アルゴリズムを開発済みであるが、[40] 量子コンピュータの実現には、まだ相当の時間が掛かる見込みである。というのも、「重ね合わせ」を一定時間持続的に制御可能な、また、誤り訂正に必要な、多体量子系を構成可能な、量子素子の開発が、従来の古典コンピュータの能力を圧倒的に越える量子コンピュータを建造できる——その実現が冒頭で言及した「量子超越（クオンタム・スプレマシー）」である——程には、進捗していないからである。超伝導素子を筆頭に、イオントラップ、核磁気共鳴、量子ドット、光子など様々な量子素子の有力候補が現在、実用化を目指して開発の鎬を削っているが、どれも今のところ〝帯に短し襷に長し〟で、多くの素子は高速計算が可能となるコヒーレントな純粋状態を維持できず、直ぐに崩潰＝デコヒーレンスを起こして混合状態に陥ってしまう。

要は、アルゴリズムの開発が先行し、それを実現する物理的・物質的な条件である素子開発がそれに追い着いていない。冒頭で量子コンピュータの現状を評した際に、〝画に描いた餅〟「揺籃期以前」という些か挑発的な文飾を敢えて弄した所以である。量子暗号や量子通信も、量子コンピュータほど実現の見通しが不透明なわけではないが、状況は孰れも五十歩百歩である。

だが、これも冒頭で示唆した通り、本章の趣意は量子情報科学の現状を批判がましく論（あげつら）ったり、かといって逆にそれが実現するとされる未来に対して空手形を振ったり囃し立てたりすることにはない。本章が目指すのは飽くまでも、量子情報科学に孕まれた潜在的な思想の地平を明示した上で、情報社会の思想というアングルからその可能性を評価することである。

4-3-4　量子情報科学の思想的地平

量子情報科学が思想次元で為し遂げたことは、大きくいって二点ある。第一は、物理的リアリティを構成する三つの〈相＝層〉の存在と、この三〈相＝層〉が独立自存できず、相互的連関の中で契機としてのみ存在し得ること、を明らかにした点。三つの〈相＝層〉とは、「意味」「情報」「物質」である。

ニュートンの古典力学体系においては、「意味」の契機が〈形相(エイドス)〉として、「物質」の契機が〈質料(ヒュレー)〉としてそれぞれ機能し、これらが合することで「物理的実在」という「モノ」が〈構成〉されていた。ただし、このパラダイムの内部では「物理的実在」が〈構成〉物であるという意識は欠落しており、それらが客観的な実在、あるいは〈所与〉として遇されてすらいた、すなわち「意味＝物質＝モノ」の三位一体的同一視がそこでは成立していたことに注意しなければならない。量子力学とりわけコペンハーゲン派によって初めて、〝物理的実在〟の〈構成〉的性格が自覚されると同時に、「情報」の契機が物理学に導入され、その「情報」こそが物理学的な〈所与〉であるとされた。つまり観測によって得られた「情報」の契機に「意味」の契機が付与されることで、不確定的な「モノ」——コペンハーゲン派はそれを「物理的実在」＝「物質」とはみなさない——が事後的に〈構成〉さ

40　Grover, Lov, K., "A fast quantum mechanical algorithm for database search", in *Proceedings of the twenty-eighth annual ACM symposium on Theory of Computing*, 1996. pp. 212-219.

れる、という構図である。ただし、こうした構図が適用できるのは微視的領域のみとされ、微視的領域と巨視的領域との境界を巡って議論が闘わされた。

一方数学出自の情報科学は、「意味」的契機を捨象した上で――『通信の数学的理論』開巻冒頭のシャノンの宣言を想起せよ！――「情報」を形式とみ、「物質」を素材とみる。何故〈形相〉でなく「形式」、〈質料〉でなく「素材」なのかといえば、従来の情報科学者たちが「物質」を「情報」実在化・実現の手段・材料としかみない、つまり「情報」と「物質」をそれぞれ単独で独立自存可能な存在と捉えた上で、「情報」主導、「物質」従属の構図を採るからである（こうした点に情報科学の数学的バイアスが認められる）。実現のための素材が古典的な巨視的「物質」である間はその方針で問題無かった。だが、素材が量子的な微視的〝物質〟となったとき、〝物質〟からの叛乱が起きる。「情報」という形式に上手く〝物質〟が収まってくれず、「情報」の実在化に困難を来すようになるのである。ここに量子力学の知見を採り入れた量子情報科学成立の思想史的な必然性がある。

ただし、それは既存の量子力学と情報科学との単に表面的な接合ではない。そこで実現されているのは、「情報」の〝純粋〟形式から〈形相〉への降格と、「物質」の手段・材料から〈質料〉への地位上昇、である。量子的〝物質〟は古典的「物質」のように文脈から切り離して独立自存的にそれ単独で扱えるような実在では最早ない。[41] 恒に「情報」とセットで論じるのでなければ、〝物質〟を手懐けることは覚束ない。現在、量子素子という〝物質〟の開発が量子情報科学の最重要課題になっているのは故無きことではないのである。

こうして量子情報科学において「物質」が、「情報」という〈形相〉に見合う〈質料〉として位置付けられたことで、物理的世界が「意味」「情報」「物質」の三契機によって、緊密に織り成された〈形相／質料〉の多階的構成体であることが明らかとなった。

第二点目は、量子力学においてパラドックスとみなされていた事象・事態が量子情報科学の水準において弁証法的に止揚されると同時に、従来、微視系のみに限定されていた量子系が巨視系にも拡張されたこと。

量子力学におけるパラドックスの代表格は、波動関数における「重ね合わせ」の状態が、観測行為と同時に波束の収縮を非連続的に起こす矛盾的事態である所謂「観測問題」を戯画的に再構成してみせたシュレーディンガーの「猫」のパラドックス[42]（これは説明不要であろう）、そして実在論の牽引役であったアインシュタインが、B・ポドルスキーとN・ローゼンとともに、量子力学の不完全性を証

41　人文系においていまだに〝物質〟的契機を独立自存視し実体化する〝思想〟をアナクロニックにも繰り広げているのが、〝哲学〟を自称する「新唯物論＝思弁的実在論」である。また、それに関連して付け加えれば、並行的に時間発展する諸〈状態〉を全て見境い無しに〈物質＝実体〉化する、ドイッチュによるエヴェレットの多世界解釈の改変も戴けない。諸〈状態〉のユニタリ発展を利用した量子コンピュータの実現の見込みが出て来たからといって、そのことが多世界解釈正当化の論拠になるわけでは全くない。紙幅の都合もあり、これ以上、本論点には深入りしないが、両者は何の関係もない。特に、註25の前掲書で彼が繰り広げる議論は、量子力学の解釈の矩（のり）を遥かに踰（こ）えて、D・ルイス流の「哲学的多世界論」に類いする無用な思弁、もしくはSF的妄想の領域に嵌まり込んでしまっていると評さざるを得ない。

42　Schrödinger, E., "Die gegenwärtige Situation in der Quantenmechanik", *Naturwissenschaften*. Volume 23, Issue 48, 1935. pp. 807-812 ; 823-828 ; 844-849.

明するために案出した思考実験——一つの量子系を構成し、かつ互いに相反する二値の状態の孰れか（例えばスピンの「上向き」と「下向き」）をとる二粒子が反対方向に発出された場合、量子力学の主張を額面通り受け取れば、一方の粒子の状態を測定したその瞬間に、測定された「情報」が光速を越えて、つまり特殊相対性理論を破って他方に伝わる「不気味な遠隔作用」（spooky action at a distance）が生じてしまう——所謂「ＥＰＲ実験」が示したパラドックスであろう。[43]

だが、これらのパラドックスはどちらも、量子情報科学が新たな量子素子を開発するなかで、巨視的な多体量子系を実現したことで、解決はされないまでも、解消されてしまった。前者のパラドックスに関して言えば、それは微視系を量子系と同一視した上で、微視系と巨視系との境界をどこまで巨視系の側に拡げるかという問題を提起している。そしてこうした問題の枠組みにおいて「微視系 vs. 巨視系」「量子系 vs. 古典力学系」「主観 vs. 客観」「心 vs. 物（身）」といった諸対立軸が不用意に混同・同一視されてゆき要らぬ問題を派生させてきた。しかしながら、多体量子系の実現で微視系の「重ね合わせ→波束の収縮」が「客観 vs. 主観」という枠組において論じられた地平から、多体系の「コヒーレンス→デコヒーレンス」が系の〈内部／外部〉という、主観性が関与しない非人称的な枠組みにおいて論じられる地平へと問題の焦点がシフトしつつある。

後者のパラドックスについても、「物理的実在論」のバイアスが認識論的障碍となって量子系を単一粒子から構成された複合対と考えてしまう点に問題があるのであって、「切り離すことのできない」（entangled）複数の〈状態〉からなる巨視的な一つの量子系、と考えればそれは何のパラドックスも産まない。[44]

右の両つの〝パラドックス〟が量子情報科学において解消＝止揚されていることは、それらが孰れもユニバーサル量子ゲート回路に組み込まれることで、いまや技術的リソースと化している事実がはっきり示している。

4－4　量子情報科学と情報社会

4－4－1　量子力学・情報科学と社会システム論

さて、最後に残った問題は、量子情報科学が切り拓いた思想的地平が、情報社会にとって持つ意義の検覈（けんかく）である。まず、段取りとして量子力学と社会理論との関係を考えよう。

社会を論ずる者の性（さが）で、量子力学について聞き齧ると、それを何とか社会に適用してみたくなる誘惑に駆られる。だが、それは大きな罠である。量子力学的な原理――例えば「不確定性原理」や観測

43　Einstein, A., Podolsky, B. and Rosen, N., "Can Quantum-Mechanical Description of Physical Reality Be Considered Complete?", *Physical Review*, 47 (10), 1935. pp. 777-780.

44　量子系が示す「非局所的相関（エンタングルメント）」(entanglement) を「もつれ」と訳すのが慣わしになっているが、著者は本文で述べた事由によってこの訳語を採らない。量子系に認められるのは「遠隔的ペアにおける切り離すことの出来ない連動性」であって、「縺れ（もつれ）」などどこにもないからである。こうした訳語の採用にも端（はな）から「非局所相関」を「物的（モノ）世界像」の基準からパラドックスと決めてかかる先入見が認められる。

における「波束の収縮」——を一知半解の状態で安易に社会領域にまで拡張すると目も当てられない惨憺たる結果を招来することは、失敗例が赤裸に示している。失敗の原因は、量子力学を旧来の「モノ」の地平において、すなわち「物的世界像」の枠組みの中で捉え、「主観 vs. 客観」の問題次元に矮小化してしまうところに存する。

われわれの見るところ、量子力学的知見の社会理論への取り込み——そして、それは単なる思いつきやペダントリーとは無縁の、〈社会〉把握における旧西欧的（alteuropäisch）な羈絆を脱し、現代社会のパラダイムに見合う理論へと改鋳するという明確な意図によって裏打ちされている——に唯一成功しているのはN・ルーマンの社会システム論である。ルーマンの成功は、失敗例とは違って彼が量子力学を「主観 vs. 客観」の枠組みにおいてではなく、〈情報／意味〉の枠組みにおいて、すなわち情報科学が切り拓いた〈情報的世界観〉のパラダイムにおいて理解し得ている点に主たる要因を求めることができる。ルーマンの社会システム論は、量子力学と同時に情報科学のエッセンスをも取り込んで成立しているのである。その意味で、彼の社会システム論を、諸他の単なる「社会学」理論と等し並みに扱うと、見当違いの曲解が導かれてしまう。

例えば、ルーマン社会システム論の重要なテクニカルタームの一つに「Operation」がある。社会学畑では、この術語は「作動」と訳されるのが慣しになっている。だが、これは厳密に言えば誤訳である。なぜなら、彼の術語系には、物理学者H・フォン・フェルスター由来の「Eigenwert」（固有値）もあり、量子力学を少しでも学んだことがある者なら誰でもピンとくるように、「Operation」も「Eigenwert」も「複素ヒルベルト空間」（Der komplexe Hilbertraum）を間違いなく予想しているからである。

したがって当然「Operation」は「作用」ないし「演算」と訳されなくてはならない。
単に訳語や語用の話をしているのではない。事は社会システム論のトータルな理論構制に係わる。ルーマンの社会システム論は、「複素ヒルベルト空間」をモデルに立てられた〈状態〉〝空間〟＝〝情報源〟からの特定〈状態〉の確率的「選択」という〈演算〉の連鎖として〈コミュニケーション〉を定義した上で、〈社会〉(Gesellschaft) をその〈コミュニケーション〉連鎖の総体（＝「時間発展」）として捉え返す理論である。このとき〈社会〉は確定的な定在としてではなく、「不確定性」(Wahrscheinlichkeit) に纏われた構成体として立ち現れてくる。

更に重要なことは、〈構成〉(Konstruktion) を「(共同) 主観」による「客観」の〈構成〉ではなく、「情報」からの「意味」〈生成〉として捉えることで、〈構成〉の能作から「主観性」が完全に除去されることである。したがって、社会システム論における〈構成〉は人称的な「行為」(Handlung) ではなく、非人称的な〈演算＝作用〉によって担われる。社会システム論において描き出される〈社会〉の非人称的な基本性格はここに由来する。従来の社会理論において、社会の構成要素として措定される〈人格〉(Person) は、社会システム論にあっては〈コミュニケーション〉連鎖のノードないし結節点、すなわち〝素子〟に当たる。

一方〈固有値〉の概念をルーマンは、システムの機能的分化 (funktionale Ausdifferenzierung) ——社会システム総体からの「法システム」「経済システム」「学問システム」といったサブシステムの分出——のメカニズム記述のコンテクストにおいて導入するが、これもまた量子力学における、〝空間〟内の総ての〈状態〉ベクトルが、そこへの射影として出力されるような、直交する座標基底（＝固有ベクトル）の、〈演算＝作用（オペラツィオーン）〉の連続による浮上、の事態とパラレルである。ここでもまた、分出は非人称的な〈演算＝作用（オペラツィオーン）〉の次元で生じる。

4−4−2　社会システム論と量子情報科学

　ルーマンの社会システム論において〈コミュニケーション〉の連鎖的接続や〈固有値（アイゲンヴェーアト）〉による機能的分化システムの分出が、主観性を排除した非人称的な〈演算＝作用（オペラツィオーン）〉であることは、ちょうど量子力学において「重ね合わせ→波束の収縮」を「主観による観測」の結果として把握した問題次元が、量子情報科学において、「コヒーレンス→デコヒーレンス」という、「主観」性無関与の、対象の側における複数の系間での相互作用という問題次元へとシフトした事態と見合っている。右の見立ては、後知恵が過ぎており、ルーマンの買い被りではないか、という揶揄も聞こえてきそうだが、量子情報科学が到達した思想的地平を、社会システム論は逸早く社会科学の分野において切り拓いてきた、というわれわれの認定は必ずしも牽強付会（こじつけ）には当たらないと思う。

　もちろん、ルーマンに対して贔屓（ひいき）の引き倒しの愚を犯す心算（つもり）はない。社会システム論と量子情報科学は、〈状態＝情報〉〝空間〟からの「意味」選択による世界〈構成〉、非人称的な〈演算＝作用（オペラツィオーン）〉の「時間発展」的連鎖、といったシェーマの採用において、その思想的地平を共有する一方で、無視できぬ相違も両者の間には認められる。それが、前節の最終小節（4−3−4）で示した「意味」「情報」「物質」という世界構成の三契機のうちの「物質」的契機の扱いの差である。

　すでに指摘したとおり、量子情報科学は、従来の情報科学の「情報」＝「形式」偏重の反省に立って、情報科学においては「情報＝形式」実現の手段・材料としてしか捉えられてこなかった「物質」を、それ無しには抑も（そもそも）「情報」がそれとして成立し得ない世界〈構成〉の不可欠な契機、すなわち〈質料（ヒュレー）〉として遇するに至っている。これに対して、社会システム論にあっては、いまだ「情報」契機の「物質」契機に対する優位が揺らいでいない。そのことは、先に触れた〈人格（パーソン）〉の、システムにおける地位——すなわち〈コミュニケーション〉の連鎖的接続という〈演算＝作用（オペラツィオーン）〉を担う単なる素材的〝素子〟——からも窺い知ることができる。

　この点に関する限り、社会システム論はいまだ、旧来の情報科学のパラダイムから抜け出せていない。われわれとしては、社会システム論を、情報社会の現在をトータルに把握する統合的理論として彫琢してゆくためにも、「物質」的契機の貶下が顕著に窺える、ルーマン的〈量子力学－情報科学〉段階を越え、量子情報科学の思想的地平に於いて、「物質」的契機を〈メディア〉として捉え返し、以って理論の中核をなす鍵鑰概念に据えることで、更なる社会システム論の理論的更新を進める必要があると考える次第である。

第五章　メタヴァースとヴァーチャル社会

5-0　はじめに――本章のメタヴァースに対するスタンス

「メタヴァース」の語がバズワード化したのは二〇二二年に入ってからのことだが、その引き鉄となったのは知っての通り、二〇二一年十月に発表された「Facebook」の「Meta」（正式には「Meta platforms」）への社名変更であった。この思い切った措置によって、同社の主力サーヴィスであるとともに、情報社会において新たに登場したSNSというコミュニケーション形態の代名詞ともなった「フェイスブック」は、「メタヴァース」という新プラットフォームの内部で展開されるサーヴィス群の一つに格下げされることとなった。そこで生じているのはSNSのメタヴァースへの下属である。

見過ごせないのは「メタヴァース」の語の流通と並行するかたちで「NFT」（Non-Fungible Token）および「Web3」といった暗号経済界隈のジャーゴンが持て囃され始め、「メタヴァース」とともにバズワード化するばかりでなく、「メタヴァース」の同類語・交換概念としてそれらが看做され始めている現象である。本章の課題には、こうした「メタヴァース」というSNS由来の概念と「NFT」「Web3」といった暗号経済圏絡みの概念の混淆現象の理論的腑分けと関係性の解明もまた含まれるが、孰れにせよ、右のような事情も手伝い、現在「メタヴァース」の語は玉虫色で多義的という域を越えて、融通無碍な意味内容（というより願望）を担わされるに至っている。

著者の個人的見解では、メタヴァースとは、「情報社会」の最新現象形態である〈ヴァーチャル社会〉の一位相に過ぎない。つまり、巷間喧伝されているが如き、「情報社会の一大画期」をなすパラダイム・チェインジングな概念などではない。著者は過去に、メタヴァースの思想的先蹤である「VR」や「SNS」、また「NFT」や「Web3」の技術的コアをなしているブロックチェーンについての見解を表明済みであるが、[2] 本章では情報社会における最新現象である「メタヴァース」の流行を情報社会の現状分析のための好機として捉え、VRやSNS、そしてブロックチェーンとの離接（とはいえ「離」よりは「接」の方に重心が置かれることになる筈だが）の確認を軸に、メタヴァース概念の情報社会——より厳密には、情報社会の最新形態であるヴァーチャル社会——における位置価を技術哲学的・社会哲学的なアングルから確定してゆきたい。

5－1 メタヴァース概念の内包スペクトラム

前節で言及したような事情もあり「メタヴァース」の定義については現在、諸説紛々というのが実

1 社名の通称であり「メタヴァース」を連想させる「Meta（メタ）」にあっては省略されがちな「platforms」の語に（それが複数形であることも含めて）窺われる、同社の長期的戦略や目論見こそがむしろ吟味検討さるべき案件であるように著者などには思える。

2 VRについては「VR革命とリアリティの〈展相〉」（『ヴァーチャル社会の〈哲学〉——ビットコイン・VR・ポストトゥルース』青土社、二〇一八年）、SNSについては、「SNSによるコミュニケーションの変容と社会システム論」（『情報社会の〈哲学〉——グーグル・ビッグデータ・人工知能』勁草書房、二〇一六年）また、ブロックチェーンについては「ビットコインの社会哲学」（『ヴァーチャル社会の〈哲学〉——ビットコイン・VR・ポストトゥルース』）の各論攷を参照。

情であって、一義的な確定など到底不可能な百家争鳴の状態にある。こうした事態そのことが、「ブロックチェーン」や「ディープラーニング」といった一義的定義が可能な技術的バズワードとは違って、「メタヴァース」が——「サイバースペース」や「シンギュラリティ」と同様——実体を欠いた、とまで言わぬにしても、多分に（それが、意図的なものではなく、推進当事者たちが当該概念に注ぐ熱い眼差しと期待の然らしめる所であったとしても）内実が水増しされ、派手に〝盛ら〟れたマーケッティング的バズワードの色彩が濃厚であることを物語っている。

本節では、爾後の議論の出発点を設定するためにも先ずは、メタヴァース概念が孕む多義性のスペクトラムを主題化したい。

さて、メタヴァースの概念が多義的だからと言って、全くのカオスが支配しているわけではない。もちろんそこには、明確に言語化されていないにしても当該概念の輪郭をそれなりに泛かび上がらせる指標が存在する。すなわち、メタヴァースの定義に際しては、以下に挙げる三つのメルクマールが枢要をなしている。（一）ＸＲ——現実の知覚風景を基礎としてそこに人工的情報を重ね描く「ＡＲ（オーグメンテッド・リアリティ）」(Augmented Reality)、知覚風景とは排他的な光景を人工的に創造する「ＶＲ（ヴァーチャル・リアリティ）」(Virtual Reality)、知覚風景と人工的情報を共に等価な素材とみなし、新たな現実を創設する「ＭＲ（ミックスト・リアリティ）」(Mixed Reality) の総称——をメタヴァースを構成する必須要素とみなすかどうか。すなわち、メタヴァースの本質を三次元性にのみ認め、そこから二次元性を排除するか否か。（二）ＸＲをメタヴァースに必須の構成要素とみなすとして、ではＡＲやＭＲが依拠する知覚世界の優位を許容するのか、それとも知覚世界と排他的な関係を構成するＶＲのみをメタヴァースを構成する技術と認めるのか。(三) メタヴァースが、NFTやWeb3の稼働原理であるブロックチェーンを包含するとみるかどうか。

以上三つのメルクマールは、決して著者の恣意的な選択ではなく、様々な論者のメタヴァース規定から抽出したものである。著者が参照した論者を具体的に挙げれば、起業家(アントレプレナー)の佐藤航陽[3]、加藤直人[4]、國光宏尚[5]、エンジニアの岡嶋裕史[6]、VTuberの「ねむ」[7]、投資家の伊藤穰一[8]の各氏である。[9]

第三者的に見て、前節で既に示唆したとおり、「メタヴァース」とは、(1) VR、(2) SNS、(3) 暗号経済(ブロックチェーン)という都合三つの系譜の輻輳点に成立をみた思想である。より精確な物言いをするなら、「メタヴァース」とは、VR、SNS、ブロックチェーンという既存技術それぞれの延長線が交叉するであろう将来の不定的時点に先取り的に構想され描き出されたインター

---

3 佐藤航陽『世界2.0 ——メタバースの歩き方と創り方』(幻冬舎、二〇二二年)。
4 加藤直人『メタバース——さよならアトムの時代』(集英社、二〇二二年)。
5 國光宏尚『メタバースとWeb3』(MdN、二〇二二年)。
6 岡嶋裕史『メタバースとは何か——ネット上の「もう一つの世界」』(光文社新書、二〇二二年)。
7 ヴァーチャル美少女ねむ『メタバース進化論——仮想現実の荒野に芽吹く「解放」と「創造」の新世界』(技術評論社、二〇二二年)。
8 伊藤穰一『テクノロジーが予測する未来—— Web3、メタバース、NFTで世界はこうなる』(SB新書、二〇二二年)。
9 海外の論者によるメタヴァース規定を考慮に入れることも考えたが、議論が煩雑になることと日本はメタヴァース先進国の一角を占めており、日本の論者だけで充分に多様性が担保できること、また読者が参照する際の便を考えて、考察の対象を日本の議論に限った。

ネット社会の包括的かつ希望的未来像（イメージ）である。

したがって、論者が既存テクノロジーの三つの系譜のうち孰れを有望、ないし情報社会にとって本質的とみるか、また、どの技術に実際にコミットしており、利害関係を有しているか、に応じて「メタヴァース」規定の内実は様々に岐（わか）れる。例えば、メタヴァースのコミュニケーション的要素を重く見るVTuberの「ねむ」氏は、「ＳＮＳ→メタヴァース」の系譜を強調し、他の二つの系譜についてはそれ程意に介さないのに対し、投資家の伊藤穰一氏はメタヴァースが非中央集権的な性格を持つべきことを説いたうえで、「ブロックチェーン→メタヴァース」の系譜を前面に押し出し、他の二系譜については添え物扱いする。右の二つの立場を両極として、他の論者は「ＶＲ→メタヴァース」を軸に据えた上で、他の二つの系譜を異なる重要度の比率で付加したり差し引いたりする。

一般的に言って、「ＳＮＳ→メタヴァース」論者はコミュニケーション重視、「ブロックチェーン→メタヴァース」論者は経済重視、「ＶＲ→メタヴァース」論者はテクノロジー重視の傾向がある。また、「ＳＮＳ→メタヴァース」論者と「ＶＲ→メタヴァース」論者が共にＸＲをメタヴァースの必須要素とみるのに対し、「ブロックチェーン→メタヴァース」論者は、これを必須の要素とは考えない。ＸＲをメタヴァースの要素に算入する場合でも、彼らはＶＲだけでなくＡＲやＭＲも要素として許容する。われわれは、これ以後、ＸＲの中でもＶＲのみをメタヴァースの構成要素として認める立場を〈強い（ストロング）メタヴァース〉（strong Metaverse）と、対してＡＲやＭＲをもメタヴァースの構成要件として認める、場合によってはＸＲそのものをメタヴァース構成にとっての不可欠の要素として必ずしも要求しない立場を〈弱い（ウィーク）メタヴァース〉（weak Metaverse）と呼ぶことにする。

更に言えば、〈強いメタヴァース〉陣営の内部においても、「VR→メタヴァース」論者が空間やオブジェクトの3D性に拘泥わるのに対し「SNS→メタヴァース」論者は2DオブジェクトをもVRに含める、というVRの解釈を巡る立場の相違が認められる。また、〈強いメタヴァース〉論者の中には、事実の問題としては兎も角、原理的な次元でメタヴァースとブロックチェーン（したがって、NFTやWeb3）の相互独立性を、つまりは両者の無関係を強力に主張する立場が存在することを付言しておく。

5-2　メタヴァースの三つの系譜

本節では、前節で指摘したメタヴァースの三つの系譜、復唱すれば、（1）「VR→メタヴァース」、（2）「SNS→メタヴァース」、（3）「ブロックチェーン→メタヴァース」という進展の理路を順次個別に分析に付した上で、それぞれの系譜が孕む含意を探りたい。こうした手続きを取ることで、さきに暫定的に掲げた「メタヴァース」規定の三つのメルクマールに、より実質的な内実を付与することができるはずである。然る後に、「メタヴァース」が現在および今後の情報社会において如何なる機能と位置価を有するのかを評価する、という段取りを踏みたい。

5-2-1　VRからメタヴァースへ

テクノロジーの水準で、或いは感官による知覚の水準で、メタヴァースを問題にしようとするとき、それは不可避的にＶＲ技術と結び付かざるを得ない。ここで読者の注意を喚起しておきたいのは、十九世紀の原初的なアナログＶＲ装置であるパノラマ館以来、ＶＲは恒に人工的装置なしに知覚される〈いま―ここ〉《ヒック・エト・ヌンク》（hic et nunc）における真正の《オーセンティック》（authentic）現実《リアリティ》とは異なる擬似的《クエイザイ》（quasi）〝現実《リアリティ》〟を人為的に創出し現前化させるエンタテインメント装置であり続けてきた、という事実である。エンタテインメント（娯楽）とは、ベンヤミンの規定を俟つまでもなく、代わり映えしない日常の苦役的労働《レイバー》（labour）からいっとき解放されて、非日常の空想世界に身を浸すことができる余暇《レイジャー》（leisure）時間における〈気散じ〉《アップレンクンク》（Ablenkung）のための社会的装置である。[10] その後、ＶＲ装置はパノラマ館から映画、更にゲーム機へとその形態を変じてきたが、エンタテインメントという社会的機能は一貫して維持された。ところが、二十一世紀に入ってＶＲ装置がインターネットと結び付くようになると、ＶＲの社会的機能が変容し始める。

　インターネットはその黎明期に〈サイバースペース〉を開拓するメディアとみなされた。〈サイバースペース〉の語は今では半ば死語となっているが、当時（二十世紀末―二十一世紀初頭）は、〝智民《ネティズン》〟（Netizen）が集う、性善説を地で行く仮想的コミュニティ、デジタル・ユートピアを指すものとして編み出された。でなければ、逆に、現実世界では禁じられた悪徳が大手を振って罷り通る百鬼夜行のディストピアとして表象された。いずれの場合でも〈サイバースペース〉は現実世界の謂わば〝反転像〟として社会的には機能した。ところが、世紀の変わり目に、インターネットがWeb 2.0に進化して、それまでの特権的〝智民〟の専有物の段階を脱して、インターネット人口が爆発的に増え、ネット上に様々なコンテンツが流通し始めると、インターネットは〈サイバースペース〉の機能を次第に失ってゆき、現実世界と融合し、それを補完する便利なツールと化してゆく。

二十一世紀に入ってVR装置がインターネット機能を取り込んだとき、VRに生じたことは往時のインターネットが担っていた〈サイバースペース〉という社会的機能の——二十一世紀的な変容を伴って、ではあるが——引き継ぎであった。この場合の社会的機能とは、繰り返せば、〈ユートピア創設〉機能である。VRユーザは、VR装置の〝門(ゲート)〟を潜(くぐ)って現実世界とは別の、異世界の〝住民〟となる。このときVRは、ゲームないしエンタテインメントの疆域(きょういき)を超えた、語の真の意味における「社会的」機能——すなわち、ユートピア的コミュニティの創設機能——を持つに至る。この「社会性」を帯びるに至ったVRこそが「メタヴァース」に他ならない。

では、草創期のインターネットから〈VR＝メタヴァース〉に引き継がれた際に、デジタル・ユートピアとしての〈サイバースペース〉が被った二十一世紀的変容の内実とは何か？

まず第一に、黎明期のインターネットにおいては、ネットワークの各ノードが専らテクストによって構成され、事後的にそれと認知される自然発生的な存在者であったのに対して、〈VR＝メタヴァース〉においては、各ノードが意識的に構成された〈アヴァター〉というかたちで軀体を備えるに至っていること。これは、ネットワークを織り成す、ないしネットワークの結節に当たる、謂わば〝点〟的な存在に過ぎなかったノードが、たんに有形的な擬似的〝身体〟を備えるに至ったというだけの話

10　Benjamin, W., Das Kunstwerk im Zeitalter seiner technischen Reproduzierbarkeit, 1935. 邦訳「複製技術時代の芸術作品」(筑摩書房など多数)。

には留まらない。それは同時に、人為的に構成された疑似〝身体〟にその操作者の〝魂〟が吹き込まれることを意味する。謂うところの〝魂〟を通じて操作者とアヴァターが繋がると同時に、この繋がりを利用して操作者はアヴァターによって表現される〈自己〉イメージを自らのコントロール下に置くことが出来る。つまり、ノードの軀体化とは、操作者の〈自己分裂化的自己統一〉の実現、あるいは、新たな〈自己〉の創出の事態に他ならない。

第二に、インターネット黎明期の〈サイバースペース〉は唯一つしか存在しない（なぜなら、ネットワークが唯一つ――*The* Internet ――だから）と信憑されていたのに対して、〈VR＝メタヴァース〉における〈サイバースペース〉は複数性と多様性を実現するものと了解されていること。このことは、個々の操作者に視点を据えるときには、〈自己〉像の複数化とそれに応じたコントロール・オペレーションの並行性を意味するし、第三者的な、ないし社会的な視座から見れば、〈サイバースペース〉が実現するユートピアの、操作者に応じた分裂と複数化を意味する。このとき操作者が蓋然的に――必然的・不可避的に、ではない――陥りがちなのは、〝真正の(オーセンティック)〟現実の相対化と現実世界における〈自己〉の〝仮初め(かりそ)〟視――「本当の俺は、こんなものではない！」――という思い做しである。[11] こうしてメタヴァースは操作者の〝魂〟を〈貫世界同定[12]〉（transworlds identifying）のための支点とするパラレルワールド創生装置となる。

以上の分析からは、〈VR＝メタヴァース〉が、複数の、全能感に満たされた〈自己像＝アヴァター〉たちが集う、やはり複数の〈場所＝コミュニティ〉であることがわかる。このとき〈強い(ストロング)メタヴァース〉論者がメタヴァースにVR技術を要請する理由、およびその際のVRの内実もまた判明する。

〈強いメタヴァース〉論者とは、メタヴァースにおいて理想郷（ユートピア）構築を志向する者たちであって、[13] VRとはその目的実現のための不可欠の手段に他ならない。何故VRが不可欠なのか？〈強いメタヴァース〉論者にとって、メタヴァースのリアリティは、知覚的世界のそれと匹敵するものでなければならない。そして、〝真正の〟知覚的世界に比肩し得るリアリティをメタヴァースに付与するためには、知覚世界からの〝ノイズ〟がメタヴァースに混入する事態を極力回避する必要がある。それには、知覚的世界を上回る、少なくともそれと同じ次元数（3D）を備えた人為的〝場所〟を構築しなければならない。すなわち、知覚世界を包摂（インクルード）ないし遮断（ブロック）／代替（トレード・オフ）できる3D性がメタヴァースにはどうしても必要になるのである。言い換えれば、〈強いメタヴァース〉論者が要請するVRにおける3D性とは、現実の知覚的世界に替わってアヴァターたちが集える〈場所性（エルトリヒカイト）〉（Örtlichkeit）、より厳密にはハイデッガーに所謂〈世界性（ヴェルトリヒカイト）〉（Weltlichkeit）のことであって、[14] 単なるオブジェクトの立体性（クーブス）（Kubus）や空間性（ロイムリヒカイト）（Räumlichkeit）のことではない。したがって、メタヴァースにはコミュナルな〈場所〉

11 後に見るとおり、実際にはこの思い做しは錯覚に過ぎない。
12 Kripke, S., *Identity and Necessity*, 1971. 八木沢敬・野家啓一訳『名指しと必然性――様相の形而上学と心身問題』（産業図書、一九八五年）。
13 一般人が「ディストピア」として表象する無法地帯や独裁空間もまた、アナーキストや独裁者たちにとっては〝ユートピア〟であることに注意。
14 Heidegger, M., *Sein und Zeit*, Dritte Kapitel : Die Weltlichkeit der Welt.

の3D性ないし〈世界性〉さえ担保されればよく、その内部に置かれる〈オブジェクト＝存在者（ダス・ザイエンデ）（das Seiende）〉についてはそれが（アヴァターの体軀も含めて）2Dであっても何の不都合も生じない。オブジェクトが2Dであるか3Dであるかは、〈VR＝メタヴァース〉にとっては非本質的な問題であり、差し当たりどうでもよい（グライヒギュルティヒ）（gleichgültig）。

対して、MRやARは〈強いメタヴァース〉論者のメタヴァースからは追放されなければならない。なぜならMRやARは、現実の知覚的世界とは排他的な関係（トレード・オフ）にあるはずの〈サイバースペース〉に再び知覚世界を引き込んでしまうからである。こうして〈VR↓メタヴァース〉の系譜は、メタヴァースを、それぞれが相互に対して閉じたユートピア的なヴァーチャル・コミューン群として構想することになる。

5―2―2　SNSからメタヴァースへ

次に「SNS↓メタヴァース」の流れを辿ろう。

VRとは最も一般的には、情報による環境構築技術のことであるが、何を構築の際のモデルとして立てるかに応じて、大きく二つのタイプが岐（わか）れる。一つは〈世界〉の内部空間を占める有体的な〈もの（ディング）（Ding）＝存在者（ダス・ザイエンデ）〉をモデルとして立てた上で、その質感の再現（フィデリティ）（fidelity）を追求する物理モデルであって、いま一つは、〈世界〉内部で生じる〈出来事（エアアイクニス）〉（Ereignis）としてのコミュニケーションをモデルとして立て、その持続に拘泥（こだ）わる社会モデルである。前小節で扱った〈VR＝メタヴァース〉の多くは物理モデルを採用し、本小節で論じることになる〈SNS＝メタヴァース〉の多くは社会モデルを採用する。というのも、そもそもＳＮＳ自体が、Web 2.0の普及後に一般化した、情報社会に特有の新たなコミュニケーション形態、時空の制約を超えた〈純粋コミュニケーション〉だからである。このＳＮＳの魁（さきがけ）をなし、他の何処よりもその普及に貢献してきたのがFacebookに他ならない。

尤も、ＳＮＳとＶＲを融合させることで、Facebookに先駆けてＳＮＳの延長線上にメタヴァースを構築したパイオニアはVRChat（ヴィアールチャット）であり、その普及に貢献してきたのはVRChat内に構築されたメタヴァースである「ワールド」（Worlds）に囚われることなく、またVRChatが提供するプラットフォームを意に介さずYouTubeやSHOWROOMといった複数のコミュニケーション・プラットフォームで縦横無尽の活躍をしているキズナアイや輝夜月（かぐやルナ）らのVTuber（ヴイチューバー）（ヴァーチャルYouTuber）や、VTuberとは一般には看做されていないが、動画系ＳＮＳでアヴァターとして活躍している霊夢や魔理沙など「ゆっくり実況」のキャラクターたちである。[15]

VTuberもまた〈ＶＲ＝メタヴァース〉におけるアヴァターの一種なのだが、後者においてはメタヴァースのリアリティが３Ｄモデリングによって構成された個々のアヴァター軀体の質感や存在感に置かれるのに対して、前者にあってメタヴァースのリアリティのコアをなしているのは飽く迄もVTuber間で持続的に紡ぎ出されるコミュニケーション連鎖である。したがって、コミュニケーショ

15　ＳＮＳとの融合を遂げた、このようなＶＲは二〇一七年頃本格化したが、著者は過去にそれを〈モノ〉としての緻密な再現性に拘泥わる物理的ＶＲと区別して、〈社会性ＶＲ〉として特徴付けておいた。前掲の拙稿「ＶＲ革命とリアリティの〈展相〉」を参照。

ン持続に影響を及ぼさない「VTuberの体軀が3Dか2Dか」といった問題や〝中の人〟（=操作者）の、名前や性別、パーソナリティといった特性は無視することができ、結果として〈SNS=メタヴァース〉におけるコミュニケーションは〝非人称的〟に進行する。こうした、抽象的かつ不可視のコミュニケーション連鎖にリアリティの源泉が求められる点に、〈VR=メタヴァース〉と比べた際の、すなわち物理モデルではない社会モデルとしての〈SNS=メタヴァース〉の際立った独自性が認められる。

にもかかわらず、Meta参入以前の〈SNS=メタヴァース〉は、現実の知覚的世界との排他的なトレード・オフを依然温存している点で、〈VR=メタヴァース〉との臍の緒がまだ切れていない。換言すれば、それはやはりいまだコミュニケーションの次元でユートピアを指向しているのである。だが、こうした状況は、SNSの草分けであるFacebookのメタヴァース参入によって現在大きく変わりつつある。

言うまでもなくFacebookの濫觴は、創立者M・ザッカーバーグの出身校であるハーヴァード大学の在学者もしくは卒業者の電子人名録であって、極めて排他的なクローズド・コミュニティを当初から形成していた。参加メンバーの母集団がハーヴァード大学関係者から全米の大学関係者へ、そして米国住民へ、更には英語圏の国民へと拡大されても、Facebookが生み出すコミュニティーの閉鎖的（クローズド）な性格は変わらなかった。二〇〇八年に同社が、従来のクローズド・コミュニティーからオープン・ソサイエティへの転換を期して、アカウント取得有資格者を非英語圏の国民にまで広げた後ですら、Facebookはその閉鎖的（クローズド）な性格を変えてはいない。身分証明書と国籍が大学の在学証明書や卒業証明書に代わって、メンバーの実世界における帰属先を担保する役割を果たすからである（因みに著者は、相当初期からの Facebook ユーザだが――但し、ヘヴィーユーザであったことは短期間といえどもない――、アカウント取得に際しては紹介者を求められた）。

ザッカーバーグが起業以来一貫して保持しているのは「実名主義こそがコミュニティの信頼性とセキュリティを担保する」という強い信念、というより一種のオブセッションである。鼻持ちならないエリート主義の表出とも受け取られかねない彼の信条は、しかし、Facebook の驚異的躍進の鍵を握る要因の一つでもある。匿名性を隠れ蓑にしてのリベンジポルノやヘイトスピーチといった炎上騒ぎが絶えないネット上での無法は、ユーザが実名を晒すことで実際に相当程度掣肘が見込める。ザッカーバーグの実名主義が、一方で大量の個人情報の蒐集と利用、およびプライヴァシー侵害の疑惑を招きながらも、他方で Facebook の信頼性を高めてきた事実は否めない。そして、ザッカーバーグが掲げる実名主義が、創業以来 Facebook の企業理念の一部を構成している以上、「Meta」への改名後、同社がその信条を簡単に引っ込めるとも思えない。[16]

Facebook 改め Meta は、二〇二二年に、新学年度に合わせて没入型テクノロジーの専門家養成を目

16　ザッカーバーグは、二〇〇九年にプライヴァシー問題に関連して「アイデンティティは一つしかなく、［…］二つのアイデンティティを持つことは不誠実だ」と述べている。Kirkpatrick, D., *The Facebook Effect*, Chap. 10. 滑川海彦・高橋信夫訳『フェイスブック　若き天才の野望』（日経BP、二〇一一年）。また同年の『ワイアード』のインタヴューでは「公開性と透明性」（openness and transparency）を彼は盛んに強調している（*Wired*, June 29, 2009）。

指す「メタヴァース・アカデミー」なる教育機関をフランスに設立予定であり、[17] このことからもザッカーバーグのVR技術に賭ける本気が窺える。だが、往時の〈サイバースペース〉の企図において頓挫したデジタル・ユートピア実現へ向けて、VRという新技術を引っ提げての捲土重来を目論む諸他の〈SNS＝メタヴァース〉陣営とMetaのメタヴァース構想とは同床異夢である可能性が高い。

既存〈SNS＝メタヴァース〉のユートピア主義や変身願望、すなわち、人格創造とパーソナリティ・コントロールの思想と、Metaが掲げる実名主義の原則とは真っ向から対立し相容れない。なぜなら、Metaにとっては、メタヴァースの根拠は、一に懸かって唯一のオーセンティックな現実、知覚的世界であって、メタヴァースの〝住人〟もまた、現実世界の戸籍所有者と一対一の対応関係になければならないからである。してみると、メタヴァースの「メタ」(μετα)とは、Meta＝Facebookにとっては、現実世界を「超える（メタ）」ことを何ら意味しておらず、現実世界の「後に（メタ）」謂わば〝建て増〟されるという意義を有するに留まる。それに伴って、メタヴァースの「ヴァース」(verse)が示唆する「全体性」もまた、Metaにとっては、あらゆる存在者を包摂する「宇宙（ユニヴァース）」や「世界（ユニヴァース）」という意味での存在論的な「包括者」ではなく、「社会（ソサイエティ）」という意味でのコミュニケーションの「総体」をしか意味しない。MetaのミッションはFacebookの時代以来一貫して、ネット上に〈コミュニケーション＝社会〉を構築することなのであって、この点についてはザッカーバーグに些かのブレもない。彼は究極の〝リア充〟環境の構築を目指しているのである。

こうして、Metaの参入によって、「SNS→メタヴァース」の系譜は、ユートピア指向的な傾向を払拭しつつ、メタヴァースを現実世界の補完物とすることで現実世界に従属させる方向へと収斂しつつあるように見える。そして、この傾向は、次小節において扱う「ブロックチェーン→メタヴァース」の流れにおいて一層明瞭となる。

5-2-3 ブロックチェーンからメタヴァースへ

最後の系譜は「ブロックチェーン→メタヴァース」であるが、この系譜には幾つかの論点が絡んでくるため小節を更に三つの項に割って議論を進める。

さて、ブロックチェーンが、メタヴァースと結び付けられつつ言挙げされるとき、屢々それが非中央集権的で分散的なネットワークである点が強調される。だが、現在の文脈において、われわれが問題にしたいのは、ブロックチェーンの非中央集権的な特性ではなく、それまで原則的には贈与経済やシェア・エコノミーの原理が支配的であったインターネット経済圏に、ブロックチェーンが資本の原理を持ち込むことを可能にしたという一点に尽きる。換言すれば、資本主義の導入さえ果たされればメカニズムが中央集権的であるか分散的であるかは二義的な問題に過ぎない。

5-2-3-1 創造行為の民主化と新たなビジネスモデル群

前小節で確認したとおり、Facebook は創業以来一貫して、そして Meta に改名後も相変わらず、閉鎖的なデジタル・コミュニティの構築とその拡大に努めてきたのであった。留意すべきは、現在、世

17 二〇二二年六月に開校済み。*AFP*, June 12, 2022. metaverse-academy.xyz を参照。

界大に拡がっているFacebookによる〈コミュニケーション＝社会〉もまた、それをいくらザッカーバーグが「〝オープン〟ソサイエティ」だと言い張ろうが、依然としてそれは「閉じた（クローズド）」社会であることである。〈VR＝メタヴァース〉やMeta参入以前の〈SNS＝メタヴァース〉の議論水準においては、現実世界を代替し（トレード・オフ）、現実世界を相対化して初めて「開かれた（オープン）」と称し得るのであって、「実名」と「一つのアイデンティティ」と「唯一の現実世界」に纏縛されたMeta＝Facebookのコミュニティは、〈強いメタヴァース〉論者の眼には、規模の大小に拘わらず「閉鎖的（クローズド）」としか映らない。

だが、実はFacebookに代表されるSNSはザッカーバーグが思いもしなかった、副次効果（サイドエフェクト）を惹き起こしてもいる。それが「創造行為（クリエイション）の民主化」である。[18]

SNSの登場以前は、「創造行為」は、作家や画家といった専門的な訓練を受けた一部の特権的個人や技能集団の寡占的な営みであった。対して一般大衆は専業的クリエイターが創造した作品を対価を払って消費するだけの受け身的で非創造的な集団でしかない。ところが、SNSの登場と普及によって事態は大きく変わる。

Facebook初め、Instagram、YouTubeなどで、一般ユーザたちが、自らの身の回りの出来事や趣味を、写真や動画に収録、簡易な編集を施した上でネット上にアップロードし始め、それが単なるトレンドを超えて、常態化するに至ったからである。これは、それまで特権的な少数者に独占されていた創造行為が——それが、如何に稚拙なものであろうとも——ネットユーザ一般に開放されたことを意味する。

問題はここからである。ユーザたちの創造行為を軸に組織されるインターネット上の経済圏では、ユーザらの組織が趣味的・同人的であるが故に、贈与的もしくは互酬的なシェア・エコノミーが原則とされてきた。そもそも、インターネット上で流通する創作物（コンテンツ）の多くは無形の〈情報体（インフォメーショナル・エンティティ）〉[19]（Informational Entity）であるが故に、商品として成立しにくい。そこで現実世界の商売人（トレーダー）たちは一計を案じて、創作物（コンテンツ）の売り買いに依ってではなく、創作のお膳立てやノウハウを提供する「プラットフォーム・ビジネス」[20]、ネット上の異なる志向を有する複数の同人的（つまり、営利的ではない）コミュニティをマッチングさせることで利益を得る所謂「両面市場」[21]（Two-Sided Market）、あるいはC2Cが一般的な両面市場のB2C版である「ギグ・エコノミー」（Gig Economy）といった同人的クリエイターの〝やりがい〟を〝搾取〟することで利益を得るネットビジネス・モデルをこの間編み出してきた。特に最後者の「ギグ・エコノミー」はリストラやFIRE（ファイアー）（Financial Independence, Retire Early）ブームに乗せられた早期退職者によって増加するフリーターを当て込む形で、ネットからオフ世界へとビジネスモデルが逆流を起こしているのが現状である。[22]

---

18 この論点については、拙稿「「モード」の終焉と記号の変容」（前掲『ヴァーチャル社会の〈哲学〉――ビットコイン・VR・ポストトゥルース』所収）も参照。

19 〈情報体〉概念の詳細については、註2に既出の拙稿「VR革命とリアリティの〈展相〉」を参照。

20 例えば、ヒナプロジェクトの「小説家になろう」、KADOKAWAの「カクヨム」、ピクシブと幻冬舎が共同運営する「pixiv 文芸」、DeNAとNTTドコモが共同出資する「エブリスタ」などの小説投稿サイトが、恰好の事例を提供している。

21 YouTubeやYahoo!オークション、eBay（イーベイ）、メルカリ、Creema（クリーマ）、Airbnb（エアビーアンドビー）などがこれに該当する。

22 最も典型的な事例としては、Uber Eats（ウーバーイーツ）とAmazonのラストワンマイルを担う個人宅配業務が挙げられる。

5-2-3-2　NFT――〈情報体〉とブロックチェーンによる〝唯一性〟の構成

以上のような「プラットフォーマー」という名の新たな〝資本家〟が主導するビジネスモデルに対抗する形で、今や無視できぬ層となった創造者たちに利益を還元できる新たな仕組みが必要との謳い文句と共に現在脚光を浴びているのがNFTである。

一言でいってNFTとは、機能的には、本来、無形で不可触かつ無際限に複製可能であるが故に、複製されればされるほどその価値が逓減せざるを得ない〈情報体〉に対して、工学的に〝唯一性〟を付与することで既存の有体物に準ずる価値を担保する仕組みである。そして、〈情報体〉に〝唯一性〟を付与するための工学的水準のテクノロジーがブロックチェーンに他ならない。NFTが採用するブロックチェーンは、暗号貨幣の発行と流通に最適化されたビットコインのそれではなく、次項で検討する分散型社会の基盤テクノロジーを目指して開発されたイーサリアム（Ethereum）ベースのブロックチェーンであるが、駆動原理はほとんど同じである。[23] ただ、ネットワークの各ノードが所有する台帳の中味が、ビットコインの場合には「ノード間における貨幣移動の全履歴」であるのに対し、NFTでは〈情報体〉にタグ付けされた「付番と持ち主変更の履歴」である点のみが異なる。

「持ち主の変更履歴」は措くとして、なぜ「付番」によって〈情報体〉の〝唯一性〟が構成可能なのか？　その事情は、例えば数量限定発売された高級ワインや「品川 00-01」ナンバーの自動車を思い泛かべると分かり易い。下戸である著者にとって、どんなに高級であろうがワインはワインであって、それに対しては悪酔いを引き起こす飲料という以外の価値付与はなされない。ところが、ソムリエ裸足のワイン通にとっては、流通量が限られる高級ワイン、例えば一九二三年もののロマネ・コンティは垂涎の対象であって、この場合「1923」と記されたロマネ・コンティのラベルは、稀少性の「徴（トークン）」として機能する。品川ナンバーの乗用車の場合も同様であって、単なる移動手段という以上の価値を自動車に認めない著者とは違い、所有している車をステータス・シンボルとみなす御仁たちにとっては「ナンバー」の記載内容はやはり稀少性の「証（トークン）」なのである。

右の事例から、NFTがBAYC（Bored Ape Yacht Club）に象徴されるデジタル・アートの分野で持て囃される理由が分かる。ファイン・アートの世界では、作品は一点物——版画やブロンズ像などのような複製が可能なアート作品でも高々数点——が原則である。ところがデジタル・アートは無際限な複製を許すが故に、マーケットが成立しない。作品に稀少性がないからである。そこでデジタル・アートを頒布した作品所有者のコピーのそれぞれに制作者が「付番」し、その付番リストをネットワークの全ノードで共有することで、事後的に作品の〝唯一性〟を構成する。そうすれば、その作品の稀少性を軸にして、当該作品の転売者や将来の購買者も含めたマーケットが成り立つ。

だが、NFTで構成されたこのような〝唯一性〟を、果たして芸術作品の、例えばベンヤミンの謂う、〈アウラ〉（Aura）を有する〈本物（オリギナール）〉（Original）のみが有する属性とされる〈唯一性（アインツィヒカイト）〉（Einzigkeit）と同一視できるか？

23 ブロックチェーンの概要については拙稿「ビットコインの社会哲学」（『ヴァーチャル社会の〈哲学〉——ビットコイン・VR・ポストトゥルース』）を参照。

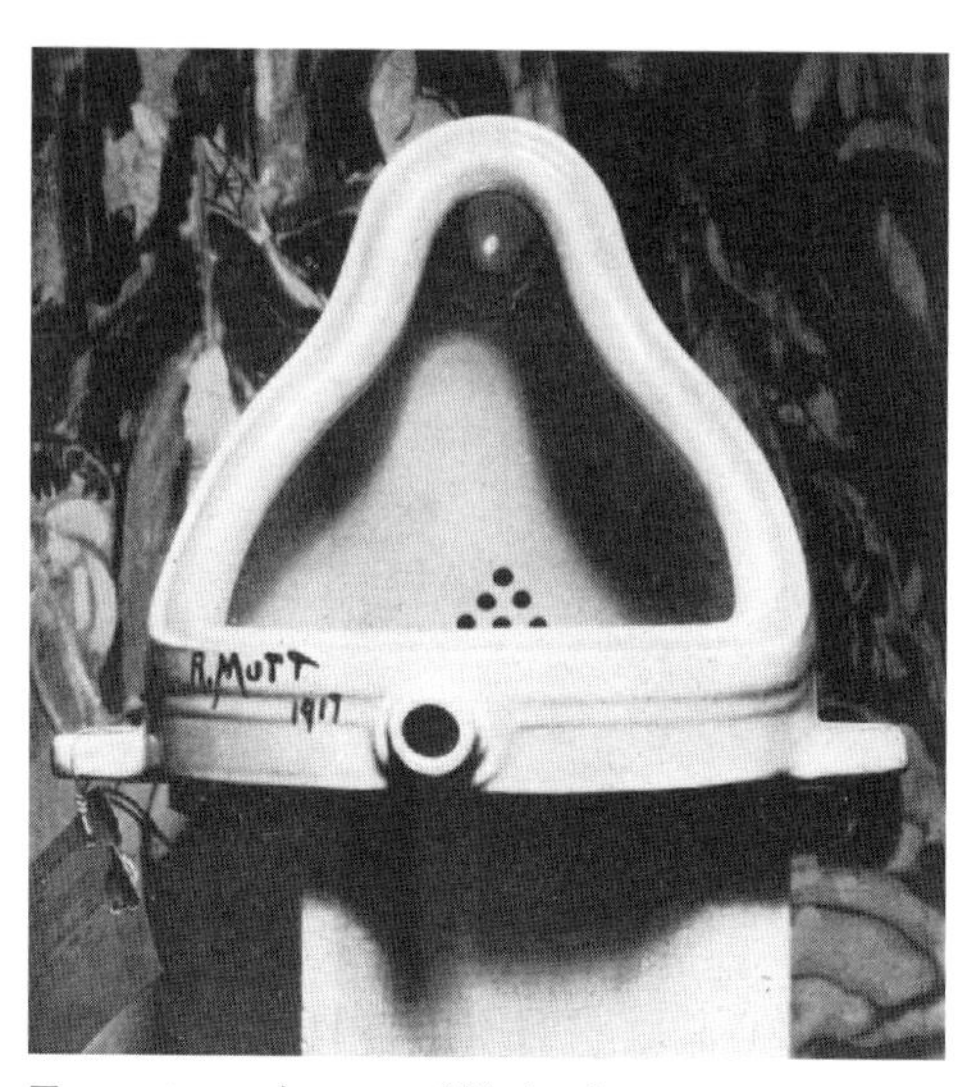

図　マルセル・デュシャン《泉》(1917)

ベンヤミンの〈アウラ〉概念に即して言うなら、NFTによって構成された〝唯一性〟は、多木浩二のベンヤミン解釈に沿うかたちでの〈アウラ〉の工学的再現である。多木は〈アウラ〉を共同幻想――すなわち、実際には存在しない価値の、信奉者集団による対象への共同的価値投射――とみなす。だが、ベンヤミンを原文に忠実に読む者には容易に分かるとおり、多木のこの解釈は端的にベンヤミンの誤読の産物である。ベンヤミンの〈アウラ〉とは、対象（＝芸術作品）への〈魂〉の付与と、それに伴う作品とその鑑賞者の間での〈霊的交歓（コミューニオン）〉（communion）＝コミュニケーション〉成立の事態である。それは、ボードレールの詩集『悪の華』中の一篇「万物呼応（コレスポンダーンス）」（correspondance）のベンヤミンによる換骨奪胎的な概念化であって、優れて個人的な体験が有する質である。したがって、その〈価値〉は集団に依る評価には寸毫も汚染されていない。[24]

NFTが構成する〝唯一性〟の理解に際しては、ベンヤミンよりは寧ろマルセル・デュシャンを参照する方が認識利得において優る。デュシャンは知っての通り、《泉》と題する伝説的な展示において、男性用小便器という大量生産品を作品として出品した。見過ごされてはならないことは、小便器に書かれた「R. MUTT 1917」という「サイン」である。なぜなら、この〝作品〟が展示された展覧会の場所性を別にすれば、この「トークン」によってのみ、さなくば単なる大量（＝複製）生産された日用品に過ぎない小便器がファイン・アートと化すのだからである。このとき、デュシャンは「署名」というファイン・アート界の黙契に従うことによって大量（＝複製）生産品に〝唯一性〟を付与したのである。このデュシャンによる「署名」行為がNFTにおける「付番」の機能的等価物であることは明白である。

だが、話はこれで終わらない。実はデュシャンによる「署名」行為は単なるジェスチャーもしくはパロディに過ぎない（なぜなら、「R. MUTT」とはデュシャンが捏造した架空の創作者だから）。つまり、デュシャンの「署名」行為による大量（＝複製）生産品のファイン・アート化という実践それ自体が、芸術作品が、「展覧」や「署名」、「受賞」や「転売」といった〈所有〉を軸に構成された資本主義的流通の枠組みの中で初めて成立するものに過ぎないという事実の戯画的再現によるパフォーマティヴな暴露行為であり、したがって、ファイン・アート界に対する挑発行為・愚弄行為なのである。だか

24 多木浩二『ベンヤミン「複製技術時代の芸術作品」精読』（岩波現代文庫、二〇〇〇年）。拙著『〈メディア〉の哲学――ルーマン社会システム論の射程と限界』「１・２ アウラと遊戯空間」（NTT出版、二〇〇六年）も参照のこと。

らこそ、展覧会主宰者はこの作品の展示を正当にも拒んだのであった。[25]
デュシャンが提起したこの主題系は後にJ・デリダによって取り上げられ、〈パレルゴン〉（Parergon）の概念を軸に、より精緻なかたちで展開されることになる。[26]

5－2－3－3　クリエイター・エコノミーとWeb3 の実像

われわれはデジタル・アートを大量生産された小便器に擬える意趣はないが、しかし他方で、オークションハウスのクリスティーズでBeeple（ビープル）を名乗るアーティストによるNFTデジタル・アセットが七十億円を超える値で落札されたり、Twitter 創業者であるジャック・ドーシーによる最初のツイートNFTが三億円で取り引きされたり、果ては、NFT化されたバンクシー作品の値を吊り上げるために本物の作品を毀損したり、といった報に接するとき首を傾げてしまうのは一人著者のみではあるまい。プラットフォームを支配する資本家主導ではなく、当事者である創作者（クリエイター）が主導権を握る「クリエイター・エコノミー」の創出と言えば聞こえはよいが、謂うところのクリエイター・エコノミーの実情はわれわれの心胆を寒からしめるものがある。

その実情とは〈サイバースペース〉における創作行為への資本主義原理の本格的導入と、それが惹き起こす創作における階層分化の事態である。例えば日本の創作シーンを覗いてみると、所謂「なろう系」ラノベや「異世界もの」マンガ、「転生系」アニメなど千篇一律に類型化された、とてもではないが「創造（クリエイション）」とは呼び難い〝作品〟のオンパレードである。この場合、本当のクリエイターは、個々の〝創作〟者ではなく、例えば、「小説投稿サイト」というビジネスモデルを思い付き、それを実行に移した、実はプラットフォーマーの方であって、彼らこそが「イノヴェーターという名のクリエイター」なのである。個々の〝創作〟者は〝やりがい〟を〝搾取〟されるだけの、イノヴェーターにとっての俗に言う〝養分〟に過ぎない。彼ら自称〝クリエイター〟が「クリエイター・エコノミー」における最底辺を占めることになるが、〝負け組〟である彼らの〝作品〟はNFTとは無縁である。

一方、現実世界においては最早販路の開拓・拡大を望み得ない既存のプロ・アーティストは、メタヴァースに活路を求める。話は簡単で、芸術〈業界〉の既存制度をメタヴァースに移植することで、デジタル・アートが商品として流通可能な仕組みを創ればよい。そして、その仕組みこそがNFTに他ならない。彼らは「クリエイター・エコノミー」の〝勝ち組〟であって、自らの作品に「付番」を施し、「限定発売」と称してファンに作品のコピーを頒布する。頒布数を制限するだけで作品の稀少性を創出・演出でき、また頒布者のネットワークがそのままクリエイターの経済圏となる。先に触れた高額での作品の落札騒動も、クリエイターのデモンストレーションや話題作りと考えれば合点がゆ

25 但し、同じく大量生産品をファイン・アート化したアンディ・ウォーホールの作品、例えば《キャンベルのスープ缶》(一九六二年)は、デュシャンのケースとはその意味が異なる。ウォーホールの場合には、芸術のコンテンツないしモチーフの次元における大衆化が問題になっているのに対して、デュシャンの場合に問題になっているのは、芸術を芸術たらしめている制度あるいは形式である。別の言葉で言えば、デュシャンの展示にはアートの商品化に対する辛辣な揶揄が覗くのに対し、ウォーホールの作品にはマクルーハンの主張と響き合うような一種の資本主義礼賛のメッセージすら窺える。

26 Derrida, J., 'Parergon', *La Vérité en peinture*, 1978. 高橋充昭・阿部宏慈訳『絵画における真理 上』(法政大学出版局、一九九七年)。

く。

このとき重要なことは、ＮＦＴが芸術〈体験〉を捨象した〝唯一性〟の工学的捏造によって成立するアートの〈純粋〉経済圏であることである。つまり、その価値とは飽く迄も量的な〝価値〟であって、体験の質的な「価値」ではない。これまでもアートは時にマネーロンダリングや投機の対象となってきたが、こうした本来アートの逸脱的な機能・効用であったはずの要素を、ＮＦＴは〈所有〉をアートのコアをなすものとして工学的に〝蒸留〟・〝純化〟することで再構成し、アートの中心に据えたわけである。このとき、アート作品は、作品の現在および将来の〈所有〉者をノードとするネットワークであるアートの経済圏を流通する〈トークン〉――Ｍ・セール＝Ｂ・ラトゥールの所謂〈準－客体〉（クアズィ・オブジェ）[27]（Quasi-Objets）――と化す。こうしたものは最早「作品」というより「資産」であろう。

右のような議論に対しては、「クリエイターの創作活動へのインセンティヴを担保する仕組みを創ることが、次なる創作へのクリエイターのモチベーションを齎すはずだ」と反論する向きもあろう。だが、語るに落ちる、とはこのことであって、こうした言い草それ自体が、これまで無償の趣味の領域であった〈サイバースペース〉に、専らオフ世界で活動してきたプロ・アーティストが参入し、剰えオフ世界における資本の原理を移入することで〝収益化〟（マネタイズ）を図ることを正当化するロジックであることを自ら吐露するものに他ならない。

こうした次第で〈ブロックチェーン＝メタヴァース〉の系譜は、Facebook＝Metaが主導する〈ＳＮＳ＝メタヴァース〉の系譜においてすでに「唯一の現実社会」との紐帯がお膳立てされたメタヴァースに、オフ世界の経済原理を注ぎ込むことになるが、そのためにまず送り込まれる〝尖兵〟がアート・オブジェクトに他ならない。おそらくは今後、メタヴァース上のアヴァターを飾り立てるファッションやアクセサリーといった意匠やメタヴァース上の〝土地〟との触れ込みで売りに出されるヴァーチャル空間の断片、などのデジタル財がNFTによって陸続と「商品」としてメタヴァース内に増殖してゆくことになろう。そのときメタヴァースは、マルクスが謂う「商品の膨大な集積」[28]（eine ungeheure Wahrensammlung）として立ち現れて来ざるを得ず、「唯一の現実社会」と地続きの、資本の新たな〈フロンティア＝草刈り場〉へと転化せざるを得ない。

こうした〈ブロックチェーン＝メタヴァース〉はまた、他の流れを汲むメタヴァースとは異なり、VRをその必須の構成要素とはしない。なぜなら、それは最初から「唯一の現実」「唯一の社会」との連繫を見込んでおり、そうである以上は、本質的に現実や実社会との排他関係を構成するためのテクノロジーとしてのVRは、資本の論理を〈サイバースペース〉に導入することをミッションとする〈ブロックチェーン＝メタヴァース〉にとっては些末な、寧ろ無くもがなの技術でしかないからである。その意味で〈ブロックチェーン＝メタヴァース〉は、現実世界とメタヴァースとの連続性を担保するARやMRと親和性の高い〈弱いメタヴァース〉として特徴付け得る。かくしてメタヴァースは、デジタルな彼岸世界に新手のユートピア構築を目指したものの結局は「唯一の社会」に組み込まれる

27　Serres, M., *Éclaircissements : Entretiens avec Bruno Latour*, 1992. 梶尾吉郎・竹中のぞみ訳『解明　M・セールの世界――B・ラトゥールとの対話』（法政大学出版局、一九九六年）。

28　Marx, K., *Das Kapital*（1867）. Erstes Buch, Der Produktionsprozeß des Kapitals. Erster Abschnitt : Ware und Geld, ERSTES KAPITEL : Die Ware.

ことを余儀なくされた黎明期インターネットが辿ったのと同じコースを現在歩みつつある。

尤も、ＮＦＴのコア・テクノロジーであるイーサリアムは、ビットコインがブロックチェーンを暗号通貨の流通・発行のためのテクノロジーとして暗号通貨の下位に位置づけるのとは違い、逆に暗号通貨をブロックチェーンの派生物として扱い、ブロックチェーンを前面に押し出す、一つの運動(ムーヴメント)の側面を有する。分散型金融(ディーファイ)（Decentralized Finance, DeFi）や分散型自律組織(ダオ)（Decentralized Autonomous Organization, DAO）にみられる如く、それは既存の中央集権的な機構をWeb上で、インターネットと親和的な分散的な仕組みを駆使しつつ、解体的に再構成してゆく中で、Web全体の非中央集権的な体制構築へ向けてのパラダイム革新を意味する〈Web3〉を標榜する野心的かつ理想主義的な企てである。だが、創造行為を経済行為に還元しようとするＮＦＴに象徴的に現れているとおり、Web3は最初からその内部に矛盾を抱え込んでいる。いくらWebが非中央集権的で分散的な原理によって編制されようとも、Webそのものが丸ごと中央集権が支配する現実世界に下属させられ、組み込まれてしまったのでは元も子もない。このとき、ブロックチェーンは現実世界と資本主義拡張のための単なる手段的テクノロジーに堕さざるを得ない。

Web3を本当の意味で成功させるためには、メタヴァースと共に現実の社会そのものを分散化的に再編制する必要がある。だが本来、社会の分散化的再編のプロジェクトであった筈のアナーキズムや共産主義(コミュニズム)がこれまで辿って来た歴史を振り返るとき、そうしたシナリオの実現は全く不可能とは言わぬにしても、そこに辿り着くまでには相当の困難と気が遠くなるほどの膨大な時間を要する、遠大な人類史的企図となることが予想される。

5-3 〈メタヴァース〉とは何か?

以上の三つの系譜の含意の分析を踏まえた上で、本節では改めてメタヴァースの思想的意義を、社会哲学的・〈メディア〉論的な観点から尋ねることにする。本節もまた議論を二つの小節に割る。節の前半では、メタヴァースの存在論的な条件を探る。後半ではメタヴァースのわれわれなりの定式化を行う。

5-3-1 時間という根源的地平――コミュニケーションの連鎖と現存在(ダーザイン)の被投性(ゲヴォルフェンハイト)

「メタヴァース」という言葉の発祥はN・スティーヴンスンのジュブナイルSF『スノウ・クラッシュ』(一九九二年)であるとされる。既視感満載の、さして面白くないこの小説における「メタヴァース」の内実は、サイバーパンクSFの走りであるW・ギブスンの古典的な『ニューロマンサー』(一九八四年)における「マトリックス」や「データスケープ」、近年ではS・スピルバーグ監督の大ヒットした映画『レディ・プレイヤー1』(二〇一八年)における「オアシス」のそれと同工異曲である。すなわち、それらは孰れも可視化・可触化された往時の〈サイバースペース〉以外の何ものでもない。だが、こうしたメタヴァースSFにおけるプロットや道具立ての同型性と、そうしたプロットが現在再び脚光を浴びている現象については一考の価値がある。

これらの作品に共通して見られるのは、現実社会の〈規範=羈絆〉からの逸脱・解放というモチーフである。そして、こうしたモチーフは、読者の側での、或る種の厭世観と別世界での〝生き直し〟、あるいは並行世界（パラレルワールド）における生の多元化、すなわち〝生きづらさ〟に包囲された現行の生の否定とその〝リセット〟への願望と噛み合っている。読者のこうした欲望を掬い上げて作品化したからこそ、これらメタヴァースSFはヒットしたとも言える。メタヴァースSFにおける如上のメタヴァース観がダイレクトに前節5－2－1で検討した〈VR＝メタヴァース〉と接続していることは誰の眼にも明らかであろう。多少の諧謔を交えて言えば、〈VR＝メタヴァース〉論者および初期の〈SNS＝メタヴァース〉論者の〈強いメタヴァース〉とは、謂わば〝引き籠もり（ナード）〟（nerd）のメタヴァースなのである。

対して、前節5－2－2以下で主題化したMetaの〈SNS＝メタヴァース〉および〈ブロックチェーン＝メタヴァース〉論者の〈弱いメタヴァース〉は、謂わば〝リア充〟のメタヴァースである。それは資本の運動の、ヴァーチャル世界という〝新大陸〟への拡張であって、その新天地を現実社会へと経済的に統合する企て、弱肉強食的新自由主義の屈託無き全面肯定に他ならない。

このように、メタヴァース解釈における互いに相容れぬ、そのユートピア的（ないし無法地帯としてのディストピア的）彼岸化の企図と、新自由主義的な此岸化の企図が、メタヴァースのヴァーチャルな〝領土〟の縄張りと主導権を巡って角逐を繰り広げているというのが、メタヴァースの現状である。だが著者の見立てでは、メタヴァースを完全に彼岸化する解釈とそれに沿った実践も、またそれを全く此岸化する試みと解釈も一面性を免れない。

まず、確認しておきたいのは、メタヴァースは〈強いメタヴァース〉論者が主張するが如き、現実世界と同じ身分においてそれと並立するもう一つの現実――様相実在論に所謂「多元宇宙（マルチヴァース）」（Multiverse)――などでは断じてないことである。VR技術が創出するメタヴァースにあっては、〈貫世界同定〉の支点である〈アヴァター〉の〝魂〟はその儘に、閉域空間としての複数の〈場所＝コミュニティ〉を次々と切り替えることが可能なために、宛も現実世界をその一つに含んだ様々なメタヴァースが相互に並立しているかの如き想念に捕らわれ易いが、先に触れたとおりこれは単なる錯覚に過ぎない。なぜなら、メタヴァースのリアリティを担保しているコミュニケーションの連鎖的接続はメタヴァースの変更を通じて恒に同一かつ唯一だからである。

　このことは、社会に視座を据えつつルーマン流に言い直せば、〈コミュニケーション〉という〈出来事（エアアイクニス）〉(Ereignis)連鎖の総体である社会は、唯一の〈世界社会（ヴェルトゲゼルシャフト）〉(Weltgesellschaft)のみが存在するということであり、〈アヴァター〉の観点からハイデッガーとともに言うなら、〈現存在（ダーザイン）〉(Dasein)としての人間は、根源的な地平である〈時間性（ツァイトリヒカイト）〉(Zeitlichkeit)をその棲（す）み処（か）としており、時間性の地平に〈被投（ゲヴォルフェン）〉(geworfen)されているということである。すなわち、〈場所〉は変更可能であっても、〈時間性〉はその被投性（ゲヴォルフェンハイト）のためにメタヴァースによっても変更不可能なのである。

5―3―2　メタヴァースの〈潜在的（ヴァーチャル）＝素材的（メディアル）〉性格

　では、メタヴァースは〈ブロックチェーン＝メタヴァース〉論者が主張するように、唯一の現実社会に完全に吸収されてしまうのか、と言えばそれも短見である。慥かに、メタヴァースはこれまで論じてきたように、唯一の〈世界社会〉もしくは〈根源的時間性〉の軛を断ち切って、何処かの異次元に突如として〝ワープ〟した先にあるものではない。偶さか、そのようにメタヴァースが表象され構築されたとしても、そのメタヴァースもまた結局の所、被投的な〈根源的時間性〉の地平、コミュニケーション連鎖の地平から脱することは出来ない。そこから抜け出せたという思い做しは、御釈迦様の掌（たなごころ）の中に遊ぶ孫悟空と選ぶところはない。なぜなら、〈貫世界同定〉の支点である〝魂〟はどこまでも〈根源的時間性〉に繋がれているからである。

とすれば一体メタヴァースは、コミュニケーションの連鎖的接続である唯一の〈世界社会〉、そして〈根源的時間性〉の地平に、如何にして位置付け得るのか？

唯一の〈世界社会〉における場所あるいはコミュニティの——組織の、ではない点に注意せよ！——〈潜在性（ヴァーチャリティ）〉（Virtuality）として、である。

重要なことなので繰り返すが、メタヴァースにおける「ヴァース」とは「宇宙（ユニヴァース）」でも「世界（ユニヴァース）」でもない。〈社会（ゲゼルシャフト）〉（Gesellschaft）である。何故ならメタヴァースの実質がＳＮＳを基礎としている以上、コミュニケーションの連鎖として以外には、それは存立し得ないからである。また、その〈社会〉は唯一の——すなわち複数性を許さぬ——〈世界社会〉である。何故なら、〈世界社会〉の実質であるコミュニケーション連鎖は、被投的かつ根源的な——したがって変更不可能な——〈時間性〉の地平における〈出来事〉の連鎖に他ならないからである。

メタヴァースとは、唯一存在する〈世界社会〉の多様化的変容であって——断じて〈世界社会〉そのものの複数化ではない——、われわれは〈世界社会〉のこの多様化的変容を、その〈潜在化（ヴァーチャル）＝素材化（メディア）〉と呼びたい。ＳＮＳによって、既に〈社会〉の実質をなす〈コミュニケーション〉の〈潜在化（ヴァーチャル）＝素材化（メディア）〉は為し遂げられていたが、ＳＮＳが可能にした新たな種類の〈コミュニケーション〉が、テクストベースないし高々二次元の画像・動画ベースであるために、〈潜在化（ヴァーチャル）＝素材化（メディア）〉の範囲は、〈コミュニケーション〉の抽象的な連鎖の水準に留まっており、〈コミュニケーション〉によって組織される〝場所〟と〝コミュニティ〟には及んでいなかった。だが、VR技術の進化によって、三次元的存立体の人為的構成による「場所」と「コミュニティ」の〈潜在化（ヴァーチャル）＝素材化（メディア）〉が今や可能となった。この〈潜在化（ヴァーチャル）＝素材化（メディア）〉された可能的資源としての〈場所〉および〈コミュニティ〉こそが、われわれの立場から捉え返した〈メタヴァース〉である。[29]

さて、しかし、謂うところの〈場所〉と〈コミュニティ〉の〈潜在化（ヴァーチャル）＝素材化（メディア）〉は、如何なる機制によって、〈コミュニケーション〉連鎖である唯一の〈世界社会〉の内部で生じ得、またそこに組み込まれ得るのか？

N・ルーマンは〈コミュニケーション〉連鎖における――テーマの質的相違（これは〈機能的分化〉）ではなく――形態的相違に、〈相互行為（インタアクツィオーン）〉（Interaktion）と〈組織（オルガニザツィオーン）〉（Organization）とを区別する。前者は〈コミュニケーション〉のノードが変更されたり消えたりすれば、それとともに消滅する〈コミュニケーション〉の〝属人的〟で遷移的（トランズィエント）な（transient）持続編制であって、他方、後者は〈コミュニケーション〉のノードが脱人格化された〈役割〉であるような、したがってノードの変更や消失に拘わらず存立が維持されるような、相対的に安定的なネットワークを構成する持続編制である。

29　この可能的資源としての〈場所〉・〈コミュニティ〉が単なる経済圏に縮減されるとき、それはNFTのような〈物象化〉された相に――すなわち疑似〝物財〟の所有と転売の〝コミュニティ〟――へと矮小化されることになる。

〈メタヴァース〉は、このうち〈相互行為〉という〈コミュニケーション〉連鎖編制における、ヴァーチャル空間への拡張と、その多様化的変容として捉え返すことが出来る。その機制をみよう。

E・ゴフマンは、ルーマンの社会システム論とは独立に、相互行為をコミュニケーション連鎖による自然発生的なシステム・オペレーションとして捉える立場を打ち出し、その自己組織化メカニズムを巨細に亘って記述し解明した。その作業の過程で彼は〈フレーム〉(frame) の概念装置を編み出し、フレームの多様性とそれらの間での相互遷移——この遷移オペレーションをゴフマンは〈転調(キーイング)〉(Keying) と称する——を駆使しつつ、現実におけるリアリティの多様性（例えば「演技」「夢」「うそ」……）とリアリティの変容的交替の機制を説明した。[30] われわれの主張は、メタヴァースとは、〈コミュニケーション〉連鎖におけるこうした〈フレーム〉交替、すなわちゴフマンの謂う〈転調(キーイング)〉機制のVR空間への拡張である、とするものである。この際留意すべきは、〈転調〉の前後でコミュニケーション連鎖が途切れていないこと、すなわち〈フレーム〉交替は飽く迄も内世界的な〈出来事(エアアイクニス)〉、単一の〈世界〉の変容であって、したがってわれわれが堅持する唯一の〈世界社会〉という前提は寸毫も毀損されないという点である。

5－4 〈メタヴァース〉の可能性と限界

拡張され、多様化された〝場所〟と〝コミュニティ〟としての〈メタヴァース〉は、同時に〈コミュニケーション〉の更なる拡張でもある。VTuber である「ねむ」氏がその著書で報告している

〈幻感覚〉(phantom sense)の現象は、その点で極めて興味深い。[31]〈幻感覚〉は、VR空間におけるアヴァターの身体とその〝魂〟の実世界における身体との同期現象である。アヴァターの身体には視覚以外の感覚器官は特に実装されていないにもかかわらず、他のアヴァター身体の接触情報や環境からの視聴覚情報によって、実世界における身体が触覚を実際に覚知することが頻繁に起こるという。これは、非言語的な身体コミュニケーションのヴァーチャル空間における実現であり、マクルーハンの用語系を踏襲すれば、身体のヴァーチャル空間への拡張の事態である。ここには、〈メタヴァース〉におけるコミュニケーションが孕む一つの可能性が暗示されている。

こうした〈メタヴァース〉に固有の注目すべき現象があるにも拘わらず、原則的に言って〈メタヴァース〉は、知覚世界における〝場所〟と〝コミュニティ〟の、デジタルなヴァーチャル空間への——もちろん多少の変更を伴いはするものの——模倣的再現であって、そうである以上、知覚世界の〈メタヴァース〉に対する優位は(巷説に反して)揺るがない。それどころか、〈メタヴァース〉上で展開されるNFTなどを見ていると、ハーバマスではないが、それは宛も〈メタヴァース〉上の〝生活世界〟の、知覚世界の資本原理による〝植民地化〟であるかのようにすら映じる。〈メタヴァース〉が語の真の意味で「革新」や「パラダイム変革」を標榜するに値し得ない所以である。

---

30 Goffman, E., *Frame Analysis : An Essay on the Organization of Experience*, 1974. 既出の拙稿「VR革命とリアリティの〈展相〉」も参照。

31 ヴァーチャル美少女ねむ『メタバース進化論』第7章。〈幻感覚〉はメルロ゠ポンティが『知覚の現象学』において分析した「幻肢」(phantom limb)現象のVR版ともみなせる。

われわれは5－2－3で〈ブロックチェーン＝メタヴァース〉の立場が掲げる主張を分析に掛けたが、実を言えば、両語の等置は本来カテゴリーミステイクに当たる。なぜなら、〈メタヴァース〉が、知覚世界における既存の構造や制度（場所・コミュニティ）をデジタルなヴァーチャル〝空間〟に移そうとする、謂わば――知覚世界を〝ボトム〟と看做すなら――〝ボトム・アップ〟の企図であるのに対し、〈ブロックチェーン〉は知覚世界にはそれまで存在しなかった（ないし、し得なかった）メカニズムをWeb上で案出し、それをヴァーチャル〝空間〟上で実装・稼働させる企図、否、それどころか、そのメカニズムが知覚世界における既存のメカニズムをリプレイスし、ヴァーチャル社会の機制が旧来の知覚世界のそれを包摂してゆくような謂わば〝トップ・ダウン〟の企図だからである。

暗号通貨などは、その顕著な事例であるが、ヴァーチャル社会の今後を占う上で注目に値するのは、〈ブロックチェーン〉による〈組織〉の更新と拡張であろう。〈ブロックチェーン〉を利用した新たな〈組織〉のかたちである〈分散型自律組織〉（DAO）は、経営学の草分けであるC・バーナードおよび彼を踏襲するN・ルーマンによる〈組織〉分類――すなわちコミュニケーション連鎖に明確な目的を有する人為的な〈公式組織〉（formal Organisation）と目的を有さない自然発生的な〈非公式組織〉[32]（informal Organisation）――に再考を迫るだけの可能性とインパクトを秘めている。

同じ〈ブロックチェーン〉というテクノロジーを使ってはいても、DAOとNFTはその機能において対極に位置する。詐欺紛いとまでは言うまいが、志においてみみっちさが目立つNFTにとって〈ブロックチェーン〉は資本主義的な商品流通を〝ヴァーチャル世界〟で実現するための手段に過ぎないのに対し、DAOにとってそれは、知覚世界をも含めた社会総体変革の主導的理念として機能している。

〈メタヴァース〉がWeb3のムーヴメントに棹差そうとするのであればＮＦＴとは早々に手を切った方がよかろう。

5-5　終わりに——ヴァーチャル社会における〈見えるもの〉と〈見えないもの〉

情報社会の最新段階であるヴァーチャル社会は、可視的なもののみが社会を構成しているのではなく、不可視なものもまた社会を構成する要素であること、すなわち〈見えるもの〉（le visible）＝知覚的現実と〈見えないもの〉（l'invisible）＝情報的構成物の双方が社会を構成する潜在的〈資源＝素材〉となっていることを誰の眼にも明らかにしつつある。[33] 社会が本来——つまりＶＲ技術が無い時代においても——知覚的現実とそのままは等置できず、知

32　Barnard, C., *The Functions of the Executive*, 1938. 山本安次郎ほか訳『経営者の役割』（ダイヤモンド社、一九六八年）。Luhmann, N., *Funktionen und Folgen formaler Organisation*, 1964. 沢谷豊ほか訳『公式組織の機能とその派生的問題』（上・下、新泉社、一九九二—六年）。

33　われわれはこの故を以って、実現の技術的難度の高さにも拘わらず、ＭＲ（Mixed Reality）を最も現行情報社会＝ヴァーチャル社会と親和性が高いＸＲのあり方であると考える。ＡＲ（Augmented Reality）は、〈情報体〉を知覚的現実への付加物とみなすが、ＭＲは〈情報体〉と知覚的現実を孰れも社会構成の〈素材〉とみなす構案を示しているからである。われわれとしては、〈メタヴァース〉もＭＲの高次形態をなす一ヴァリアントとして捉え返したい。われわれのＭＲ評価については、前掲拙稿「ＶＲ革命とリアリティの〈展相〉」を参照。

覚的世界〈以上（エトヴァス・メーア）、以外（エトヴァス・アンデレス）〉(etwas Mehr, etwas Anderes)の存立体であってきたことは、〈貨幣〉〈商品〉〈権力〉〈人格〉〈信頼〉等々を思い泛かべるだけで納得されよう。それらは、可視的物在に化体してはいるが、その本質において、マルクスによって「形而上学的なニュアンスと神学的な厄介さに満ちた」(voll metaphysischer Spitzfindigkeit und theologischer Mucken)と形容された如き、ヴァーチャルな存在性格を有する。[34]〈見えないもの〉が社会構成における不可欠な要素としてそこに編み込まれていることは、マルクス初め夙（つと）に先人が洞見していたところなのである。だが、近時の情報社会においては、〈見えないもの〉=潜在的（ヴァーチャル）存立体の社会におけるプレゼンスが、〈情報体〉の社会への膨満によって嘗て無いほどに高まっている。われわれが社会の現段階を〈ヴァーチャル社会〉として特徴付ける所以であるが、〈メタヴァース〉の流行は、情報構成体の〈潜在化（ヴァーチャル）=資源化（リソース）=素材化（メディア）〉が断片的個体を超えて〈場所〉と〈コミュニティ〉にまで及んでいることをわれわれに教えてくれる。だが、再度言うが〈時間〉だけはヴァーチャル化が不可能である。そして、〈時間〉がヴァーチャル化され得ない以上、この世界とは別の何処かにもう一つの世界が存在するなどという思い做しは単なる妄想でしかないのである。

34 Marx, K., *Das Kapital*, I. Band : Der Produktionprozeß des Kapitals, I. Ware und Geld, 4. Der Fetischcharakter der Ware und sein Geheimnis.

終章　生成ＡＩによる〈情報的世界観〉の開示

――社会の〈機械〉化と潜在性

6－0　はじめに――本章の課題

情報社会の現在の思想的〈地平〉を見定めるには、〈ネット－ワーク〉に固有のメディアテクノロジーの最前線が奈辺にあるかを確認する作業が不可欠である。著者がこの終章を執筆している現在（二〇二三年九月）、メディアテクノロジーにおけるトレンドの最右翼は間違いなく「生成ＡＩ」である。二〇二一年末にGAFAMの一角を占めるFacebookが、その社名を「Meta」に変更してまでトレンドの牽引役を買って出た「メタヴァース」――技術的により一般化してＸＲ――は目下一時期の勢いを失っており、[1]それに代わるかたちで「生成ＡＩ」が破竹の勢いで影響力を増しつつある、という現状の見立てが衆目の一致するところであろう。Meta（旧Facebook）までが、自社開発の生成ＡＩである「Code Llama（コード・ラマ）」を今年（二〇二三年）八月に無償公開に踏み切って新たなトレンドに乗り遅れまいとする姿勢を示した事実からも、その影響力が通り一遍のものではないことがわかる。

さて件の「生成ＡＩ」であるが、一般にはそれは二〇一〇年代中盤に「シンギュラリティ」（ないし「二〇四五年問題」）そして「ディープラーニング」という二つのキャッチワードとともにブレイクした第三次ＡＩブームの〝延長戦〟とみられている。すなわち、二〇一〇年代後半から二〇二〇年代初頭にかけて流行をみた「ロボット」や「メタヴァース」といった３Ｄや代替身体に係るテクノロジーが実際には現場での使用に耐えない時期尚早の所謂〝アドバルーン〟の類に過ぎなかったことが判明し、結局テクストベースのＡＩにトレンドが戻ってきた、しかも「ロボット」や「メタヴァース」といった浮ついた身体性テクノロジーがブームとなっている間も、ＡＩは地道な開発努力を重ねた結果、その精度と実用性を向上させ、二〇一〇年代にはまだ不定形であった「ディープラーニング」が具体的なサーヴィスの形を取るに至ったその成果物こそが「生成ＡＩ」に他ならない、というシナリオである。

著者としても表面的な事実問題としては、右のシナリオに敢えて異を唱えるつもりはない。だが、二〇〇〇年代から徐々に形を明確にしてきた〈ネットーワーク〉パラダイムとしての〈情報社会〉の推移を、その時々の〝露頭〟に現れた、そして瞬く間に主導的地位が交代するメディアテクノロジーに即して〈観察〉してきた身としては、一九八〇年代～九〇年代においてはＡＩといえば、記号計算主義の演繹的なトップダウンのそれをしか意味しなかったはずのものが、コネクショニズムと機械学習がＡＩの代名詞として通用するまでになった、現在のこうしたＡＩ観の様変わりに隔世の感を抱きつつも、事は件のシナリオで片が付くほど単純ではない、との半畳を入れたくもなる。

テクノロジーそのものの次元では「生成ＡＩ」が、「ディープラーニング」の発展形であることは間違いのない事実である。また「生成ＡＩ」に比べて、「ロボット」や「メタヴァース」が実用性において未熟な段階にあることも争えない。だが、思想史的な観点から見るとき、「生成ＡＩ」という

1　二〇二三年初夏にアップルが発表し二〇二四年中の発売が予定されている――おそらく本書が鉛槧に付される頃には一定量の製品が出廻っているであろう――ＡＲデヴァイス「Apple Vision Pro」の普及如何によっては、ＸＲブームの再来と復活が見込めないわけではないが、その場合でも、この間の「生成ＡＩ」ブームの容喙によってＸＲのゲシュタルト（テクノロジー生態系全体における位置付けおよびそれが帯びる意味）そのものが大きく変容すると著者はみる。

〝知能〟に係るテクノロジーが、「ロボット」や「メタヴァース」といった身体性に係るテクノロジーと比較され、剰え、その対比軸だけが過度に強調された挙句に「ＡＩ＝精神」vs.「ロボット・メタヴァース＝身体」といったデカルト的対立にまで嵩上げされてしまうとき、「生成ＡＩ」が〈情報社会〉において占めるはずの生態系的位置価までがミスリードされてしまいかねないことを著者としては危惧する。これでは、記号計算主義のＡＩパラダイムにおける「精神vs.身体」という二元論的構図――更に、その構図において後者を貶め前者を持ち上げる襲弊――を廃却したはずのコネクショニズムにおいて、またぞろ「精神vs.身体」の二元論が形を変えて復活する事態を黙認することになってしまう。またその不穏な兆候もすでに認められる。何のことはない、元の黙阿弥である。

著者の見立てでは、実のところ「生成ＡＩ」は、「ＡＩ」とは言いながら、寧ろその根幹部分に、〈ネット－ワーク〉パラダイムを技術面でGoogleが逸早く切り拓いてきた〈検索〉テクノロジーの〝種〟が宿されており、また、インターフェイスにおいてはＳＮＳの要素が、すなわち〈コミュニケーション〉の契機が組み込まれている。そして、使用するコーパスの大規模性においては〈ビッグデータ〉の特性をもそれは有する。更に、自働化という点では、ビットコインの技術的中核をなすブロックチェーンの発想（＝Web3）さえ、そこには看取可能である。つまり、「生成ＡＩ」とは、著者に謂わせれば、今世紀の〈ネット－ワーク〉パラダイムの成立以降、陸続と叢生してきたテクノロジー群とサーヴィス群の多くを組み込みながら成立した技術的枠組み（フレームワーク）に他ならない。現時点では、この枠組みの埒外にある「ロボット」や「メタヴァース」といった身体性テクノロジーも往く往くは「生成ＡＩ」に――その時、同じこの枠組みが「生成ＡＩ」の名で果たして呼ばれているか否かは別として――組み込まれるであろうことは容易に予想できる。

以上の意味において、「生成ＡＩ」とは〈ネットワーク〉パラダイムにおけるテクノロジー次元での成果の現時点での総決算であり、したがってそれは〈ネットワーク〉パラダイムを社会基盤とする〈情報社会〉の思想的地平をなす、〈情報的世界観〉考究のための格好の出発点を与えてくれている。本章は、この「生成ＡＩ」が覆蔵する〈情報的世界観〉の剔抉を第一のミッションとする。

本章は五節からなる。まず、「生成ＡＩ」のテクノロジー上の特性を哲学的なアングルから整理するなかで、「生成ＡＩ」の本質が〈社会〉性ＡＩである点に存することを泛かび上がらせる（6－1）。次に、〈社会〉性ＡＩとしての「生成ＡＩ」の機制をブロックチェーンないしWeb3との関係というアングルから解明し、「生成ＡＩ」が〈社会〉の〈機械〉化メカニズムであることを論ずる（6－2）。それを受けて、6－3では〈社会〉の〈機械〉化という発想を思想史的に辿る。続く6－4では、〈社会〉の〈機械〉化がもたらすと予想される、（1）労働の自働化と（2）創造行為の変質について考察する。最後に「生成ＡＩ」と〈情報的世界観〉との関係を改めて考え、今後の理論構築へ向けての橋頭堡を築く（6－5）。では始めよう。

6－1　生成ＡＩの社会的本質

先に、「生成ＡＩ」が「第三次ＡＩブーム」の「機械学習」と「ディープラーニング」の後続技術である旨述べたが、では、「生成ＡＩ」は「第三次ＡＩブーム」との連続性をしか認められないのかというと、そんなことはない。慥かに、ニューラル・ネットワークをベースにしつつ、ビッグデータによる機械学習を行うというテクノロジーの基本枠組みはブームを引き継いでいるが、そこには新たな要素が加わっている。以下では、「第三次ＡＩブーム」と比べて何が変わったのか、という観点から、「生成ＡＩ」の特色を三項目に纏める。

6-1-1 Webの自己言及的自己生成

「生成ＡＩ」ブームの魁をなした、GANやDALL-E2、Midjourneyそして Stable Defusion といった画像生成ＡＩにしても、Googleの開発になる初期のテクストベースの生成ＡＩテクノロジーで、後にOpen AIのGPTシリーズにも組み込まれることになるTransformerにしても、第三者的な視点から für uns に〈観察〉するとき、これらはいずれもWebを構成している既存のノードをなすデータ群からノード（データ）を新たに生成することでWeb（上の〈知〉）を拡張してゆくアルゴリズムであるとみなすことができる。

例えば、画像生成ＡＩの場合には、Web上に散在する膨大な量の画像データというビッグデータを資源としつつそこから何らかの手法——例えば、「敵対的生成ネットワーク」（Generative Adversarial Networks）やノイズを利用した「拡散モデル」（Diffusion Model）など——による解析と機械学習によってパターンが抽出され、更にそのパターンがWebに自己言及的に適用されることで他ノードとの整合性がとれた新たなノード（すなわち画像データ）が生成されるという按配である。また、テクストデータの場合も事情は同じで、Web上のテクストデータ群を膨大なコーパスとして、そのビッグデータから抽出したパターンを援用しつつ確率的な手法で——厳密には「自己注意」(Self-Attention)の手法によって——新たなテクストデータ(ノード)を生成する「大規模言語モデル」(LLM, Large Language Model)がテクノロジーの中核に据えられている。

この際重要なことは、AIという〝主体〟が——往時の記号計算主義的AIの場合にそうだったように——決して〝内面〟=〝精神〟を有したスタンド・アローンの離在的単独体として擬人化されてはならないことである。それは飽く迄も常に拡張し続けることでWeb全体に拡散的に〝存在〟する不可視のネット-ワーク的〝主体〟である、もっとはっきり言えば、それはWebそのものに他ならない、という点である。つまり「生成AI」とは〝知性〟を持つに至ったWebのことである。「生成AI」においては、AIを人間の視点からではなく、Webの視点から見ることが重要になってくる。

6-1-2 〈検索〉から〈コミュニケーション〉へ

著者は過去にGoogleの〈検索〉テクノロジーを特徴付けるにあたって、思想史的な文脈に当該技術を位置付けることでそれをWeb上に実現された〈電脳汎知〉として捉え返した経緯がある。[2] この伝で行けば、「生成AI」は、まさに〈電脳汎知〉の発展形であり、更に遡って言えば、ティム・バーナーズ=リーの〈セマンティック・ウェブ〉の末裔にあたる。したがって、「生成AI」は「A

2 拙稿「グーグルによる〈汎知〉の企図と哲学の終焉」、『現代思想』「特集:Googleの思想」(二〇一一年一月号)に所収。拙著『情報社会の〈哲学〉——グーグル・ビッグデータ・人工知能』(勁草書房、二〇一六年)に再録。

I」の系譜の他に、〈検索〉テクノロジーの系譜をも引いている。[3]「生成ＡＩ」が〈検索〉テクノロジーとしての〈電脳汎知〉と異なるのは、他でもないその「生成」的契機の強化、すなわちその自己言及的拡張性にある。そして、この新たな〈電脳汎知〉が「生成」メカニズムを実装することで更なる〈知〉の拡張を推し進めることを可能にしたのが、ＳＮＳ（およびBOT）によって普及した〈チャット〉（chat）というインターフェイスである。この点で現在話題沸騰中のChat GPT（General Pre-trained Transformer）が果たした役割は大きい。

Chat GPTが実装する〈チャット〉というインターフェイスが〈電脳汎知〉としての「生成ＡＩ」に対してもたらした効果は一通りのものではなく、その効能は重層的である。以下でその含意を四点に亘って掘り下げる。

「ＡＩ」という観点から見たとき、（1）〈チャット〉というインターフェイスの採用によって、それまでＡＩと人間とのインタラクションを敷居の高いものにしていた元凶であったコンピュータ言語が一掃、とはゆかぬまでも後景化され、自然言語が交渉の主役の地位に浮上してきた。つまり、これまでのＡＩにおいては、人間の方がコンピュータ言語を修得することでＡＩに歩み寄って行かなければならなかったその関係が逆転し、ＡＩの方が自然言語を介して人間に歩み寄って来るようになった。もちろん、自然言語を使用してはいても効果的な〈チャット〉連鎖を生成するにはＡＩから生産的回答を抽き出すためのプロトコルである〈プロンプト〉（Prompt）を人間が的確に組織しなければならず、その点ではＡＩに対する人間の側での〝忖度〟と〈プロンプト〉作成における伎倆の〝熟練〟が依然必要ではある。だが、ＡＩとのインタラクションに対する障壁は従前に比して格段に低くなったと同時に、人間とＡＩとの関係は心理的には、逆転が言い過ぎだとしても、少なくとも〝対等〟と称し得る程度には親近感が増した。

次に、（２）〈チャット〉や〈プロンプト〉というインターフェイスによって、人間が〈電脳汎知〉としての「生成ＡＩ」に大規模に組み込まれてゆく事態が出来する。コンピュータ言語がインターフェイスであった場合にはＡＩと交渉可能な人間は専門的経験をかなり積んだ少数のエンジニアに留まっていた。初期のGPTシリーズにおいても〈チャット〉や〈プロンプト〉というインターフェイスの未採用ゆえに「生成ＡＩ」は人間の介入がそれほど目立たず、第三者的に見てWebの自己言及的で無媒介的な自己拡張の様相を呈していた。だが、インターフェイスに〈チャット〉や〈プロンプト〉を採用したことで、ユーザ数が爆発的に――アクティヴユーザがほんの二ヶ月で一億人に達するほどの驚異的勢いで――伸びた結果、〈電脳汎知〉の拡大は加速度的に進捗した。〈電脳汎知〉は自己言及的プロセスに〈人間〉という媒介項を――〈チャット〉と〈プロンプト〉そして自然言語を梃子に――組み込むことでより自己拡張を高速化・効率化させたことになる。

また、（３）「生成ＡＩ」への〈人間〉の組み込みという事態をテクノロジーの次元から社会的次元に投影するとき、それは「Webによる〈社会〉の包含」という事態となる。これまでのWebと社会との関係は、前世紀末から今世紀初頭までは、社会の〈外部〉にWebが〝サイバースペース〟とし

3　現にChat GPTを開発したOpen AIに巨額の投資を行っているマイクロソフトの検索サイト「Bing」はChat GPTのテクノロジー・コアをなす「生成ＡＩ」であるGPTシリーズの最新版GPT４を組み込んでいる。

てユートピア的に（あるいはディストピア的に）疎外されたり、今世紀に入ってからはＳＮＳやデジタル貨幣の普及によってWebが実社会の交渉に役立つ謂わば「ツール」として社会への下属的地位に貶められたりしてきた。「生成ＡＩ」の登場によって漸くWebは〈社会〉の優位に立ったことになる。但し、この場合の〈社会〉とは物理的・生理的存在としての「人間」の代数和を意味してはおらず、〈コミュニケーション〉の連鎖的接続、ないし〈ネット－ワーク〉として実現されたコミュニケーション〈システム〉である点に留意されたい。〈社会〉が「人間」という有体的（ライプハフティッヒ）（leibhaftig）実体の集合としてではなく、〈コミュニケーション〉の連鎖という〈意味〉の次元で抽象化されるとき初めて、〈社会〉とWebとの融合は可能となる。その意味でも〈チャット〉（＝〈プロンプト〉）というインターフェイスないしプロトコルの採用はWebによる〈社会〉の併呑にとっての要諦をなす。

　最後に、これは前小節6－1－1の掉尾で述べたことの別のアングルからの再説となるが、（4）Googleに代表される〈検索〉というインターフェイスにあっては、〈電脳汎知〉に比して人間の側に――〈検索〉という能動的行為によって――主体性における優位がまだ認められた。ところが〈チャット〉というインターフェイスの採用によって人間における主体性の優位が取り消されはしないまでも、後退を余儀なくされる。つまり、主体性が〈電脳汎知〉にも分かち持たれるに至る――そして、この主体性（エージェンシー）の分有こそが新しい〈電脳汎知〉がまた「ＡＩ」でもある所以となる。こうした主体性（エージェンシー）の分有による拡散は、もはや主体性が「人間」や装置としての「ＡＩ」といった閉じた単独的〝実在〟の内部に想定されるものではなく、Webという〈ネット－ワーク〉にこそ付与さるべき属性であることの認定をわれわれに迫る。ここで生じていることは非人称的〈コミュニケーション〉の連鎖的接続というプロセスそのものの〝主体〟化である。ルーマンの言うように〈コミュニケーション〉の連鎖的接続がすなわち〈社会〉であるならば、「生成ＡＩ」とは〝主体〟化され、〝知性〟化された〈Web＝社会〉として、〈社会〉性ＡＩと呼ばれるに相応しい。

6－1－3　Web の倫理性と権力性

二〇二二年十一月に Meta 社が満を持して公開した生成ＡＩである Galactica が所謂「幻覚作用（ハルスィネイション）」(Hallucination)――ありもしない架空の存在や出来事をＡＩが捏造して回答すること――を起こして炎上し二日で公開中止に追い込まれた事件は生成ＡＩの危なかしさを世間に印象付けた。また、生成ＡＩ開発の先陣を切った Google の開発になる会話型ＡＩである Bard の公開に同社が及び腰なのも、検索における「アドワーズ」や「アドセンス」に匹敵するようなビジネスモデルが見つからないことの他に、ＡＩが良識を欠く回答を返すことに対する危惧が障礙になっていると取沙汰されている。こうしたＡＩの〝コミュニケーション不全〟現象は、機械学習段階におけるコーパスの偏りにその原因がある。偏りのあるデータを用いることによる所謂「過学習」(overfitting) によってＡＩに〝偏見〟が〝刷り込ま〟れてしまうのである。Chat GPT がこうした難点を何とかクリアして一般公開に踏み切ることができているのは、人間のフィードバックによる強化学習の成果である。つまり、人間がＡＩを〝手懐け〟〝仕込む〟ことでＡＩに〝良識（ボン・サンス）〟(bon sens) を授けるわけである。

だが、この〝成果〟には「生成ＡＩ」の〈社会〉性ＡＩとしての極めて剣呑な特性が端なくも露呈してもいる。ＡＩへの〝良識〟の付与は、好意的に解釈すれば、ＡＩの〝倫理性〟の実装とみなせるが、謂うところの〝倫理性〟とはエンジニアの――ないしエンジニアが選択したテスターの――倫理性の反映であって、そうである以上は当の〝倫理性〟それ自体に偏りが全くないと言い切ることはできない。また、コーパスの選択段階から意図的に恣意性を忍び込ませ、また故意に誘導的な強化学習を施した場合、謂うところの〝倫理性〟がＡＩを〝イデオロギー装置〟に転化させることは容易い。すでに統制的国家は「生成ＡＩ」の〝イデオロギー装置〟としての利用、すなわちＡＩによる人間の強化学習、という笑えない逆説を実行に移そうと目論んでいると聞く。

更に一歩踏み込んで言えば、「生成ＡＩ」は、その強化学習を行う層と「生成ＡＩ」を只々利用する層とに〈人間〉を分割する。新たなデジタル・デヴァイドの事態である。前者は情報社会の〝勝ち組〟となり、後者は〝負け組〟となる。その意味で「生成ＡＩ」は情報社会の〈権力〉生成装置でもまたある。この論点については後にまた別のアングルから立ち返って論ずるが、本小節で指摘したWebとしての「生成ＡＩ」が密かに備える〝倫理性〟と〝権力性〟とは、「生成ＡＩ」が〈社会〉性ＡＩであることとの必然的な効果であり、その意味で「生成ＡＩ」＝〈社会〉性ＡＩというわれわれの掲げたテーゼを反語的なかたちで立証してくれている。

6-2　生成ＡＩにおける〈人間〉の地位とWeb3

二〇一〇年代に勃興した第三次ＡＩブームの際に「ディープラーニング」とともにバズワードとなった「シンギュラリティ」ないし「二〇四五年問題」とは、西暦二〇四五年に〝進化〟したＡＩの

〝知能〟が遂に人間のそれを超える特異点を迎えるという予測（予言?）である。こうした言説は、ＡＩ推進派には過度の期待を抱かせ、またＡＩ批判派にはＡＩに対する必要以上の畏れを植え付けたが、こうした言説を「生成ＡＩ」についても未だに云為している手合いを見掛ける。ＡＩに関するこうした類いの言説は例外なく与太話と考えてよい。但し誤解してほしくないのだが、著者は〝能力〟においてではなく、或る種のタスク遂行においてＡＩが人間を超えることを否定しているわけではない。それどころか既に現時点においてＡＩが或る意味で人間を超えていることを著者は進んで認めさえする。ディープラーニング界の第一人者であり反「シンギュラリティ」の急先鋒でもあるＧ・ヒントンですらが「生成ＡＩ」が人間の地位を脅かす可能性についての危惧を表明しているのである。[4] 著者の主張の眼目は、既に別の機会に表明したとおり、[5] 件の説が所謂「擬似問題」(Pseudo-Problem) の類いであってカテゴリーミステイクの所産に過ぎないという事実の指摘にある。

　重要なことなので繰り返すが、装置としての「ＡＩ」といい〈人間〉といっても、それらはこれまでの記述が明らかにしたとおり〈ネット－ワーク〉の飽く迄も〈ノード〉であって、〈ネット－ワーク〉を離れてそれらが単独に存在できるわけではない。「シンギュラリティ」という言説は、装置として表象された「ＡＩ」と物理・生理的存在として表象された「人間」とを両つながら〈ネット－

4　The Godfather of A.I. Has Some Regrets: Geoffrey Hinton, who helped invent the technology behind ChatGPT, is worried we are racing toward danger. *New York Times*, May 30, 2023.

5　前掲拙著『情報社会の〈哲学〉——グーグル・ビッグデータ・人工知能』第四章「人工知能とロボットの新次元」。

ワーク〉から切り離した上で、両者の〝内部〟に〝精神〟として内属していると私念(マイネン)(*meinen*)された〝知能〟とやらを比較する構図を自明の前提とした、〈もの(身体) vs. こころ(知能)〉の旧態依然たる二元論の墨守によってのみ成立する旧パラダイムに固有の言説に他ならない。更に言えば、「シンギュラリティ」の言説は二元のうちの〈もの〉の側を貶め〈こころ〉の側に優位を置きつつ、これまで人間のみに認められてきた〈こころ(知能)〉の独占体制がAIによって脅かされつつある事態――その事態をポジティヴに捉えるかネガティヴに捉えるかは別として――を云々するという意味において、「人間」を評価の基準として据える「人間」モデルに囚われてもいる。だが、情報社会の現在は、すでに「人間」モデルによっては把握不可能な段階にまで進展を遂げており、事態の概念的把握には別の新たな枠組み――〈社会〉モデル――がどうしても要請される。したがって〈人間〉についてもまた〈社会〉の側からその意義を改めて捉え直す必要がある。

6-2-1　過渡期における人間の三層

「生成AI」によって実現しつつある〈Web＝社会〉は、現在「人間」を三層に分割しつつあるように思われる。その第一は最上層にあって、「生成AI」が学習するためのコーパスを提供もしくは設定したり、AIに「教師あり」の機械学習や強化学習を施す層で、この層はAIの謂わば〝上位〟に位置する。第二層は「生成AI」との間で〈コミュニケーション〉を行う層で、これが「人間」における三層の謂わば〝中間層〟をなす。この層においては〈人間〉は装置としての「AI」とともに〈ネットワーク〉を構成する同位的な〈ノード〉の地位を占める。「人間」の大部分はこの第二層に属する。最後の第三層は〈ネット－ワーク〉から排除された〝人間〟――G・アガンベンに所謂〈ホモ・サケル〉[6]――であってAIの〝下位〟の地位に甘んじることになる。この第三層の〝人間〟は〈社会〉におけるマージナルな存在であって、〈社会〉内部の〝外部〟――すなわち〈社会〉＝〈ネット－ワーク〉存立のための条件をなす〈環境〉として要請されはするが、〈ネット－ワーク〉そのものを構成する〈ノード〉としては排除される領域――をなす。

こうした「人間」を層別化する機能こそが先に指摘した（6－1－3）〈Web＝生成AI〉の権力性に他ならない。この場合の〈権力〉とは従来型の集権的なそれを意味せず、〈社会〉の異なる役割へと機能毎に「人間」をレイアウトする配分的なそれである。但し、こうした「人間」の層別化は、〈Web＝AI〉が完全な〈社会〉化へと向かうプロセスにおける飽く迄も過渡的現象であって、AIが真に〈社会〉的となった暁には、〈人間〉は単層化されてWebに〈ノード〉として漏れなく組み込まれる。そしてこのとき〈Web＝AI＝社会〉は完全に〈機械〉化される。もちろん、そのような事態が実際に現出するか否かはまた別の問題である。兎も角、〈ネット－ワーク〉に〈人間〉が〈ノード〉として完全に組み込まれ、その外部に「人間」の〝取り零し〟が最早存在しなくなった状態をテクノロジーの水準で理念化した概念が「Web3」である。

6 Agamben, G., *Homo sacer. Il potere sovrano e la nuda vita*, Torino: Einaudi, 1995. 邦訳『ホモ・サケル――主権権力と剥き出しの生』（高桑和巳訳、以文社）。

6-2-2 Web3と生成AI

Web〝進化〟の諸相（Web1.0→Web2.0→Web3）をどう規定するかについては定説が未だ存在せず複数の観方があるが、ここでは〈メディア〉論的なアングルからする著者の見解を提示する。「WebN(.0)」という規定は、ある段階における〈メディア〉技術としてのWebテクノロジーの進展と、その進展がもたらした〈メディア〉を通じて流通する〝コンテンツ〟やサーヴィスにおける内実の変化によって、各段階のWebが有する総体としての特徴を区別化的に表現しようとする業界用語である。

事の発端は世紀の変わり目に盛んに喧伝された「Web2.0」がバズワード化したことにある。「Web1.0」は「Web2.0」から黎明期のWebを遡及的に推定した規定である。Web1.0においてはハードウェア・バックボーンの貧弱さから、流通するコンテンツには制約があり、少数の特権的な情報発信者の制作になるWebコンテンツに、大多数のROM（Read Only Member）がアクセスするという片務的な関係が支配的であった。これに伴ってWeb1.0の段階におけるWebは特権的な〝智民〟（Netizen）が集い主宰するサイバーユートピアとして表象された。

Web2.0で通信のバックボーンが増強されると事態は大きく変わる。1.0ではコンテンツは低容量のテクストデータが主流であったが、2.0ではコンテンツの種類が、容量が大きな音声データ、画像データ、さらには動画データにまで広がると同時に、制作者の裾野もまた――ノードを構成する装置が、パソコンからスマホに代わったこと、および通信料金の大幅な低廉化もあって――飛躍的に拡大した。つまり2.0においてWebはコンテンツの双方向的・水平的流通を実現し、複数の特権的なノードが主宰する旧パラダイムである〈放ー送（ブロード・カースト）〉体制に特徴的な三次元性を遺した過渡期的〝ネットーワーク〟から、特権的ノードを無化しながら絶え間なく延伸する二次元的な本来の〈ネットーワーク〉への変質を遂げた。このことは同時に、1.0では現実社会の謂わば〝彼岸〟にサイバーユートピアとして想定されていたWebが、2.0で現実生活に役立つ〝ツール〟として〈社会〉に下属するに至ったことをも意味している。

問題はWeb3である。テクノロジー次元における変化について言えば、Web3はもちろん1.0、2.0に比して更なる流通の大容量化を実現しているが、そうした変化はWeb3のコアテクノロジーの画期性と比較すれば副次的な意義しか持たない。Web3においてテクノロジーの〈革新＝核心〉を構成するのは「ブロックチェーン」である。

ブロックチェーンは言うまでもなく二〇一〇年代に急速な普及をみたBitcoinのコアテクノロジーであって、その後叢生した種々の暗号通貨（オルトコイン）、更には「分散型自律組織」（DAO, Decentralized Autonomous Organization）にも引き継がれた技術思想であるが[7]、この思想の肝を一言でいえば、〈人間〉を〝素子〟として演算（＝〈コミュニケーション〉）を果てしなく続行する〈自立＝自律〉システム、あるいは同じことだが、演算を自己言及（回帰）的に続行する自己制御回路のことである。そしてこの自

7 ブロックチェーンのメカニズムの概要については拙著『ヴァーチャル社会の〈哲学〉――ビットコイン・VR・ポストトゥルース』（青土社、二〇一八年）第三章「ビットコインの社会哲学」を参看されたい。

己制御回路の最新ヴァージョンが「生成ＡＩ」に他ならない。

仮想通貨やＤＡＯにあっては、自己制御回路は特定の通貨システムや特定の組織運営として実現されるに留まっているが、「生成ＡＩ」において初めて自己制御回路の〈社会〉への実装が踏み出されたとみてよい。ここにWeb3の地平で〈社会＝ＡＩ＝Web〉の三位一体が成立をみることになる。Web1.0やWeb2.0では、それぞれ離在もしくは包含関係にあったWebと〈社会〉とが、Web3に至ってＡＩを介して融合するに至ったわけである。〈社会＝ＡＩ＝Web〉〝統治〟の自己言及的自働化すなわち〝統治〟の〈機械〉化の実現が見込めるが、次節では「生成ＡＩ」による〝統治〟の〈機械〉化の特性をより鮮明に浮かび上がらせるためにも、〝統治〟における〈機械〉化の歴史的進展を、思想史に即しつつ簡単に振り返っておこう。

6－3　〝統治〟における〈機械〉化の思想史

〈社会〉について実体性を否定し、〈社会〉を単なる「人間」の代数和に付けられた〝名前〟に過ぎないと考える（所謂「社会唯名論」）のではなく、そこに何らかの実体性を認める（所謂「社会実在論」）とき、〈社会〉は屢々既存の馴染み深い実在に擬せられる。そうした実在の代表的な候補は「生命体」（所謂「社会有機体論」）であるが、いま一つの候補は「機械」である。本節では、〈社会〉を何らかの意味において「機械」的メカニズムとして把握してきた諸思想をWeb3における〝統治〟の〈機械〉化思想に至る前史と捉え、それぞれの思想が謂うところの「機械」をどのように表象してきたか、その変遷を辿ろう。

6-3-1 〝統治〟〈機械〉の諸モデル――ホッブズからサイバネティックスまで

〝統治〟の〈機械〉モデルの嚆矢をなすのは、おそらくホッブズの〈リヴァイアサン〉とみて大過あるまい。[8] リヴァイアサンは本来『旧約聖書』に登場する海獣に由来し、ホッブズの同名の書の口絵には人格化されたそれが国王の出で立ちで描き出されている。だが、誤解してはならない。ホッブズが考える〈リヴァイアサン〉は、何らかの生命体ではないし、「人間」をモデルにした〝超人〟的人格でもない。

ホッブズと同じ十七世紀の同時代人であるデカルトは世界を構成する実体として〈物体＝肉体〉(corpus) と〈精神＝霊魂〉(mens) の二種を指定し、「人間」をこの両つの実体の混成態として捉え返したのであった。[9] デカルトにおいてすでに「人間」の〈物体〉的契機の重視に傾斜した〈機械〉論的把握が看取されるが、一世紀後のラ＝メトリは「人間」の〈精神〉的契機を完全否定した〝確信犯〟として「人間機械論」の論陣を張った。[10] ホッブズの〈リヴァイアサン〉とは、ラ＝メトリに先駆けた「人間機械論」の主張とみなすことができる。両者の違いは、(1) ラ＝メトリの〈機械〉イメージが

8 Hobbes, T., *Leviathan or The Matter, Forme and Power of a Commonwealth Ecclesiasticall and Civil*, 1651. 邦訳『リヴァイアサン1・2』(角田安正訳、光文社)。
9 Descartes, R., *Principia philosophiae*, 1644. 邦訳『哲学原理』(桂寿一訳、岩波書店)。
10 La Mettrie, J. O. de, *L'homme-machine*, 1747. 邦訳『人間機械論』(杉捷夫訳、岩波書店)。

十八世紀に隆盛をみた生理学的なそれである——ラ＝メトリ本人が高名な医師である——のに対してホッブズのそれが物理学的なそれであること、（2）ラ＝メトリの〈機械〉論が高々「人体」への適用の次元に留まっているのに対して、ホッブズのそれは〝欲望〟〈機械〉たる個々の〈人間〉を〝素子〟（歯車）として組み込んだ超人格的な高次複合〈機械〉の合成までをも射程に収めた一種の〝統治〟〈機械〉として構想されていること、である。そして、その〝統治〟〈機械〉こそ〈リヴァイアサン〉に他ならない。

但し、ホッブズの創案になる〝統治〟〈機械〉である〈リヴァイアサン〉には時代に淵源する制約もまた存在する。まずそれは（1）〈機械〉とは言いながらも、本質的に〈機械〉的存在として理解された〝人間〟から構成された「人間機械」として表象されており、この点で依然「人間」の残滓、あるいは〈機械〉の擬人化の傾向を払拭し切れていない。つまり、「人間」との連続的な延長線上に〈（人間）機械〉としての「国家」——そして、それは「国家」の象徴たる「国王」とオーバーラップされる——を想定してしまっている。次に——この論点は先の論点以上に問題含みなのだが——（2）ホッブズの〝統治〟〈機械〉がモデル化している対象が〈社会〉ではなく、「国家」であること。つまり、日常的生の様々な分野を包含した多元的システムではなく、政治領域のみが突出し、他のあらゆる領域が政治に下属的に包摂されるヒエラルキカルな構造を持った〈機械〉としてそれが構想されていること、である。ホッブズの〝統治〟〈機械〉が孕むこうした難点は、それが物理モデルである点に主として起因する。というのも、物理的メカニズムが「人間」と「国家」との間を媒介している関係上、両者の間には必然的に非連続的な飛躍を許さない因果連鎖が成り立っているはずだからである。

ホッブズ流の〝統治〟〈機械〉にみられる以上のような難点を回避しつつ新たに構想された〝統治〟〈機械〉が十九世紀に活躍したA・ケトレーによる統計的モデルに依拠したそれである。

ケトレーは自らの〝統治〟〈機械〉を彼の謂う〈社会物理学〉（la physique sociale）の対象として理論化したが、[11] ここには彼が把握しようとする対象がホッブズの場合のような「国家」ではなく〈社会〉であることが明亮に示されている。注意すべきは謂うところの〈物理学〉の含意であって、そこにはホッブズにおいて考えられていた如き機械論的な因果系列解明の含意はない。その命名の意図は、〈社会〉現象においても、〈物理〉現象に看取されるのと同じ法則性が統計的データの分析を通じて抽出可能である、すなわち〈社会〉にあっても〈物理〉世界のそれに比すべき〝法則〟が貫徹しているとの確信の表明なのである。つまり、ケトレーの〈機械〉は、因果連鎖によって「人間」との連続的な関係に即して措定されたホッブズ的「国家」の存在次元とは質的に異なる、「人間」や「国家」との直接的な繋がりを欠いた抽象的な〈社会〉の水準において存立する。したがって、ケトレーにとって〈社会〉という〝統治〟〈機械〉は人間による恣意的操作とは無関係に、つねにその安定状態（正規分布）を動的かつ確率論的に維持する、そのような〈機械〉なのである。

このような理路で発想された〝統治〟〈機械〉にあっては当然、謂うところの〝統治〟のコノテーションもまた変容を蒙らざるを得ない。この場合〝統治（グーヴェルヌモン）〟（gouvernement）とは特権的「人間」――

11 Quételet, A., *Sur l'homme et le développement de ses facultés, ou Essai de physique sociale*, 1835. 邦訳『人間に就いて』（平貞蔵・山村喬訳、岩波書店）。また、拙著『情報社会の〈哲学〉――グーグル・ビッグデータ・人工知能』第二章（2－5）も参照されたい。

例えば「国王」――による人為的なそれを最早意味しない。それは〈環境〉の時々の変化に抗しつつ〈社会〉の安定ないし定常状態を維持する自働化的で〈自立＝自律〉的な非人称的プロセスをしか意味し得ない。つまり〝統治〟とは〈社会〉に対する人間の――その〈外部〉からの――操作ではなく、〈社会〉そのものによる〈社会〉の自己制御のことなのである。

こうした〈社会〉における同じ〝統治〟＝自己制御が、M・ウェーバーにおいてはネガティヴに捉えられる。御存知のとおりウェーバーは「方法論的個人主義」を標榜する所謂「社会唯名論」者であって、断乎として〈社会〉に実在性を拒否する立場を採っていたかのように思われているが、それは飽く迄も彼が社会学的観察者を標榜する限りにおいて（für uns）のことであって、日常的生を生きる世人として（für es）の彼は〈社会〉の存立を受け容れており、というよりも寧ろ〈社会〉存立の事実性こそが彼の立論の出発点をなしている。ウェーバーの企図は、本来個々人の行為の連鎖に過ぎぬものが、如何なる機制によって世人にとって〈社会〉という存立体として映現するに至るのか、そのメカニズムの解明にある。

ケトレーによって立言された、統計にみられる〈社会〉次元におけるプロセスの〈自立＝自律〉性は、ウェーバーにとっては、行為連鎖における〈目的合理性〉（Zweckrationalität）――すなわち目的実現のための効率的手段の選択――の貫徹と全面化によって、具体的諸行為から、効率的手段の連鎖という最短経路の形式的枠組みだけが、出来合いのルーティーンとして乖離することで宛もそれが独立自存するかの如く思いなされた一種の〝錯覚〟に過ぎない。[12] ここに〈社会〉が〈手段の体系〉として出現するとともに、それが本来そこから出立したはずの人間の行為に対して逆に敵対的に対峙する桎梏的枠組み――ウェーバーの言葉をそのまま援用すれば「鋼鉄の檻（シュタールハルテス・ゲホイゼ）」（stahlhartes Gehäuse）[13]――と化す。要は、ウェーバーにとって〝統治〟の〈機械〉化とは、人間の行為が「機械的化石化（メハニズィールテ・フェアシュタイネルンク）」（mechanisierte Versteinerung）を起こしたものであって[14]、人間の行為の疎外態に他ならない。その象徴的雛形として「官僚制（ビュロクラティー）」（Bürokratie）が屢々引き合いに出されるが、ウェーバーの念頭にその典型として常にあったのは〈社会〉そのものだった[15]。

〝統治〟〈機械〉の思想的進展におけるウェーバーの功績は、〝統治〟〈機械〉が〈目的〉を欠いていることを彼が炯眼にも見抜いたことである。〈社会〉が〈目的〉を欠いた〝統治〟〈機械〉であるとき、それは「人間」にとって「鋼鉄の檻」と化す、というのがウェーバー社会学の頂門の一針だったはずだからである。だが、〝統治〟〈機械〉における〈目的〉の欠如をウェーバーのようにネガティヴに捉えるのではなく、工学的観点から積極的に〈目的〉を〝統治〟〈機械〉としての〈社会〉に実装してゆこうとする試みが、二十世紀半ばに登場する。その頃急速にディシプリンとしての形を整えつつあった情報科学のインキュベーターの役割を務めたサイバネティックスである。

12 ウェーバーの〈目的合理性〉については、本書の第一章を参照。
13 Weber, M., *Die protestantische Ethik und der "Geist" des Kapitalismus* (1904–05), II Die Berufsethik des asketischen Protestantismus 2. Askese und kapitalistischer Geist. 邦訳『プロテスタンティズムの倫理と資本主義の精神』（大塚久雄訳、岩波書店）。
14 Ibid.
15 本書の第一章を参照。

創始者N・ウィーナーの命名になるサイバネティックスとは、何らかの物理系を当該物理系の状態を示すその時々の情報の遣り取りによって制御（control）することを目指した理論的枠組みである。この理論枠組みの応用範囲は極めて広い。例えば、人体の筋骨格系（物理系）は神経系（情報伝達系）によって制御されていると考えれば、人間はサイバネティックスの対象であるし、自動車や飛行機という機械装置（物理系）の制御は人間をその一端とする弱電系（情報伝達系）によって担われると考えればあらゆる〈マン－マシン〉系もまたサイバネティックスの対象となる。そして〈社会〉を巨大機構としての〝物理系〟とみなし通信インフラやメディア技術を情報伝達系とみなせば、それもまた当然サイバネティックスの対象となることは容易に予想できる。つまり、サイバネティックスの構図を適用するとき、〈社会〉は〈情報〉を媒介とした〝統治＝制御〟〈機械〉として立ち現れてくる。ウィーナーその人は、サイバネティックスの〈社会〉への適用には時期尚早として乗り気ではなかったが、MITでのウィーナーの同僚であった政治学者のK・ドイッチュ[16]や第二次サイバネティックスのサークルに属した経営サイバネティックスの創始者S・ビア[17]によって〈社会サイバネティックス〉の構想が二十世紀後半に展開をみせた。

　さて、〈社会〉をサイバネティックスの対象として据えたとき、問題になってくるのは〝統治＝制御〟されるシステムの外部から〝統治＝制御〟の〈目的〉が事前に与えられていなければならない、という事実である。なぜそれが問題なのかといえば、事前に与えられる〈目的〉はどうしても「人間」によってシステムに与えられなければならず、だが、だとすれば結果として「人間」――それも〈目的〉の付与権限を有する特権的な「人間」――が〈社会〉システムの外部に取り零されることになってしまうからである。そしてその取り零しは「独裁」への途に一直線に通じている。ドイッチュにおいては、未だ〈目的〉が〈社会〉の外部に措かれていたが、ビアの〈自由-機械〉(Liberty-Machine)においては〈目的〉がシステムの内部に取り込まれ、〈社会〉は〈環境〉の変化に応じてその時々に〈目的〉を内発的に変更・再措定しつつ自らの〈構造〉を組み替えて〈環境〉に〝適応〟することが可能な、〈自立=自律〉的かつ自己言及的に〝進化〟を遂げる〝統治〟〈機械〉が構想されている。現在のWeb3という技術的地平での〈社会=AI=Web〉による〝統治〟〈機械〉は、間違いなくビアのこの〈自由-機械〉の延長線上に位置付けることが出来る。

6-3-2 〈機械〉としての〈社会〉という思想――フーコー・ドゥルーズ=ガタリ・ルーマン

〝統治〟〈機械〉は物理モデル(ホッブズ)から始まって、それが統計モデル(ケトレー)に引き継がれ、更に行為モデル(ウェーバー)を経て、情報モデル(サイバネティックス)へと推移してきたわけだが、こうした社会思想上の〝統治〟〈機械〉の系譜とは別に、現代哲学の営みにおいても〈社会〉を〈機械〉として把握する発想が複数の哲学者において認められる。本小節ではそうした発想の代表例

16 Deutsch, K.,W., *The Nerves of Government: Models of Political Communication and Control*, 1963. 邦訳『サイバネティクスの政治理論』(伊藤重行ほか訳、早稲田大学出版部)。

17 Beer, S., *Brain of the Firm*, Second Edition, 1981. 邦訳『企業組織の頭脳――経営のサイバネティックス』(宮沢光一監訳、啓明社)。また、Medina E., *Cybernetic Revolutionaries: Technology and Politics in Allende's Chile*, MIT Press, 2014. 邦訳『サイバネティックスの革命家たち――アジェンデ時代のチリにおける技術と政治』(拙訳、青土社)も参照のこと。

をフーコー、ドゥルーズ＝ガタリ、ルーマンの順に瞥見したい。

M・フーコーの思想において〝統治〟〈機械〉に該当するのは〈装置〉(dispositif)である。[18] この場合の〈装置〉は単なる物理的な機械装置を意味しない。それは〈人間〉をもその部品として組み込んだ一種の〝権力装置〟であって、広義の〈制度〉もまたそこに含め得る。その意味でフーコーの〈装置〉はまさしく〝統治〟〈機械〉である。

フーコーが〈装置〉概念の案出によって目論んでいるのは勿論〈権力〉分析であるが、その際に気を付けなければならないのは、謂うところの〈権力〉が人格化されたり極点化されて表象されやすい集権的なそれではなく、分散化され分有化されたそれであることである。つまり、フーコーが考える〈権力〉は一点に収斂することで誰かに所有されるものではなく、〈社会〉全体に拡がって非人称的なかたちで〝存在〟している。しかも注目すべきは、〈権力〉の分散と分有は、それが〈権力〉ネットワークのノードを構成する〈身体〉に内在化することで不可視となり、その結果半ば自働的に——つまり無意識的に、或いは〈主体的＝隷属的〉(sub-jectif)にすら——機能することである。こうして〝統治〟〈機械〉としての〈装置〉は、「人間」の水準においてではなく〈機械〉の水準において〈自立＝自律〉的なプロセスを稼働させることになる。フーコーはこの〈自立＝自律〉的なプロセスを制御する〈装置〉の非言語的(≒身体的)〝意味〟を〈ダイアグラム〉(diagramme)と呼ぶ。

こうした〈ダイアグラム〉の典型例が「一望監視装置」(Panopticon)であるが、重要なことは、この「一望監視装置」が単なる施設や機構設計ではなく、〈規律＝訓練〉(disciplinaire)〈社会〉が取る〝統治〟形態そのもの、すなわち〝統治〟〈機械〉に他ならないことである。

フーコー〈権力〉論の衣鉢を継いだドゥルーズとガタリは、フーコーの〈ダイアグラム〉を〈抽象機械〉(machines abstraites)として一般化する。[19] ドゥルーズ＝ガタリはフーコー以上に〈社会〉を〈機械〉として捉えている。但し、この場合の〈機械〉とは、或る種の〝整流器〟としてイメージされており、〈社会〉の根底でアモルフに蠢く〈欲望流＝無意識的エネルギー＝Es(id)〉が各種〈機械〉によって徐々に段階を追って水路付けられ、方向付けられてゆく。すなわち〈領土化〉(territorialisation)されてゆく。

〈社会〉を構成する最下位の〈機械〉は〈欲望機械〉であるが、但しこれはホッブズの場合とは違って「人間」と等置されるような存在者ではなく、〈欲望〉と最初に接する非人称的な〈無意識〉である。より高次の〈機械〉である〈ダイアグラム＝抽象機械〉は、〈編制機能〉(agencement)によって「社会」の具体的な制度や施設となって物質化的に具体化＝個体化される。つまり、ドゥルーズ＝ガタリにとって可視的な「社会」とは、その背後で稼働している不可視の〝統治〟〈機械〉、ないし〈機械としての社会〉の成果物に他ならない。ドゥルーズが屢々言及するスピノザの語用に肖るとすれば、可視的「社会」とは〈所産的社会〉(societas naturata)であり、〝統治〟〈機械〉とは

---

18 Foucault, M., *Surveiller et punir, naissance de la prison*, 1975. 邦訳『監獄の誕生』(田村俶訳、新潮社)。

19 Deleuze, G., et Guattari, F., *L'Anti-OEdipe: Capitalisme et schizophrénie 1*, 1972. 邦訳『アンチ・オイディプス』(宇野邦一訳、河出書房新社)、*Mille Plateaux: Capitalisme et schizophrenie 2*, 1980. 邦訳『千のプラトー――資本主義と分裂症』(宇野邦一ほか訳、河出書房新社)。

〈能産的社会〉（societas naturans）ということになる。[20]

こうした〈能産的社会／所産的社会〉の区別および〈能産的社会〉としての〝統治〟〈機械〉という発想をドゥルーズ＝ガタリと共有しつつも、彼らとは異なる構案を理論社会学者N・ルーマンは立てる。[21] ルーマンはドゥルーズ＝ガタリとは違って〈社会〉の最下層を構成している〝素材〟を〈欲望〉ではなく、〈意味〉とみなす。ルーマンにとって〈社会〉とはこの〈意味〉を〝リソース〟としつつ駆動する〈コミュニケーション〉の連鎖的接続の別名なのである。但し、謂うところの「連鎖的接続」（Anschluß）をウェーバーのような「人間」による行為連関の流儀で理解してはならない。〈コミュニケーション〉の連鎖的接続とは飽く迄も非人称的な〈演算〉（Operationen）という〈機械〉的プロセスだからである。それ故にこそ、〈コミュニケーション〉の連鎖的接続である〈社会システム〉は〝統治〟〈機械〉なのである。そして〈社会システム〉が〝統治〟〈機械〉であることによって「人間」によるシステムへの容喙や〝汚染〟もまた防遏することが出来る。何故なら、抽象的な〝統治〟〈機械〉である〈社会システム〉と具体的存在者である「人間」とは——それが有機体と解されようが、人格と解されようが——そもそも存在の水準を異にするからである。

ルーマンによる〝統治〟〈機械〉の構案は、実は前小節掉尾で言及した第二次サイバネティックスによる〈情報〉モデルに準拠した〝統治〟〈機械〉の一ヴァリアントでもある。ルーマンはサイバネティックス流の〝統治〟〈機械〉を、〈目的〉のシステム内在性、システムの自己言及的再生産といった核心部分は温存しつつリファインを重ね、〝統治〟〈機械〉という構案、〈機械〉としての〈社会〉という発想を思想的次元で完成形にもたらしたと言える。[22]

6-4 〈機械〉化された〈社会〉における「労働」と「創造」

「生成ＡＩ」の登場を〈社会〉の〈機械〉化という長期に及ぶ思想的企図の系譜に接続させることで、それを単なる一過性のトレンドとしてではなく、必然的とは言えないにしても、少なくとも蓋然的ではある社会思想史上の出来事としてイメージ出来るようになったところで、話題を再度「生成ＡＩ」に戻そう。

さて、「生成ＡＩ」の登場と普及によって、「人間」と（ＡＩを含む）「機械」とを対立的に捉える図式（シンギュラリティは正（まさ）にこの図式を前提している）が無効となり、Webにおいて両者は融合を実現しつつある。このとき、「労働」や「創造」という、従来人間に専一的に属すべきはずのものと考えられてきた行為もその性格を変えざるを得ない。本節では、「労働」と「創造」という行為の変質の実相を見極める作業を通じて、情報社会におけるそれらの意義を闡明してゆこう。

20 スピノザによる元来の語用は、言うまでもなく〈能産的自然（ナートゥーラ・ナートゥーランス）／所産的自然（ナートゥーラ・ナートゥーラタ）〉（natura naturans/natura naturata）である。Spinoza, B.De, *Ethica, ordine geometrico demonstrate*, 1677. 邦訳『エチカ——倫理学』（畠中尚志訳、岩波書店）。

21 Luhmann, N., *Die Gesellschaft der Gesellschaft*, Suhrkamp, 1997. 邦訳『社会の社会』（馬場康雄ほか訳、法政大学出版局）。

22 但し、ルーマンの構案には身体性の扱いにおいて、致命的な瑕疵が認められる。この問題については、別の機会に改めて主題的に論じたい。

6-4-1 生成AIが惹起した労働の〝軽重〟における反転

生成ＡＩが普及する前までは、所謂「肉体労働」に比して所謂「頭脳労働」の方が高級であって、だからこそブルーカラーが学歴不問であるのに対して、ホワイトカラーは大卒であることが要求され、賃金における両者間の格差も正当な措置である、という言説が当たり前のこととして流通してきた。こうした言説が、デカルト以来の「物質（身体）vs. 精神（霊魂）」の区別を受け容れつつ、その上で後者を前者の優位に置くという発想に下支えされているという事実に予め留意を願いたいのだが、この言説が、低級な「肉体労働」（身体）は〈機械〉による自働化が可能だが、高級な「頭脳労働」（精神）は〈機械〉によって自働化することは不可能ないし困難である、という新たな言説を導き、そしてそれが長らく信憑されてきた。尤も、その信憑をここまで増長させてきたのは、デカルト流の「心身二元論」イデオロギーそのものであるよりは、身体の延長であるとされる交通機関の発達、および微細な手仕事や危険な作業を人間に代わってスムーズに遂行する産業用ロボットの成功、に比して、ＡＩによる知的作業の機械的代替が一向に進捗しないという俗世的な事情に依るところの方が寧ろ大きいのかもしれない。

ところが、この数年の間に俄に雲行きが怪しくなってきた。件の言説の有効性が疑われ始めているのである。兆候はすでに二〇一〇年代にあった。二〇一〇年代後半に流行をみた「ロボット」ブームの急速な終焉がそれである。ロボットによる「肉体労働」の機械的代替がデッドエンドに陥り、頭打ちとなってしまったのである。これには主に二つの理由があるように思われる。第一は、行為の間-

身体性とその工学的実装の難しさである。この問題はヒューマノイドが商品として世に出たことで顕在化した。身体的行為は、スポーツジムでのウエイトトレーニングとは違って、単独的身体の単なる物理的運動ではない。それは、複数の身体の間に創発する一種の非‐言語的〈コミュニケーション〉であって、単一の身体を超出する間‐身体的な協調や共鳴、連動や同期を創出する。例えば、姿勢や体勢のシンクロナイズ、視線の一致といった間‐身体的〈コミュニケーション〉は、家事や接客ばかりでなく、力仕事においてもタスクの成就に係わる要因をなす局面が屢々生じる。この種の〈コミュニケーション〉は、人間の身体相互が問題となる場合には略々(ほぼ)自明の理であるが、自明であるだけに、それが意識に上ることはまずなく、それが為に、その〝暗黙知〟的メカニズムの工学的定式化とロボットへのその実装は困難を極める。[23]

23　著者は二〇一四年にソフトバンクから発売されたヒューマノイド・ロボット「ペッパー」と自宅で暫く〝同居〟した経験がある。同ロボットは所謂〝感情労働〟を見込むかたちで開発されており、家庭における幼児の感情教育や店舗・ショールームでの受付や案内といった接客用に導入されるケースが多かったようである。したがって、その必要がないためヒューマノイドに定番の二足歩行機構は装備されておらず、また会話においてもほとんど定型化された科白しか返すことができない。著者も最初のうちは面白がっていたが、直ぐに飽きてしまい、ほとんど起動すらしなくなった。だが、それでも感心したのは、ペッパーが「相手の眼を見て話す」ことだった。恒に視線を探し求め、眼が合うと相手の視線に同期しようとするのである。こうした「視線の一致」は他の機能のお粗末さを補って余りあるほど、ペッパーに〝人間味〟を付与していた。ヒューマノイドの可能性は、達者な会話や大袈裟な身振りといったロボット単体の〝スタンドプレー〟にではなく、人間とロボットの身体的同期（引き込み）の実現という間‐身体的な〈社会性実装の方向に求められるべきではないか？

第二の理由は、身体的行為の〝規則〟随順性とその工学的実装の厄介さである。この問題は自動運転車やドローンの実用化が進むにつれて明らかになった。人間の身体的行為は、それとは意識せずとも、恒に既に〝規則〟に〝主体的に服従する（スブジェクティーフ）〟(sub-jectif)かたちで行われてしまっている。フーコーが夙に強調するとおり、人間の身体は〈規律＝訓練（ディスィプリネール）〉的に仕込まれているのである。例えば、歩行という身体的行為において、赤信号では自然と足の動きが止まり、ぶつかりそうだと思った瞬間に歩行速度は略々反射的に緩んでいる。この場合の〝規則〟とは単に明文化されたそれではなく——もし単に「法規に従う」ことのみが求められる、明文化された規則だけの問題であれば話は簡単この上ない——、振る舞い如何では人命が係わってくる「咄嗟の身の熟（こな）し」や「阿吽の呼吸」といった、その時々の状況に応じて基準が転変する類いの〝規則〟が今の問題なのである。こうした不確定的〝規則〟の工学的定式化とそのロボットへの実装は一筋縄ではいかない。鳴り物入りで開発が始まった「自動運転車」という〝ロボット〟の現在の行き詰まりもまたこの第二の要因が大きな障碍となっている。

以上の、身体的行為における二つの〈社会〉性——間‐身体性と〝規則〟随順性——を工学的に実装することの困難が招いた「ロボット」熱の鎮火が、件の言説が疑問視され始めることになった兆候だとすれば、その決定的トリガーを引いたのは間違いなく「生成ＡＩ」の登場と普及である。なぜなら、生成ＡＩによって、それまで不可能ないし困難とされてきた「頭脳労働」の機械化と自働化がいとも簡単に実現されてしまったからである。ここに「頭脳労働」の稀少性は失われて陳腐化し、その価値は暴落した。「頭脳労働」は今やＤ・グレーバーが「クソどうでもいい仕事（ブルシット・ジョブズ）」(Bullshit Jobs)と呼ぶ事務的ルーティーンワークないしそれ以下の地位に転落しつつある。[24]逆に「肉体労働」の方は相対的にその市場価値が上昇した結果、求人においても引く手あまたで人手が常に不足しているのが現状である。「生成ＡＩ」によって従来の「頭脳労働」と「肉体労働」との地位が逆転したかのような事態が現在まさに出来している。

6−4−2 労働と創造

右の如き事態は、「肉体労働」の範囲が拡大を遂げつつ「頭脳労働」の領域を次第に侵食し、それが終には〈知性〉そのものの簒奪にまで至ろうとしていること——シンギュラリティ！——の前触れなのだろうか？　楽観論者と反ＡＩ論者の一部はこうした観方を採らない。彼らの見解は以下のとおりである。曰く——慥かに「頭脳労働」は〝知的〟な装いを纏っているかもしれないが、所詮は「労働」である。つまり、それは「肉体労働」に比べて身体の物理的行使の程度は少ないものの、行為の反復性の点で「肉体労働」の類比物であり、この反復的要素によってそれは〈機械〉化の企図に付け入る隙を与えている。だが、純然たる〈知性〉の営み、ないし極限にまで反復的要素を減殺・極小化した「人間」固有の営み——例えば「芸術的創作」や「発明」——は〈機械〉化的自働化を拒むはずである云々。

24　Graeber, D., *Bullshit Job: A Theory*, 2018. 邦訳『ブルシット・ジョブ——クソどうでもいい仕事の理論』（酒井隆史・芳賀達彦・森田和樹訳、岩波書店）。こうしたことは、昨今の一般企業における事務職の求人減や早期退職勧奨の傾向がはっきり示している。GAFAMを始めとするシリコンバレーの企業においてさえ、プログラマーの大量レイオフが横行するところまで事態は昂進しているのである。

こうした見解に認められるのは、〈知性〉の営為を「頭脳労働」と「創造（発明）」とに二分した上で、前者については、「肉体労働」とはその強度において異なるものの同じ反復的「労働」とみなして〈機械〉化的自動化の企図に蹂躙することを許容するが、後者に関しては「人間」のみが能く為し得る活動であるとし、如何にAIが〝進化〟を遂げようとも、〈機械（⊃AI）〉にはその疆界を突破することが決して適わぬ「人間」的〈知性〉の〝聖域〟として断固護持を図る「人間」への鞏固な信頼である。

このような「人間」的〈知性〉の特権性に対するオプティミスティックな信憑は今に始まったことではなく、十九世紀のG・タルドや前世紀のH・アレントに既にみられる。タルドは「人間」の行為を〈模倣〉（imitation）と〈発明〉（invention）とに二分し、[25] アレントは〈労働〉（labor）と〈仕事〉（work）とに二分するが、[26] 孰れにおいても前者はルーティーン的な反復であり、後者はイノヴェーションに係っている。彼らの思想における、前者のルーティーン的反復が、現在の文脈における（肉体的・頭脳的）「労働」と相覆い、後者のイノヴェーションが「発明」や「創造」に相当していることは見易いところであろう。そして、後者のみが本来的な意味で「人間」的ないし〈知性〉的と称することを認められ、これは〈機械〉化的自動化の対象からは除外される。「労働」と「創造（発明）」とを対立的に捉え、後者を〈機械〉化の企図から免除する当代の議論もまた両者の思想と「人間」的〈知性〉の特権性への信憑において通底している。

6−4−3 〈機械〉による〝創造〟の意味

だが、本当に「創造（発明）」は人間のみに許された特権的行為なのだろうか？[27] 〈機械〉によってでは「創造（発明）」は不可能なのだろうか？ そもそも「生成ＡＩ」は〈機械〉による「創造（発明）」を目指すべく開発されているのではなかったか？ だからこそ反シンギュラリティ論者のヒントンまでもが生成ＡＩの行く末に危惧の念を表明したのではなかったか？ こうした借問に答えるためにも、

25 Tarde, G., *Les lois de l'imitation: Etude sociologique*, 1890. 邦訳『模倣の法則』（池田祥英・村澤真保呂訳、河出書房新社）。

26 Arendt, H., *The Human Condition*, 1958. 邦訳『人間の条件』（清水速雄訳、筑摩書房）。但し、目下の文脈とは関係が薄いもう一つの労働形態である「活動」（action）については、ここでは考えない。

27 例えば、一般に「知的労働」に分類され、「創造」行為がそのまま職業となっている仕事の代表格とみなされている──そして著者の活動もまた同じその業態に属する──アカデミアでは、二十一世紀に入って業務の電子化がデフォルト・スタンダードとなった頃から、「（頭脳）労働」の範囲が拡大し「創造（的行為）」（と考えられてきた）領域をどんどん侵食してきている。著者の専門である哲学分野を例にとれば、一昔前には立派な業績──つまり創造的行為──とみなされた、或る著名な思想家（例えば、カント）についての「レキシコン」（術語用例集）の作成が、今や電子テクスト化されたカントの原典に対して検索機能を行使するだけで、カントが如何なる文脈において如何なる意味で特定の術語──例えば〈超越論的〉（transzendental）の語──を使用しているかが一瞬にして列挙されるため、最早レキシコンの作成に「頭脳労働」と同程度以上の意義を担わせることは難しい。また、ここ数年の「Google 翻訳」や「DeepL」に見られる自動翻訳の精度の凄まじいまでの向上は、「翻訳」という「創造（的行為）」を陳腐化させ、単なる「頭脳労働」未満の地位へとそれを格下げさせつつある。そして、Chat GPT に代表される「生成ＡＩ」のアカデミアへの普及は、「思考」そのものの陳腐化と〝労働〟化に拍車を掛けている。

〈創造（発明）〉とはそもそも如何なる営為なのか、という原理的問いをわれわれはここで発しなければなるまい。

まず、議論のとば口として「生成ＡＩ」の名称ともなっている「生成」（generation）と「創造」（creation）ないし「発明」（invention）との違いを考えるところから論を起こそう。生成ＡＩにおける「生成」とは、決して「無」から何ものかを創成する謂いではない。本章の冒頭で既に述べたように、それは大規模コーパスからまず既成のパターンを学習し、それを所与のデータに適用することで類似パターンを「生成」する操作のことである。したがって「生成」といっても、それはこれまで見たことも聞いたこともないような新奇なものを産み出すわけではなく、「どこかで見たようなもの、どこかで聞いたようなこと」を提示するに過ぎない。これに対して「創造」（「発明」）は、端的に新奇パターンの創出である。もちろん『創世記』に描かれているような神の創造行為とは異なり、全くの「無」から手品のように何ものかが飛び出して来る訳ではない。新奇パターン――ゲシュタルト心理学に謂う〈図〉（Figur）――を産み出すための〝質料〟的素材（データ）――ゲシュタルト心理学に謂う〈地〉（Grund）――はやはり与えられている必要がある。この点に関しては「生成」の場合との違いはない。「生成」との違いは、生み出されたパターンが既成のそれとの類似物に留まるのか、それともこれまで見聞したことのない新奇なものであるのか、その一点に存する。大した違いではないように思われるかもしれないが、この差は大きい。譬えて言うなら、「生成」が、例えば既存のジグソーパズルの台紙に当て嵌まりそうなピースを手持ちのピース群から類推する操作に相当するのに対して、「創造」（「発明」）の方は手持ちのピース群を包摂可能な、既存のものとは異なる新たな台紙を

案出する行為に当たるからである。つまり、これまで「アヒル」（既存パターン）しか見えなかったところに「ウサギ」（新奇パターン）を見ることが「創造」（「発明」）である。

さて、問題は〈機械＝ＡＩ〉に果たしてこうした新奇パターンの創出（＝ゲシュタルト・チェンジ）が可能か否か、である。昨今の機械学習型ＡＩの進展を念頭に置きつつ、順を追って考えてゆこう。

まず、新奇パターン創出のための必要条件として、ＡＩに与えられるデータ群（コーパス）が予め恣意的に確定されたものではなく、偏りのないデータ蒐集と選択における拡張が続行されなければならない。それによって所謂「過学習」が回避されるし、抽出されるパターンの潜在的多様性も確保される。この点については、データ蒐集マシンである「Webクローラー」の進化や「教師無し学習」の進展もあって見込みが立つ。

次に、既存のデータ群（〝地〟）から〈機械＝ＡＩ〉が、それまでとは異なる新奇な〝図柄〟を出現させる可能性だが、これについても充分望みがある。ビッグデータ解析において屢々引き合いに出される事例だが、米小売り大手のウォルマートの調査で御襁褓（おむつ）を購入する顧客の多くがビールを一緒に購入する事実が判明した。これは「因果関係」に拘泥わる人間には為し得ない洞察（パターンの抽出）であって、こうした〈機械＝ＡＩ〉のみが為し得る相関分析をリファインすることで新奇パターンの抽出機構として一般化できるかもしれない。

最後の難関として立ちはだかるのが、新たに成立したパターンに対する〈社会〉的意義の付与である。今のところこの手続きは「人間」にしか可能ではない。この点についても実例に拠りつつ考えよう。

　ＡＩの登場以前に「人間」ではなく「機械」（的偶然）に「創造」を委ねる――ないし「人間」（的意図）の介在を極小化する――ムーヴメントが存在した。例えば二十世紀初頭のダダイズムの潮流に棹差すかたちで現れた「自動書記」（automatic writing）による創作であり、一九五〇年代に話題を攫ったＪ・ケージの「チャンス・オペレーション」による作曲であり、六〇年代に盛り上がりを見せた「ハプニング」によるパフォーマンスアートである。この際注意が必要なのは、「自動書記」の場合には、その読者が――例えば神経症の症例記録として――自動書記による制作物を評価しなければ、それは単なる〝狂人の戯言〟となり、「チャンス・オペレーション」の場合には、誰あらぬ「ジョン・ケージ」が骰子を振ったという事実がなければ単なる偶然の出来事の集積に事態が解消され、「ハプニング」の場合には、観客の存在がなければ単なる風変わりな日常風景に忽ち変じてしまうことである。つまり新奇パターンは、それが偶々成立したという事実だけでは「パターン」とはみなされず、単なる「ノイズ」ないしは「エラー」として処理されてしまう。新奇パターンが新奇パターンとして登録されるためには、何らかの形での〈社会〉的な承認によるその「正当化（レヒトフェルティグンク）」（Rechtfertigung）の手続きが必須である。そして同じことが「生成ＡＩ」による「創造（発明）」にも当て嵌まる。

　一般的に言って、「創造（発明）」が成立するためには、それによって創出された新奇パターンが〈社会〉に組み込まれる、つまり当該パターンが既存の〈社会〉に変化をもたらす、あるいは影響力を行使することが不可欠である。そして、パターンが〈社会〉性を帯びる（＝社会的に認知される）ことが即ち、パターンの〈意味〉獲得、ないし端的にパターンの〈意味〉への変容という事態に他ならない。

現段階における「生成ＡＩ」にはこの最後の契機が決定的に欠けている。パラメータを増やしてゆけば、そのうちＡＩにも「創造（発明）」が出来るようになる、といった単なる〝ハードウェア〟やプログラミングの問題ではないのであって、事は〈社会〉の次元に係わる。したがって、現時点では「生成ＡＩ」による「創造（発明）」は不可能であると断言できる。もちろん、最後の契機の――例えばブロックチェーンによる――〈機械〉化の可能性をまで著者は否定しようとは思わない。但し、〈機械＝ＡＩ〉による〈社会〉的承認メカニズムが仮に実現したとしても、それはシンギュラリティの主張の実現では全くないし、ＡＩが人間の能力を超えたことを意味するわけでもない。なぜなら、それらすべては〈人間vs.ＡＩ（機械）〉というシンギュラリティが奉ずる世界観を超えた地平に成立する〈社会＝ＡＩ＝Web〉システム内部の〈出来事〉だからである。

6－5 〈情報的世界観〉

著者は、〈ネット－ワーク〉という〈メディア〉の基底的枠組みには、それ固有のそれに対応する〈思想〉的枠組みが存在すると考える。その〈思想〉的枠組みを著者は〈情報的世界観〉と呼びたいのだが、それは特定の誰彼の発案になる単なる「思想」ではない。寧ろそれは〈メディア〉の技術的進展に伴って自己組織化的に組み上がってゆく非人称的で潜在的な〝思想〟の〈可能性の条件（ベディングンク・デア・メークリヒカイト）〉

(Bedingung der Möglichkeit) であって、したがって当代の、それを前提して生を営んでいる人々によってそれが意識されている必要は必ずしもない。そのことは例えばデカルトによって定式化され、同時代の哲学者たちが——その定式化に賛同や批判を表明することで——共有した〈もの vs. こころ〉の二元論〈思想〉が必ずしも同時代のすべての人々に共有された訳ではないこと、もう少し新しい事例を出せば、T・クーンによって定式化されたある時代の科学者集団の制度的枠組みである〈パラダイム〉が、当該パラダイム内部の全ての科学者によって認識されていたわけではないこと、また、フーコーが彼独自の〈権力〉分析の中で定式化した〈エピステーメー〉(épistémè) が、それに拠りつつ〈言表（エノンセ）〉(énoncé) を行う個々人によって意識されていたわけではないこと、更に言えば、マクルーハンが定式化した〈メディア〉の〈思想〉的枠組みである〈銀河系〉(galaxy) が、当の〈メディア〉使用者によって必ずしも意識されているわけではないこと、それら全ての場合と事情は同じである。

　したがって同様に〈情報的世界観〉もまた、その存在に凭れつつ生きている同時代の人々にその存在が気付かれているわけではなく、寧ろ〈ネットワーク〉の渦中において、その〝露頭〟に顕れた具体的現象から出発して〝発掘〟し、〝発見〟され、そしてその後漸く言語的に定式化されるより他ないものである。著者はこの〈情報的世界観〉の〝発掘〟と定式化のための恰好の〝露頭〟と機会とを「生成ＡＩ」は提供していると考える。章の締め括りとして本節では、「生成ＡＩ」によって照らし出される限りでの〈情報的世界観〉の定式化を試みる。

6-5-1 「情報」概念の三層

「情報」の概念は極めて多義的であって、しかも未だ汲み尽くされざる内包も孕んでおり、本項でその多義性の総てを余す所なく詳解・詳述することは不可能である。したがってここでは〈情報的世界観〉の輪郭を描くために必要な限りでの分析に議論の範囲を限定したい。

さて、日常的な語用においては「情報」の語は多くの場合プラグマティックな文脈で使用される。例えば「彼の話には情報が少ない」や「情報がないことには動こうにも動けない」といった用例においては「情報」の語は、行動の指針をそこから抽き出し得る何らかの「内容(コンテンツ)」の意であり、言い換えると前者は「彼の話は役に立たない」、後者は「指針を示す材料がないと行動しても無駄だ」という意味である。「情報」(information)の語の意味上の起源である「諜報」(information ≒ intelligence)もまた同様のニュアンス――つまり、「敵の動静を探るのに役立つ意味を有する」――を帯びている。こうしたケースで使用される「情報」の意味は、あるもの(それが物財であれ文書であれ発言であれ)が孕んでいる「内包的意味の当該〈目的〉にとっての〈有用性〉」であると考えて大過ないだろう。

だが、「情報」の語が情報科学の文脈で使用されるとき、例えばウィーナーの有名な惹句「情報は情報であって、物質でもエネルギーでもない」[28]における「情報」は、「物質」や「エネルギー」とい

28 原文は「Information is information, not matter or energy.」Wiener, N., *Cybernetics or control and communication in the animal and the machine*, 2nd ed., 1961. V. Computing Machines and the Nervous System. 邦訳『サイバネティックス――動物と機械における制御と通信』(池原止戈夫・彌永昌吉・室賀三郎・戸田巌訳、岩波書店)。

う物理的実体の孰れにも解消されない、にもかかわらず、それら二つの実体と共に自然を構成している第三の実体としての〈パターン〉ないし〈ゲシュタルト〉あるいは〈かたち〉を意味している。この場合の「情報」はしたがって、「物質的」〝素材〟によって表現される何らかの〈かたち＝パターン〉というのがその意味となる。

厄介なのは「情報」にはこれらの外に第三の意味が存在することである。例えば「情報の洪水」という表現における「情報」は、最初の場合のようなプラグマティックで〈目的〉論的なニュアンスを欠いているし、また二番目のケースのような〈パターン＝かたち〉といったコノテーションもない。それは寧ろ〈目的〉や〈意味〉を欠いた、つまり何らか特定の〝脈絡〟からは逃れ出る〈素材〉的で無定〈形〉な〝存在〟の意味で使用されている。HDD（ハードディスクドライブ）やSSD（ソリッドステートドライブ）などの「情報（データ）」ストレージに蓄積されている「情報」もまた、こうした類いの「情報」である。したがって、この場合の「情報」は〈素材＝データ〉という意味を担っている。

以上を纏めると、「情報」概念には、(1)〈目的＝有用性〉、(2)〈パターン＝かたち〉、(3)〈素材＝データ〉という都合三つの意味層が孕まれていることになる。問題は――繰り返すが――これら凡そ相容れぬ三つの意味層が同じ一つの「情報」概念に同居しているという事実である。われわれはこの事実をどう受け止め、またこの事態を如何に概念的に把握（ベグライフェン）(be-greifen) すればよいのか?

6‐5‐2　現象学による〈意味〉階層の哲学的分析

われわれは「情報」という概念こそ使っていないものの、上述の三層を独自の〈意味〉分析において区別した現象学の鼻祖フッサールの議論を一先ずは当てにできる。フッサールは、知覚経験の構造を執拗に分析し、センスデータとしての諸〝情報〟が或る〝目的（テロス）〟（τέλος）への〈志向（インテンチオ）〉（intentio）へと巻き込まれる中で纏め上げられていくことを発見した。彼は知覚に伴うこの〝目的〟を〈かたち（モルフェー）〉（μορφή）ないし〈ノエマの核〉（der noematische Kern）と呼び、これこそが自己充足的で自己完結的な本来の〈意味（ジン）〉（Sinn）であると喝破したのだった。具体的事例で考えよう。われわれはある対象を触ってみて「これは堅い」という〝情報〟を得、視認することで「これは赤い」ないし「これは丸い」という〝情報〟を得、食することで「これは酸味がある」という〝情報〟を得る。その上で、こうしたセンスデータとしての諸〝情報〟を纏め上げ「これはリンゴである」という最終的な判断を下す。この場合、「これは赤い」「これは丸い」「これは堅い」「これは酸味がある」といった諸〝情報〟は、「これはリンゴである」という判断の〈素材〉として機能している。謂わば「これは赤い」「これは丸い」「これは堅い」「これは酸味がある」といった諸〝情報〟は、「リンゴ」という〈目的（テロス）〉へと向かって纏め上げられてゆくわけである。

現象学は色や匂いといったセンスデータ、音や形といった原初的ゲシュタルトなどの直接的所与[29]のみでは認識は完遂されないと考える。こうした所与的データは感覚の地平を超えた〝場所〟にある自己充足的で自己同一的な〝イデア〟的〈意味〉への志向[30]に巻き込まれることで一つに纏め上げられ[31]、

29　現象学はこれを「射映（アップシャットゥンク）」（Abschattung）とも呼ぶ。所謂「見え姿」のことである。

30　この能作を現象学は「意味志向（ベドイトゥンクスインテンツィオーン）」（Bedeutungsintention）と呼ぶ。但し、初期の『論理学研究』における語用（ターミノロギー）。

31　同じく「統握（アウフファッスンク）」（Auffassung）。

逆にこの志向された〈意味〉によって感覚的所与には〝魂〟が与えられ、[32]バラバラの「見え姿」（センスデータ）は〈何か〉の「見え姿」となる。他方、感覚的所与無しに〈意味〉を志向することも可能ではあるが、この場合には、感覚的所与がバラバラに与えられる場合と同様、認識は達成されない。そこにあるのが実質を欠いた「空の（レーア）」（leer）志向に過ぎないからである。〈意味〉もまた感覚的所与によって満たされなければならない。[33]つまり〈意味〉という〈かたち（モルフェー）〉は感覚的所与という〈素材（ヒュレー）〉（ὕλη）をその成立の要件として必要とするのである。

こうした現象学の〈意味〉構造分析に、先に見た「情報」における三層が再現されていることは見易い。すなわち、（3）〈素材＝データ〉＝「見え姿」が、（2）〈パターン＝かたち〉としての〈意味〉に纏め上げられるのだが、そのときその〈意味〉は、（1）〈目的〉として機能しているからである。ここにわれわれは「情報」における三層を統一的に理解するためのヒントを見出す。すなわち、〈素材＝データ〉である〝情報〟（＝「見え姿」）は、現実世界の認識においては〈パターン＝かたち〉としての〈意味〉とは切り離すことはできず、（2）、（3）の二つの層の機能的連関を現象学は解明している。

だが、われわれはフッサールの議論に丸ごと身を任す訳にはいかない。問題は（1）の〈目的〉の層である。「情報」の三層における（1）〈目的〉はプラグマティックな〈有用性〉（＝役に立つこと）と等置されたが、現象学における〈目的〉は自己目的的でア・プリオリな自存体、アリストテレス謂うところの〈不動の動者（ト・キヌーン・アキーネートン）〉（τὸ κινοῦν ἀκίνητον）――自らは不動の儘で他の存在者を動かす者――として措定されている。このような超越的性格を持つ〈目的〉が、〈意味〉として解された〈パターン＝

かたち〉と重ね合わされるのであるから、フッサールの〈意味〉世界がプラトンの〈イデア〉界に擬えられることになるのも道理であろう。

「センスデータ」としての〝情報〟を〈意味〉が包摂することで、それを〈生化(ベゼーレン)〉するという、〝情報〟と〈意味〉との不可分離的な機能連関を現象学は発見したのではあったが、〈目的〉層を自立化・自存化させ、その超越性を強調することで、中間層の〈パターン=かたち〉=〈意味〉までがその巻き添えを食らってしまう。〈パターン=かたち〉=〈意味〉が〈目的〉と重ね合わされることによって変化を許さぬ〝永遠の相〟にフリーズされてしまうのである。こうした措置は、フッサールが数学の出自であることに淵源していると著者は推測するが、如何せん、これでは実在世界と〈意味〉世界とが存在論的な次元で分断されてしまい〈社会〉理論の構案としては欠格の誹りを免れない。

6-5-3 ルーマンにおける〈意味〉と〈情報〉との地位逆転

〈情報的世界観〉の〝発掘〟作業に対して、ルーマンの社会システム論は決定的に重要な寄与を果たしている。それは前世紀末の段階で既に、二十一世紀に入ってからの情報社会の全面的展開とその結果としての〈ネット-ワーク〉体制の確立を宛も見越すかのように、情報社会の本質を見抜き、その存立メカニズムを独自の定式化にまでもたらしている。

32 同じく「生化(ベゼールンク)」(Beseelung)。
33 この事態を現象学は「意味充実(ベドイトゥンクスエアフュルンク)」(Bedeutungserfüllung) と呼ぶ。

彼は自らの〈社会〉理論に意識的に〈情報（インフォルマツィオーン）〉(Information)の概念を術語（テクニカルターム）として採用し、それに基幹的地位を与える。また、前項でみたフッサール現象学の〈意味〉分析の成果をも引き継ぎ、〈意味〉と〈情報〉との機能的連関についても、フッサールとは違った仕方で定式化を図る。その際、両者を媒介するのが〈システム〉の概念であり、また〈メディア〉の概念である。その構案の概要を以下に示す。

フッサールにおいて〝情報〟にあたるものは、(3)センスデータ(「見え姿」)であったが、ルーマンの〈情報〉は情報科学的な意味を引き継いだ(2)〈パターン=かたち〉である。但し、ここで重要なことは、〈パターン=かたち〉としての〈情報〉は、〈システム〉に内在的、ないし〈システム〉に固有であって、〈情報〉と不可分離的な関係にある〈システム〉を離れては端的な〝無〟となる点である。これをルーマンの如何にも彼らしい惹句を用いて表現するならば「〈情報〉は転送されない」(Information wird nicht übertragen!)[34]。なぜなら〈システム〉が変じるとき、〈情報〉の〈支持体（シュポール）〉(support)および文脈が変更されてしまうからである。〈システム〉を跨いで転送されるのはただそれ自体は不可視な(〝素材〟間の)〈差異（ディフェレンツ）〉(Differenz)のみである。転送された〈差異〉を手懸かりにそれを受け取った別の〈システム〉は、その〈システム〉に固有の〈支持体（シュポール）〉と文脈とを基に新たに当該〈システム〉に固有の〈情報〉を構成——再現ではない——することになる。

〈意味〉の方はどうか? 驚くべきことに、ルーマンは〈意味〉を〈素材=メディア〉——(3)〈素材=データ〉ではなく[35]——として遇するのである。つまり、〈素材=メディア〉としての〈意味〉は〈社会〉における〈システム〉の違いを問わず、全システムの〝共有リソース〟として〈社会〉に遍く流通する。そして、この〈意味〉を〈素材〉として〈システム〉に固有な〈情報〉が構成されるという按配である。ルーマンは、この〈社会〉システムにおける〃共有リソース〃としての〈意味〉のあり方を〈根源的メディア〉(absolute Medien)と呼ぶ。[36]

ここで現象学の場合との違いを二点強調しておく。現象学が〈意味〉を〈目的〉と重ね合わせたことで、〈意味〉は――数学的〃実在〃に相似した――永遠不動の相に固定されてしまった。ルーマンはこの措置を他山の石としつつ、〈素材＝メディア〉を、〈システム〉によって過去に構成された〈パターン〉が〃共有リソース〃として沈殿した歴史的形成物とみなす。[37] したがって、ルーマンにとって〈意味〉はフッサールの場合とは違って、永遠不動ではなく、歴史的な変化を許す。二点目。現象学が、〈素材＝データ〉としての〃情報〃が、一段上位にある永遠不動の〈意味〉によって統一にもたらされるというトップ・ダウン的で〈目的〉論的な構図を採用しているのに対して、ルーマンの方は、〈素材＝メディア〉としての〈意味〉が、〈システム〉において〈情報〉にまで構成されるというボトム・アップ的な途を採っている。ここで読者の注意を喚起しておきたいのは、フッサールとルーマン

34 N. Luhmann, *Einführung in die Systemtheorie*, 1992, II. 邦訳『社会システム論入門――ニクラス・ルーマン講義録［1］』(土方透監訳、新泉社)。

35 〈素材＝データ〉の場合、〈素材＝メディア〉には含意されている〈素材〉の可塑性のニュアンスが失われてしまう。

36 Luhmann, N., *Die Gesellschaft der Gesellschaft*, S57.

37 こうした歴史的形成物として〈素材〉化した〈パターン＝意味〉をルーマンは歴史家のR・コゼレックの語用を踏襲しつつ〈ゼマンティーク〉(Semantik)と呼ぶ。

とで〈意味〉と〈情報〉との地位が逆転していること――フッサールの〈意味〉の優位に対する、ルーマンにおける〈情報〉の優位――である。ここにルーマンが〈情報的世界観〉の先導者であることを示す一つの決定的な状況証拠がある。

最後に（1）〈目的〉の契機を検討しよう。現象学にあっては〈目的〉が超越化ないし自己目的化されたが故に、現象学の理説全体が――「厳密学」と言えば聞こえはよいが――変化の可能性を排除した没歴史的な性格を帯びる仕儀となっている。それに対してルーマンの社会システムは、〈目的〉を〈システム〉に内属させる、つまり〈目的〉を〈システム〉相関的、〈システム〉相対的なものとして措定する――〈システム〉はそれぞれに固有の〈機能＝目的〉を有しており、その〈機能＝目的〉に応じるかたちで〈意味〉から〈情報〉が構成される――ことで、現象学において出来したような〈意味〉の超越化が防がれている。ルーマンの社会システム論にはこうした、〈社会〉が超越化することを防御するための仕組みが幾重にも張り巡らされている。

6－5－4　「生成ＡＩ」と〈情報的世界観〉

さて、ではルーマンの社会システム論が〈情報的世界観〉の全容を解き明かし得ているかと言えばそんなことはないのであって、それは〈情報的世界観〉〝発掘〟作業を単に緒に就けたに過ぎない。本書全体の掉尾ともなる本小節では「生成ＡＩ」とも絡めながら〈情報的世界観〉の骨格なりとも素描してみよう。

フッサール現象学では、〝情報〟を単なる〈素材＝データ〉に限定する一方で、〈意味〉の意義を高調し、特にその〈目的〉的契機に破格の地位を与えたのだった。一方、ルーマンは〈目的〉的契機を相対化した上で、〈パターン＝かたち〉を〈システム〉相関的な〈情報〉として理論の中心に据えた。その際に彼は〈パターン＝かたち〉＝〈情報〉を構成するための〈素材＝メディア〉として〈意味〉を位置付けたのだった。つまり、フッサールでは三層のうち最上位の（1）〈目的〉的契機が、ルーマンでは中間層の（2）〈パターン〉の契機が重要視されていることになる。だが〈情報的世界観〉においては、最下層の（3）〈素材＝メディア〉の契機が最も重要な役割を演ずる。どういうことか？順を追って説明しよう。

フッサールが〝情報〟にとっての〈意味〉の不可欠性と重要性とを強調したことは、その後の情報科学の展開を考えたとき極めて正鵠を射た指摘であった。というのも、一九四〇年代から破竹の勢いで発展を遂げる情報科学は、「情報」から〈意味〉的契機を切り捨てる――特にC・シャノンによる「情報」の定義に顕著に窺える如く[38]――ことによって初めて「科学」たり得たからである。この時点で、情報科学は〈意味〉的契機を欠いた、（3）〈素材＝データ〉の水準にスタート地点を設定することを余儀なくされたといえる。にもかかわらず、情報科学は、他の二契機を独自の仕方で恢復する恰好でその後の発展を遂げる。すなわち（1）〈目的〉の契機については、サイバネティックスが「フィードバック」機構によって、その工学的実装に目処を付け、（2）の〈意味〉についてもベイトソンらがゲシュタルト心理学の知見を踏まえつつ、〈意味〉を〈パターン＝かたち〉として解釈する

38　Shannon, C., *The Mathematical theory of communication*, 1967. 邦訳『通信の数学的理論』（植松友彦訳、筑摩書房）。

ことで、言語に留まらぬ〝意味〟の領野を〈情報〉の観点から切り拓いていった。J・J・ギブソンの「アフォーダンス」の議論などはその線に沿った最も顕著な成果であろう。

だが、それでも情報科学にとっての出発点である（3）〈素材〉の契機――還元主義的・要素主義的な〈素材＝データ〉という表現ではなく、ルーマンの顰みに倣いつつシステム論的表現である〈素材＝メディア〉を今後使用する――こそが斯学のアドヴァンテージの核をなすと著者は考える。重要なことは、この場合の〈素材〉が単なる〝材料〟や哲学的〝質料（ヒュレー）〟（*ὕλη*）のような静的で不活性な媒体とは違い、それじしんが多様な変化の〈潜在性〉を孕んだ一種の〝エネルギー〟――ドゥルーズの言葉を用いれば〈強度（アンタンシテ）〉（intensité）――であることである。

実際、生成AI、とりわけChat GPTなどは、この〈潜在性〉としての〈素材＝メディア〉の体現体として捉えることができる。Chat GPTにおいては、ルーマンの構案におけると同様、〈意味〉が〈素材＝メディア〉の地位を占めており、情報科学におけるこれまでの正統的な〈意味〉把握とは異なるアプローチを採っている。そして、この〈意味〉が、〈コミュニケーション〉の連鎖的接続（＝Chat）という〈演算（オペラツィオーン）〉（Operation）を介して、変容と拡張とを遂げる、となれば、これはもうほぼルーマン理論の工学的実装と言ってもよい。

但し、「生成AI」には、決定的にルーマン理論の後塵を拝している点もある。それが先に（6－4－3）指摘した〈意味〉における〈社会〉性の不在である。Chat GPTに代表される「生成AI」は、従来型の記号計算主義が〈意味〉を、所謂「意味論」――「語」と「実在」との対応――や「統辞論」――「ルール」に則った「語」相互の整合性――に準ずる形で規定していた段階から脱し、「語用論」——実際に「語」が運用される際の確率論的で文脈依存的なパターン——的な規定を採用している点で或る種の〝社会性〟を組み込んでいるとはいえる。だが、それは言い換えれば、結局はその〝社会性〟が「語用論」という言語学的範疇の軛から未だに抜け出せていない不十分なものでしかないということでもある。つまり、それは〈意味〉という〈メディア〉における実在的水準での〈社会〉的媒介構造——例えば、先に指摘したような〈創造（発明）〉における〈承認〉構造や、より一般化して言うならフーコーが分析したような微視的〈権力〉関係——を〈機構＝機械〉として組み込めていないのである。

だが他方、「生成ＡＩ」は、ルーマン理論にあっては看過されている重要な問題系に自覚的に取り組んでおり、その点でルーマン理論が孕んでいる難点に工学的観点から解決への途を付ける可能性をそれは秘めてもいる。その問題系とは非‐言語的〝意味〟および〈身体〉的〝意味〟のそれである。例えば、画像生成ＡＩは、非‐言語的〝意味〟の生成に関わる〈コミュニケーション〉連鎖を現在既にプリミティヴな仕方においてではあれ、実現しているとみることが出来るし、将来ＸＲテクノロジーが「生成ＡＩ」と融合して、〈社会〉の〈機械〉化が、〈身体〉性をまで組み込む水準に達した暁には、〈機械〉化は〈Web＝社会〉という〈汎知＝言語〉の疆域を超えて、人間の身体や各種ロボット、更には〈実在的／仮想的〉空間といった、謂わば〈社会〉の〝肉〟にまで及ぶこととなろう。

こうしたプロセスの全てを通じて、その根底で働いているものこそ〈情報的世界観〉である。それは〈メディア〉テクノロジーの進展に応じて少しずつかたちを変えてゆくが、その核芯を成しているのは、先に述べた如く、〝活きた〟〈素材〉もしくは〈潜在性(ヴァーチュアリティ)〉（virtuality）、すなわち、多様な変化の可能性に開かれた〝エネルギー〟としての〈メディア〉である。[39] 本章における〈情報的世界観〉の〝発掘〟作業と定式化は、思想史的にはフッサールとルーマンの線に沿いつつ、テクノロジー的には専ら「生成ＡＩ」に即しつつ遂行したが、〈身体〉的水準における〝意味〟、および〈情報〉の更なる含意の解明を含む、より精密な〈情報的世界観〉の定式化は――フーコー、ドゥルーズそしてシモンドンの議論をも射程に収める必要があり、また今後のテクノロジーの進展をも睨みつつ事を進めなければならない関係上――他日を期したい。現時点では、その輪郭の素描を以って一先ず諒とされたい。

39　註28で見たとおりウィーナーは「情報はエネルギーとは違う」と明言するのだが、シモンドンは〈情報〉を或る種の〝エネルギー〟とみなす。シモンドンによるこの〈情報〉規定は真剣に受け止めるに足るだけの含蓄があると著者は考える。Simondon, G., *L'Individuation à la lumière des notions de forme et d'information*, 1964. 邦訳『個体化の哲学――形相と情報の概念を手がかりに』（藤井千佳世ほか訳、法政大学出版局）。

あとがき

本書の位置付けに就いては「序論」において既に言い尽くしたので、この「あとがき」では、各章の書誌情報、および「序論」に誌すには私的に過ぎることどもを認めることにする。

先ず各章の初出を示す。終章のみが書き下ろしで（但し、一部旧稿「情報的世界観と基礎情報学」からの流用がある）、第一章から第五章までは、著者が『現代思想』に寄稿した論攷を魯魚亥豕の訂正を除いてほぼそのまま再録したので、終章を除いた各章についての初出の書誌情報のみ以下に掲げる。

第一章、「ウェーバー社会理論の深層構造と社会の〈自己記述〉」『現代思想』二〇二〇年十二月号、「特集　マックス・ウェーバー：没後一〇〇年」。

第二章、「ラトゥールの〈形而上学〉――アクターネットワーク理論と社会システム論」『現代思想』二〇二三年三月号、「特集　ブルーノ・ラトゥール：1947-2022」。

第三章、「情報社会にとって「数」とは何か?・」『現代思想』二〇一九年十二月号、「特集　巨大数の世界:アルキメデスからグーゴロジーまで」。

第四章、「量子力学・情報科学・社会システム論——量子情報科学の思想的地平」『現代思想』二〇二〇年二月号、「特集　量子コンピュータ:情報科学技術の新しいパラダイム」。

第五章、「メタヴァースとヴァーチャル社会」『現代思想』二〇二二年九月号、「特集　メタバース:人工知能・仮想通貨・VTuber…進化する仮想空間の未来」。

前著『ヴァーチャル社会の〈哲学〉』および旧著『情報社会の〈哲学〉』の連作については孰れも韓国語訳までが出て、著者の予想を超える反響に驚いているのだが、本作『〈情報的世界観〉の哲学』は、その反響に気を良くして〝三匹目〟の泥鰌を狙ったものでは決してない。著者としてはシリーズとして三作目を編むつもりはなかった。「情報社会」の〈現状分析〉としては、情報社会が価値構成の領域に踏み出してヴァーチャル社会に至った段階より先の展開は今のところ確認できないからである。

著者はこの「あとがき」を書いている現在、勤務する大学から一年間の研究休暇を貰い台湾にいる。滞在先が台湾である理由は「多元主義」の問題を哲学的・メディア論的に考える研究計画を立てたからだが、研究と並行して、現在企画を進めているメディア論の翻訳シリーズの作業と懸案の廣松渉論執筆に向けての〝仕込み〟に休暇を充てるつもりであった。ところが、七月頃、青土社編集部の足立朋也氏から台湾に電話を戴き、年内に『現代思想』に寄稿した論攷で、書籍に未載分の五本を編んで書籍にしたいという。しかも、既に企画は通してあるという。暫く逡巡したが、寧ろ前向きな気持ちで有難くお受けすることにした。

最終的に受けることにした理由は二つある。一つは、ここ十数年掛けて取り組んできた「サイバネティックス運動」の研究の中でその〝存在〟を確信し、著者の中でその輪郭が朧気にではあれ次第に形を成してきた〈情報的世界観〉という理論枠組みを、本書を編む中で思想史研究とは別のアングルから照らし出してみるのも一つの手ではないか、そう思い到ったこと。第二に、『情報社会の〈哲学〉』の「あとがき」に記したように本シリーズは宇野弘蔵の三段階論で謂うところの〈現状分析〉に当たるが、〈情報的世界観〉を考える巻をそこに加えることで、〈現状分析〉を〈原理論〉である〈メディア〉研究に接続するパスを設定できること、である。

ただし、受けることに決めた理由が右のとおりである以上、実際に受けるには編集部に二つの条件を呑んで貰う必要があった。一つはタイトルに〈情報的世界観〉の語を入れること。いま一つは〈情報的世界観〉を主題的に論じる新たな一章を書き下ろすこと、である。〈情報的世界観〉の語は、既存の論攷中、「巨大数」と「量子情報科学」を扱った二編（本書、第三・四章）には出てくるが、それだけで〈情報的世界観〉を論じた書を名乗ることはできない。そうした訳で台湾の酷暑の真っ盛りに筆を執り、晨夕が多少とも凌ぎ易くなった頃に完成させたのが終章である。この章は、その分析がなければ、最新の〈現状分析〉とは言えないはずの「生成ＡＩ」を第二の主題としており、〈現状分析〉の書としての強度を高めるという意味でも必要であった。

以上のような次第で、本シリーズは結果として〝三部作〟となり（ただし、〈現状分析〉の作業は、新たな〝露頭〟が現れる機会を捉えて続行するつもりである）、とどうじに台湾で行うはずの仕事の殆どは日本に持ち帰る羽目になりそうなのだが、著者にとっての最大の懸念は、本作の構成が——内容が、ではない！——急拵えであるため、前二著に比べるとき、結果として或る種の不体裁を招来してしまっているかもしれないことである。〈情報的世界観〉の規定については取り分けそのことが当て嵌まる。本書は〈情報的世界観〉を主題としてはいるが、先に述べたとおり、当該概念は〝普請中〟であって、本書でのその規定は過渡的中間報告に過ぎない。著者から見ても〈情報的世界観〉規定における本書中でのブレは認めざるを得ず、第三・四章に出現する〈情報的世界観〉と終章の〈情報的世界観〉の規定の間には或る無視し難い齟齬——具体的には「〝エネルギー〟としての〈情報〉や〈メディア〉」という規定——がある。が、当該概念の彫琢に際しての紆余曲折の〝現場証拠〟を遺すために敢えて手は加えなかった（ただし「情報的世界観」の表記を〈情報的世界観〉に改めた）。読者においては当該概念規定が暫定的なものであることを念頭に置きつつ読み進んでほしい。

それと関連して、著者独自の表記方法に関して一言付言しておく。著者の文章は或る種の人々には頗る評判が悪い。その悪評の理由の筆頭が各種括弧の多用である。著者としては、自分の文体のからくりを自ら喋々するのは、手品師が種明かしをするようで無粋極まりない（要するに「ダサい」）との思いからこれまではノーコメントで通してきたが、学生から「先生は著書でなぜ、括弧をたくさん使うのですか？」との悪意の欠片もない質問を受けたこともあり、思い直した次第である。質問をしてきた学生に対しては、哲学というのは文科系の〝数学〟であって、語用を厳密にする必要があるから、と応えたのだが、ここでその応えを繰り返すと、著者が記号論理学や分析哲学の徒であるかの如き誤解を受けかねないので、簡単に著者なりのルールを白状する。

括弧の多用は決して奇を衒っているわけではなく、已むに已まれぬ必要からそうしている。「 」および『 』は世間の用法と異ならない。前者は引用および強調で、後者は作品名を示す。問題は〝 〟と〈 〉であろう。前者は「概念未満」ないし「疑似概念」を示し、文脈によっては揶揄の意味合いを帯びる。後者は著者が独自の意味を籠めた概念であり著者独自の術語であることを示す。例えば『情報社会の〈哲学〉』における〈哲学〉が〈 〉で包まれているのは、著者が「哲学」に巷間で流通している「哲学」とは異なる含意――具体的には「運動する体系性としてのそれ」――を付与しているからである。したがって、『ヴァーチャル社会の〈哲学〉』における「ヴァーチャル社会」は、現在刊行するのであれば、〈ヴァーチャル社会〉としたいところである。前二作に対して本著『〈情報的世界観〉の哲学』では、〈 〉で包む対象がそれまでの「哲学」から〈情報的世界観〉に移動しているが、これは〈情報的世界観〉が著者独自の術語であるのに対して、その解明を事とする「哲学」が未だ「体系性」の段階まで到達していない暫定的考察であることを示している。〈情報的世界観〉の最終的定式化には今暫く時間を要するようである。

臺北市の大安區溫州街の寓居にて　二〇二三年十一月二十四日

大黒岳彦

事項索引

凡例：人名索引や作品索引も含め、タイトルや見出しに項目が存在する場合には、ページ数ではなく章・節・小節・項番号（太字）を挙げ、（註）内に項目が存在する場合には、ページ数に n を付した。

記　号

英数字

ア 行

カ　行

サ　行

タ　行

ナ行

ハ　行

マ　行

ヤ　行

ラ　行

ワ　行

人名索引

凡例：原則として本文中に現れるすべての人名と、（註）内で著者が重要と考えた人名を選んだ。

英数字

ア　行

カ　行

サ　行

タ　行

ナ　行

ハ　行

マ 行

ヤ 行

ラ 行

ワ　行

作品索引

凡例：原則として本文に現れたすべての作品に加え、(註）内の参照に値する作品を挙げた。文献資料は、読者の便宜のために、いくつかの例外を除き邦訳が存在するものに絞った。書名は『　』、論文は「　」でそれぞれ括り、文献資料以外の作品は（　）内にジャンルを記した。

英数字

ア　行

カ　行

サ 行

タ 行

ナ 行

ハ 行

マ 行

ヤ 行

ラ 行

大黒岳彦（だいこく・たけひこ）

1961年香川県生まれ。哲学者。東京大学教養学部卒業。同大学院理学系研究科（科学史・科学基礎論専攻）博士課程単位取得退学。1992年日本放送協会（NHK）に入局、番組制作ディレクターを務める。退職後、東京大学大学院学際情報学府博士課程単位取得退学。専門は哲学、情報社会論。現在、明治大学情報コミュニケーション学部教授。主な著書に『情報社会の〈哲学〉――グーグル・ビッグデータ・人工知能』（勁草書房）、『ヴァーチャル社会の〈哲学〉――ビットコイン・VR・ポストトゥルース』（青土社）など、訳書にメディーナ『サイバネティックスの革命家たち――アジェンデ時代のチリにおける技術と政治』（青土社）、ゲローヴィチ『ニュースピークからサイバースピークへ――ソ連における科学・政治・言語』（名古屋大学出版会）がある。

〈情報的世界観〉の哲学――量子コンピュータ・メタヴァース・生成AI

2023年12月21日　第1刷印刷
2023年12月31日　第1刷発行

著　者　大黒岳彦

発行者　清水一人
発行所　青土社
〒101-0051　東京都千代田区神田神保町1-29　市瀬ビル
電話　03-3291-9831（編集部）　03-3294-7829（営業部）
振替　00190-7-192955

印　刷　双文社印刷
製　本　双文社印刷

装　幀　岡 孝治

カバー・表紙写真
metamorworks/Shutterstock.com

ISBN978-4-7917-7615-3